ARABSKA PERŁA

W serii:

Minaret Leila Aboulela
Tłumaczka Leila Aboulela

O autorce

Maha Gargash urodziła się w Dubaju. Ukończyła uniwersytet im. Jerzego Waszyngtona w Waszyngtonie, wydział radia i telewizji, oraz Goldsmith's College w Londynie. W roku 1985 zaczęła pracować w dubajskiej telewizji, gdzie poświęciła się kręceniu filmów dokumentalnych, co było okazją do wielu podróży i poznawania fascynujących ludzi i kultur, a także umożliwiło zebranie materiału do książki *Arabska perła*.

MAHA GARGASH

ARABSKA PERŁA

Z angielskiego przełożyła
Anna Zdziemborska

REMI

Tytuł oryginału: The Sand Fish: A Novel from Dubai

Copyright © Maha Gargash 1999
All rights reserved

Polish edition copyright © Wydawnictwo REMI Katarzyna Portnicka 2010

Polish translation copyright © Anna Zdziemborska 2010

Redakcja: Beata Słama

Zdjęcie na okładce: iStockphoto

Projekt graficzny okładki: Katarzyna Portnicka, Wojciech Portnicki

Skład: Michał Nakonieczny

ISBN 978-83-922897-9-1

Dystrybucja
Firma Księgarska Jacek Olesiejuk Sp. z o.o.
ul. Poznańska 91, 05-850 Ożarów Mazowiecki
tel. (22)721 30 00/11, fax (22)721 30 01
www.olesiejuk.pl

Sprzedaż wysyłkowa
www.olesiejuk.pl
www.empik.pl
www.merlin.pl
www.amazonka.pl

Wydawnictwo REMI Katarzyna Portnicka
ul. Łukowska 8 m. 98
04-113 Warszawa

www.wydawnictworemi.pl

2010. Wydanie I, op. miękka

Druk: Nasza Drukarnia

Nota od autorki

Wszystkie miejsca i społeczności w tej powieści zrodziły się w wyobraźni autorki, lecz wzorowane są na różnych populacjach zamieszkujących we wczesnych latach pięćdziesiątych tereny, na których obecnie znajdują się Zjednoczone Emiraty Arabskie oraz półwysep Musandam w Omanie. Autorka zdecydowała się na fikcyjne nazwy miast, wsi i społeczności z dwóch powodów. Po pierwsze, część tych miejsc i ludzkich zbiorowości już nie istnieje. Po drugie, autorka chciała mieć większą swobodę, powołując je do życia.

1

Przybyły. Nieznajome, które zawitały do jej domu, żeby przypieczętować jej przyszłość.

Z wnętrza kamiennej chaty Noora wyraźnie słyszała, jak prześcigają się w narzekaniach niczym kury walczące o ziarno. Były zmęczone i niezadowolone: tyle Noora wiedziała. Przecież podróż przez pustynne góry zajęła im większą część dnia.

– Worki pogruchotanych kości, Sakino, oto, kim jesteśmy.

– Tak, Gulsom. Tak się wytrzęsłam na tym ośle, że nie mogę dojść do siebie.

Słuchała głosów swatek: głos Gulsom był niski i chrapliwy, a Sakiny cieńszy, lekko drżący, jakby chciała wszystkich zadowolić.

Noora poczuła ciarki na plecach na dźwięk głosu swojego brata, który starał się ulżyć wyczerpanym kobietom, częstując je wodą i daktylami. Miała ochotę krzyczeć, machając rękami, i wybuchnąć rozdzierającym szlochem. Zamiast tego jednak zacisnęła pięści i pozwoliła, żeby paznokcie wbiły się głęboko w jego zdradę. Jej własny brat, towarzysz dziecięcych zabaw, Sager, który miał siedemnaście lat, rok mniej niż ona, i był o pół głowy niższy – oddaje ją. Tak po prostu.

Noora skrzyżowała ramiona na swych obfitych piersiach. Niebawem mężczyzna, nieznajomy, który zostanie jej mężem, będzie je miażdżył w uścisku. Co jeszcze zmiażdży? Zgarbiła się i wcisnęła w najciemniejszy kąt chaty. Na zewnątrz była kobietą, ale jej wnętrze głośno domagało się czułej opieki, jakiej pragnie dziecko.

– No dobrze, gdzie jest ta dziewczyna? – rozległ się władczy głos Gulsom.

Noora wyprostowała się i naciągnęła chustę na twarz. Przez rzadki splot czarnego materiału przyglądała się, jak swatki ociężałym krokiem wchodzą do chaty. Po zwyczajowym powitaniu ciężko usiadły naprzeciwko niej i przedstawiły się jako siostry biegłe w przygotowywaniu panien młodych do życia małżeńskiego.

– Masz wielkie szczęście – powiedziała Gulsom. – Nie każda dziewczyna dostaje szansę zadowolenia tak bogatego i ważnego człowieka jak ten, którego niebawem poślubisz.

Jak niewiele kosztowały ją te słowa. To nie ona będzie musiała opuścić dom i popłynąć do odległej wioski. To nie ona będzie musiała dzielić łoże z nieznajomym. Noora nie potrafiła poczuć entuzjazmu Gulsom. Patrzyła więc przed siebie, czekając w milczeniu na to, co ma się stać.

– Moja droga, chciałabym, żebyś wstała i trochę pochodziła – rzekła Gulsom.

Noora wstała i owijając ciasno chustę wokół piersi, zrobiła krok w stronę wyjścia.

– Nie, podnieś sukienkę. Chcę zobaczyć, jak stawiasz stopy.

Noora podciągnęła sukienkę, ukazując luźne spodnie serwal*, wiązane w kostkach, i zrobiła kilka niepewnych kroków. Rzuciła okiem przez ramię i zauważyła, że siostry kiwają z aprobatą głowami. W burkach, zasłaniających większą część twarzy – czoło, nos, usta – wyglądały jak jastrzębie szykujące się do rozdziobania zdobyczy.

– Bardzo dobrze – pochwaliła ją Sakina głosem drżącym z zadowolenia. – *Masha' Allah*, Boże chroń, żadnego utykania ani brzydkich deformacji.

– Możesz już usiąść – powiedziała Gulsom. – Tam, gdzie stoisz. Zamknij drzwi. Niech twoja twarz będzie w świetle, moja droga.

Noora osunęła się na podłogę, podczas gdy swatki przybliżyły się do niej, sunąc na pośladkach w kształcie gruszek.

Gulsom odetchnęła głęboko i podwinęła rękawy.

– Przyjrzyjmy ci się. – Pociągnęła za shaylę, która opadła na ramiona Noory.

---

* Strój kobiety arabskiej, niebędącej mężatką, składał się ze spodni (serwal) związanych w kostkach, długiej koszuli (tobe, thoub) i chusty zasłaniającej włosy (hidżab, tu: shayla). Mężatki wkładały dodatkowo abaję – obszerną suknię z rękawami, burkę, a na nią chustę. Burka, którą znamy np. z Afganistanu, przykrywa kobietę aż do kostek i ma otwór z siatką, przez który można patrzeć. W innych krajach arabskich i w tej książce burka to zasłona na twarz, a uzupełnia ją chusta.

Siostry oddały się chaotycznym, choć obcesowym oględzinom. Energicznie kręciły głowami, podnosiły je do góry i opuszczały. Ich oczy strzelały w różnych kierunkach z zawrotną prędkością, a stłumione westchnienia sprawiły, że Noora poczuła na twarzy falę gorąca. Wtedy zwróciła uwagę, że worki pod ich oczami zmarszczyły się. Kobiety się uśmiechały.

Sakina zachichotała i powiedziała:

– Granat pojawił się na jej policzkach, siostro.

– Kolejna nieśmiała oblubienica – odrzekła Gulsom, sięgając po jeden z kasztanowych warkoczy Noory i macając jego koniec. – Miękkie, ale zaniedbane. Widzisz, siostro?

– Tak, siostro, ale to nie szkodzi. – Sakina gładziła grzywkę Noory, która, zgodnie z tradycją, była krótko obcięta, żeby odsłonić czoło. – To ładne włosy. Zobacz, jak błyszczy ten kosmyk. Odrobina oleju jaśminowego je odżywi.

– Noora zamrugała, kiedy grube palce Sakiny powędrowały w dół jej twarzy i z powrotem w górę, po policzku. Zatrzymała się przy uszach, ciągnąc stanowczym ruchem za jedno, a potem za drugie. – W porządku, czyste, nic tam nie ma.

Dłoń Gulsom dotarła do brody Noory i kiedy odwróciła jej twarz w stronę światła, Noora zmrużyła oczy. Wiedziała, co się stanie, kiedy dotrze do nich światło: rozjarzą się blaskiem szmaragdów. Wtedy wyglądają najładniej, ale ona miała nadzieję, że Gulsom tego nie zauważy. Lecz Gulsom była obcesowa i dokładna. Podniosła powieki Noory i dostrzegła cały ten blask, pomrukując z aprobatą, po czym potarła dwoma palcami policzki dziewczyny.

– Skóra jest trochę szorstka – oceniła – ale porządna mieszanka kardamonu i mleka ją zmiękczy. Hm!? – Burknięcie posłało na szyję Noory gorący oddech. – To mi się nie podoba. Ta blizna pod brodą. Co ci się stało?

– Przewróciłam się i uderzyłam o kamień, kiedy byłam mała – powiedziała Noora zdumiona, jak bardzo jej głos pozbawiony jest wyrazu. Język Gulsom zatańczył w powodzi cmoknięć. – Cóż, nic na to nie poradzimy, prawda? – Kciukiem i dwoma palcami otworzyła usta Noory i sprawdziła jej zęby. – Porządne, pomijając to wyszczerbienie.

– To od tego samego upadku – wyjaśniła Noora w nadziei, że ten defekt z jakiegoś powodu ją zdewaluuje, sprawi, że przestaną się nią interesować. Ale one już przeszły do kolejnych części jej ciała, ugniatając ją i traktując jak wyrabiane ciasto. Jedna para rąk zacisnęła się na tyle jej szyi, druga pocierała plecy.

Zamrugała gwałtownie, kiedy palce Sakiny wbiły się w jej łopatki. Dotyk był silniejszy niż głos. – Nie ma tłuszczu typowego dla rozpieszczonego dziecka. Zbyt koścista. – Ucisnęła ją jeszcze kilka razy i stwierdziła: – Ale ma mocne kości, *masha' Allah*, niechore. Dobra do prac domowych.

Gulsom pomacała jej brzuch.

– Jest dobry, okrągły. Doskonały do rodzenia dzieci. – Okrężnymi ruchami dłoni zeszła po udzie i dotarła do kolana. – Hmm – powiedziała śpiewnie z zadowoleniem – nogi ma solidne, wystarczająco mocne, żeby donosić ciężar ciąży.

– Tyle jest do zrobienia – powiedziała Sakina wibrującym głosem.

– Tak – przytaknęła Gulsom – ale damy radę ją przygotować. Sprawimy, że będzie wyglądała schludnie. – Rozejrzała się po chacie, jakby widziała ją po raz pierwszy. – Dobrze, że utrzymujesz porządek w domu. Umiesz gotować?

– Tak, *khalti*, ciociu – wybąkała Noora.

– Biedactwo – westchnęła Sakina i po raz pierwszy Noora zauważyła odrobinę smutku w jej oczach. – Tkwi tutaj bez matki i ojca, który nie wiadomo gdzie się podziewa.

– Nie czas na użalanie się, siostro. – W chrapliwym głosie Gulsom pobrzmiewała nuta ekscytacji. – Mamy zadanie: zająć się tym dzieckiem i zamienić je w szanowaną żonę ważnego człowieka. – Zwracając się do Noory, dodała: – Przygotujemy cię, *insha' Allah*, jak Bóg da. Przyjmiemy na siebie rolę twojej matki i nauczymy cię wszystkiego, co powinnaś wiedzieć.

– I jest nas dwie – zachichotała Sakina. – Więc masz podwójne błogosławieństwo.

– Musisz się tak wiele dowiedzieć w tak krótkim czasie.

– Kobiety, które poszły za naszymi radami, okazały się najlepszymi żonami – zaznaczyła Sakina głosem wibrującym z dumy. – Żaden mąż się nie poskarżył.

Patrząc na siostry, gratulujące sobie nawzajem bez słów, Noora zrozumiała: zdała egzamin.

Po tym przyszła pora na ich wiedzę wynikającą z wieloletniego doświadczenia swatek. Siostry, nasyciwszy się słodkim smakiem sukcesu, przedstawiły listę instrukcji, które miały zapewnić, że mąż będzie szczęśliwy.

– Pamiętaj, że staniesz się częścią domostwa swojego małżonka – zaczęła Gulsom.

– Będziesz gotowała i sprzątała... – dodała Sakina.

– A wszystko to, zwróć uwagę, będziesz robiła, pięknie wyglądając.

– I ładnie pachnąc: olejek różany za uszami, ubrania i ciało skropione pachnidłami.

– Koniec z dzikim życiem w tych górach – oznajmiła Gulsom. – Gdyby chciał kogoś takiego, wybrałby dzikuskę z afrykańskiej dżungli.

– Musisz być teraz skromna. – Głos Sakiny lekko drżał.

– Podczas pierwszego roku on nie może zobaczyć, jak przeżuwasz.

– Po prostu ruszaj ustami, o tak. – Siostry przerwały przemowę, żeby dokonać prezentacji. Ich usta pozostawały ukryte pod burkami. Gulsom rozluźniła tasiemkę przytrzymującą burkę na jej twarzy, pozwalając jej opaść z jednej strony, a przez to odsłonić koniuszek drobnego, elegancko zadartego nosa. Zdziwiona Noora uniosła brwi. Zgrabny nos kontrastował z opryskliwym usposobieniem Gulsom.

Gulsom odchrząknęła, poprawiła burkę i mówiła dalej:

– Jedna ważna rada: kiedy wypluwasz pestkę daktyla na tacę, dopilnuj, żeby nie było tego słychać.

Noora zastanawiała się, jak można tego dokonać.

Sakina roześmiała się nerwowo.

– Nikt nie wierzy, że da się to zrobić, ale to możliwe. – Zwróciła się do siostry: – Pamiętasz, jak ta dziewczyna od al-Miqbali myślała, że jej się nie uda? A przy odrobinie praktyki, *masha' Allah*, udało jej się upuścić pestkę na tacę tak delikatnie jak ziarnko piasku.

Gulsom chwilowo zignorowała wesoły nastrój siostry. Jeszcze nie skończyła.

– Nie uśmiechaj się – ostrzegła Noorę.

– Jeśli musisz, opuść głowę i uśmiechnij się w myślach – wyjaśniła Sakina. – Nie poruszając ustami.

– Nie mów za dużo.

– Och, nie, nie – zapiszczała Sakina. – Nigdy, nigdy nie mów za dużo. Pomyślą, że jesteś łatwa.

Kobiety zamilkły, chociaż Noora zachęcała je kiwaniem głowy. Im szybciej skończą, tym lepiej.

Gulsom zakaszlała – ważnym kaszlnięciem, które oczyszczało atmosferę – i Noora domyśliła się, że zamierza przekazać jej najistotniejszą radę.

– To – zaczęła Gulsom – co teraz powiem, mówię dla twojego dobra i radzę ci, żebyś uważnie słuchała.

Noora rzuciła okiem w stronę Sakiny, szukając jakiejś wskazówki, ale Sakina utkwiła wzrok w ziemi i bezgłośnie uderzała palcami w kolana.

– Spójrz na mnie – poleciła Gulsom. – Mówią, że jesteś uparta i wszystko chcesz robić po swojemu. Czy to prawda?

– Nie, *khalti*. – Czy Sager tak powiedział? Czuła, że oczy pieką ją od kolejnej zdrady brata. Gdzie teraz jest? Czy stoi przed chatą i słucha? Czy uśmiecha się z satysfakcją?

– Nie możesz sobie pozwolić na dumę, moje dziecko – ciągnęła Gulsom poważnym głosem. – To nic dobrego. Jesteś biedna, ale otrzymasz przywilej dostatniego życia. Pamiętaj o tym i doceń to. Jeśli przewróci ci się w głowie i zrobisz się zepsuta, mąż może cię wyrzucić. Precz! A wtedy nie będziesz miała dokąd pójść.

Głos Sakiny znowu wsączył się do rozmowy:

– Biedna dziewczyna – powiedziała, szybko mrugając. – Jesteśmy dla niej bardzo surowe.

– Mówimy to dla jej dobra, siostro!

– Nie możemy jej nawet obwiniać – westchnęła Sakina, a smutek stłumił świergot w jej głosie. – Pomyśleć tylko, całe życie dorastała sama, tak daleko od ludzi. To niesprawiedliwe. Co sobie myśleli twoi rodzice, moja droga?

– Powinni byli wydać ją za mąż, zanim jej charakter się ukształtował – stwierdziła Gulsom.

– Tak, gdy tylko dojrzała – zgodziła się Sakina, znów szczebiocząc.

– Nawet wcześniej, żeby mogła przyzwyczaić się do domu męża, zanim mógłby ją tknąć. – Ale nie ma sensu rozmyślać o tym, co minęło. Teraz musimy się skupić na tym, co będzie. Masz szczęście, dziewczyno. Zdobyłaś bogatego mężczyznę. Powinnaś być wdzięczna.

– Tak. Wdzięczna – powtórzyła Sakina.

Siostry tłumaczyły Noorze, że powinna być skromna i nieśmiała, bo jest uboga. Ich głosy z każdym słowem stawały się coraz niższe, jakby tkały małżeńską sieć krępującą ruchy, aż Noora poczuła, że zgasiły ostatni promyk nadziei ukryty w jej sercu.

Swatki wdzierały się w jej życie z siłą burzy piaskowej, pozostawiając po sobie tylko smak piasku w ustach. A ona musiała go przełknąć. Kiedy zaczęły wstawać, szykując się do wyjścia, Noora zastanawiała się, co się stało z orłem, który drzemał w jej wnętrzu? Kiedy na jego miejscu pojawiło się słabe pisklę?

Była zbyt zmęczona, żeby walczyć. Za dużo wydarzyło się w zbyt krótkim czasie: ukłucie zdrady, krzywda fałszywych obietnic, ból po stracie. A teraz, siedząc samotnie w chacie z ciasno ułożonych kamieni, stając twarzą w twarz z wygnaniem, próbowała dojść, kiedy to się zaczęło. Prawie natychmiast przypomniała sobie gekona scynkowego.

2

W jej górach, na szczycie Półwyspu Arabskiego, ziemia przez większą część roku cierpiała od suszy.

Noora al-Salmi wspięła się na szczyt górskiego grzbietu, wznoszącego się nad jej domem, i ruszyła granią. Patrzyła na łańcuch jałowych poszarpanych szczytów. Na zachodzie znów gromadziły się te same chmury, które widziała codziennie od tygodnia, szydzące z niej z oddali. Tego ranka były ciemniejsze i wiedziała, że niosą deszcz.

Oblizała wargi i przełykając, pozbyła się suchości w ustach. Rozpaczliwie potrzebowała deszczu. Ten upał, upał w roku 1950, trwał od pełnych dziewięciu miesięcy, najdłużej, od kiedy pamięta. Niebo wyschło wraz ze śmiercią jej matki, wywołaną tajemniczą chorobą, która wyssała z niej siły, pozostawiając skórę i kości. Woda w ich studni ma teraz słonawy smak, a niebawem zniknie zupełnie. Noora westchnęła i odwróciła się. Nagły podmuch wiatru zerwał chustę z jej głowy. Pobiegła za nią, tańczącą i wirującą w powietrzu, pędzącą z niosącym ją wiatrem.

Czuła, że wraz z nią biegnie nadzieja. Ten wiatr może przywiać nabrzmiałe chmury nad jej dom. Może zapowiadać potężną burzę, a deszcz, który by z nich spadł, jakimś cudem znalazłby drogę do ich rodzinnej studni.

Chusta załopotała na krawędzi wzgórza i opadła na plątaninę gałęzi samotnego drzewa akacji. Dokładnie wtedy, kiedy Noora wyplątała ją z kolców i założyła na głowę, dostrzegła gekona wygrzewającego się na żwirze pod drzewem.

Sądziła, że widziała wszystkie stworzenia w tych górach, ale to było inne. Przypominające bardziej węża niż jaszczurkę, zwierzę nie miało wyraźnie oddzielonej szyi, tylko zwężenie na obu końcach ciała: długi klinowaty pysk z oczami po bokach i krótki ogon, który mocno zwężał się na czubku.

– Sager! – zawołała, a kiedy brat nie odpowiedział, zawołała jeszcze raz.

Zjawił się akurat w chwili, gdy zwierzę się wślizgnęło pod mały kamień między akacją i krawędzią grzbietu. Jego ruchy przypominały ruchy węża.

– To jest gekon scynkowy – powiedział Sager.

– Gekon scynkowy? – powtórzyła Noora, patrząc na niego szeroko otwartymi oczami, trochę zazdrosna, że tyle wie. – Co to za nazwa?

Kiedy nie odpowiedział, odwróciła się i znów przyjrzała jaszczurce. Była nieco większa od jej dłoni, a całe ciało miała pokryte gładką błyszczącą łuską. Nawet w stłumionym świetle poranka grzbiet połyskiwał jaskrawą żółcią z czarno-brązowymi paskami ciągnącymi się na całej jego długości.

– Nie mam pojęcia, co tu robi – powiedział Sager.

– Wygrzewa się, rzecz jasna.

– Nie, nie rozumiesz. Tutaj nie ma gekonów scynkowych. One żyją na pustyni.

Noora prychnęła.

– Gekon scynkowy, ależ ty nazwy wymyślasz.

– Tak się nazywają, bo wskakują do piachu i pływają w nim* – powiedział, wykonując dłonią falujące ruchy.

– Czekaj, pokażę ci.

– Nie...

Ale było za późno. Sager już pochylał się pod drzewem akacji. Zaczepił swoją starannie zawiniętą w turban gitrą** o gałąź. Jego loki wydostały się na wolność i też zaplątały się w gałęzie. Te piękne pierścionki: było ich coraz więcej i stały się jedynym łagodnym elementem, jaki w nim dostrzegała. Sylwetkę miał potężną jak skała. Skórę szorstką i pozbawioną złocistości, jaka rozświetlała cerę Noory. Całe złoto skupiło się w jego oczach, zupełnie jak u ich ojca. Lecz maleńkie kropeczki w oczach Sagera były prawie niewidoczne.

Noora zaczęła chichotać, patrząc, jak brat przeklina akację. Im bardziej się wiercił i siłował, tym ciaśniej drzewo go obejmowało.

– Gekon scynkowy, daj spokój! – śmiała się Noora.

---

* Po ang. *sand fish* – piaskowa ryba.
** Gitra – chusta noszona przez mężczyzn.

– Po co w ogóle zawracam sobie głowę – prychnął, kiedy wreszcie udało mu się wyplątać włosy. Wydął wargę. Widać było nad nią cienką kreskę rzadkich włosków, które czekały, żeby zmienić się w wąsy. – Dlaczego tracę na ciebie czas, skoro mam tyle obowiązków?

Znów to wielkie słowo. To męskie słowo. „Obowiązki". Jaki czuje się przez nie ważny. Coraz częściej lubił epatować tym słowem, było niczym włócznia, wycelowana, żeby przebić siostrze gardło i uniemożliwić odszczekiwanie się.

– Wciąż mamy ojca – przypominała. – Nadal jest głową rodziny.

– Nie zawsze – powiedział Sager, zawiązując gitrę na głowie i otrzepując z kurzu diszdaszę*. – Teraz, kiedy częściej błądzi myślami w innym świecie, muszę myśleć o rodzinie. Muszę podejmować wszystkie ważne decyzje.

Noora chciała jakoś się odgryźć, kiedy uderzył ich kolejny podmuch wiatru. Potrząsnął drzewem i wystraszył jaszczurkę, która spróbowała zanurkować w skalną ścianę i uderzyła się w pyszczek.

Noora gwałtownie wciągnęła powietrze i nagle zarówno ona, jak i brat rzucili się do drzewa po obu jego stronach, żeby przekonać się, czy mogą coś zrobić, ale to wywoływało tylko większą panikę jaszczurki. Raz za razem usiłowała uciec w jedyny znany sobie sposób. Uwięziona w miejscu, w którym nie powinna być, wciąż uderzała się w nos – a Noora czuła jej ból, tępe szczypanie tuż pod pępkiem, w głębi brzucha.

---

* Diszdasza – noszona przez mężczyzn luźna, długa koszula ze stójką.

– Musimy coś zrobić! – krzyknęła do brata.

– Nie przeżyje tego – odpowiedział Sager. – Nic na to nie poradzimy.

Z nosa zwierzęcia płynęły strużki krwi, cienkie jak jedwabna nić, a na połyskliwie żółtym grzbiecie widniała rana. Patrząc, jak gekon drapie skałę, Noora była pewna, że połamie maleńkie pazurki.

– Zwierzę próbuje przez nią przepłynąć! Zrób coś! – jęknęła.

Sager wcisnął rękę między drzewo i skalną ścianę, próbując schwytać zwierzę. Raz, dwa razy je złapał, ale wyślizgnęło się spomiędzy jego palców i zanurkowało w drzewie akacji.

Noora wrzasnęła. Gekon wił się w powietrzu, uwięziony, nie mogąc wylądować – jego ogon przebił cierń. Sager wcisnął rękę do środka i wreszcie udało mu się złapać zwierzę.

– Tam, tam, tam! – krzyczała Noora, pokazując mu miejsce kawałek dalej w dolinie, gdzie ziemia jest bardziej sypka. – Zanieś go tam.

Lecz zakrwawiony gekon nie przestawał się wić. Wyślizgnął się z rąk Sagera, wdrapał mu się na pierś, po czym wykonał skok w powietrze, który według Noory musiał być jego ostatnim. Zasłoniła usta dłonią, żeby stłumić pisk.

Lecąc w powietrzu, gekon obracał się i wił. Z hałasem wylądował na żwirze. W wyniku uderzenia odpadła mu część ogona i poszybowała w bok.

Ale gekon żył. Kuśtykając, wspinał się po zboczu.

– Chodź, idziemy stąd – powiedział Sager. – Musimy iść po wodę.

Noora chciała się upewnić, czy gekon dotrze do bardziej miękkiej ziemi. – Zobaczmy chociaż...

– Posłuchaj, dopóki tu jesteśmy, będzie próbował uciec, schować się w ten sam sposób. Będzie walił głową, dopóki się nie zabije. Lepiej stąd chodźmy.

3

Wyruszyli z pierwszą strzałą światła. Noora niosła wiadro z koźlej skóry z długim sznurem przymocowanym do jego ucha i, tak jak brat, na ramionach miała zawieszone dwa bukłaki na wodę. Obijały się jej o talię, kiedy szła pierwsza delikatnie wznoszącym się stokiem ich góry. Przez cały czas rozglądała się za gekonem.

– Jak myślisz, skąd się tu wziął? – zapytała, kiedy dotarli do szerokiej, płaskiej równiny na szczycie.

– Nie wiem – odpowiedział Sager idący kilka kroków za nią.

Zatrzymała się i odwróciła, żeby stanąć z nim twarzą w twarz.

– Chodzi mi o to, że pustynia jest tak daleko stąd.

– To nie jest ważne – powiedział. Miał młodą twarz, ale z całych sił starał się wyglądać na starszego. – A poza tym, kogo to obchodzi?

A jednak go obchodziło. Widziała cierpienie na jego twarzy, kiedy próbował uratować nieszczęsne stworzenie. Miał taki wyraz twarzy, jakby wycisnął sobie prosto do ust sok z gorzkiej limety. Teraz jednak założył inną maskę, tę, pod którą mógł ukryć uczucia, tę, która udowodni, że jest mężczyzną.

Noora patrzyła, jak pojedyncze kamienie przesypują mu się pod stopami, kiedy wyprzedził ją, energicznie stawiając kroki. Ten marsz, tak pełen determinacji, mówił jej, że zostawia za sobą beztroskę wieku chłopięcego.

Ostatnimi czasy jest taki zasadniczy, myślała Noora, idąc za nim. Rozumiała, że Sager martwi się o rodzinę, ma poczucie obowiązku teraz, gdy ich ojciec niepostrzeżenie odchodzi do innego świata. Nie mogła jednak pojąć, dlaczego ją odpycha.

– Jesteśmy tacy samotni, tacy odizolowani – wymamrotała do siebie. – To powinno wystarczyć, żebyśmy zawsze trzymali się razem.

– Co? – spytał, odwracając się i rzucając jej chłodne spojrzenie.

– Nic.

Zatrzymali się przed stromym stokiem, u którego podnóża rosła kępa pustynnych akacji. Tam, za drzewami, znajdowało się ich ukryte źródło, bardzo stary zbiornik wydrążony w skale.

Sager podciągnął diszdaszę tuż nad kolana i zatknął za pasek, po czym zaczął schodzić zakosami. Noora zrobiła to samo ze swoją sukienką i przygotowała się do zejścia. Kiedy zrobiła krok, rozerwała spodnie, odsłaniając kolano i łydkę. Ściągnęła brwi w grymasie niezadowolenia, jakby to mogło jakimś sposobem zamknąć rozcięcie, złączyć małe różowe kwiatki widniejące na spranym niebieskim materiale. Wtedy dostrzegła pełne dezaprobaty spojrzenie Sagera.

– Zasłoń nogi – polecił.

– Rozdarło się! – krzyknęła w odpowiedzi. – Zaszyję, gdy wrócimy, ale nie opuszczę sukienki. Może mi się zaplątać pod nogami, potknę się i przewrócę. – Zaczęła naśladować irytację w jego głosie. – A poza tym, dlaczego patrzysz ma moje nogi bez odrobiny szacunku? Po prostu się odwróć. Nie patrz. – Dostrzegła, że brat się rumieni i wbija wzrok w ziemię. Prychnęła z radości, że odparła jego atak. Sager odwrócił się w stronę drzew, ale ona jeszcze nie skończyła. Zjechała po sypkim żwirze i wpadła na niego.

Sager potknął się i przewrócił, ledwo unikając uderzenia głową o kolczaste gałęzie akacji. Noora gwałtownie wciągnęła powietrze i zasłoniła usta. Nie chciała tego. To miał być żart. Kiedy pochyliła się, żeby mu pomóc, odepchnął ją.

– Twój problem polega na tym, że nie wiesz, kiedy żartować, a kiedy przestać, co traktować poważnie, a co nie – utyskiwał, wstając.

– Nie chciałam cię tak pchnąć.

– To nie ma znaczenia. To... to... jaka jesteś... tak nie może być.

– Nie rozumiem.

– Spójrz na siebie... – Machnął ręką. W grymasie jego ust kryło się zażenowanie, wstydliwy opór przed tym, co zaraz powie. – Masz krągłości – wyrzucił wreszcie z siebie. – Wszędzie!

– Uniósł do góry ręce. – Już nie jesteś dziewczyną, jesteś kobietą. Twoje kształty mają ci przypominać, żebyś przestała biegać i skakać, żebyś się uspokoiła i zajęła domem. Zacznij więc zachowywać się jak kobieta.

Noora wpatrywała się w niego z rozdziawionymi ustami.

– A jeśli jestem kobietą, to co to oznacza? Co się teraz stanie? – Zasłoniła twarz chustą i opuściła ją tylko na tyle, żeby widać było oczy. Wiedziała, że Sagera nie rozbawi jej przesadna demonstracja bezbronności, ale zatrzepotała rzęsami, poruszając nimi coraz wolniej, aż utkwiła skromne spojrzenie w ziemi.

– Widzisz? Nie mogę nawet z tobą porozmawiać – narzekał. – Wyglądasz okropnie. Nawet nie czeszesz się rano. Wyglądasz jak dzikus, który upadł w błoto.

Noora czuła, że jej serce mocno bije. Pierwsze światło dnia szybko zamieniało się w zaranie konfrontacji.

– Więc co mam robić?

– Spędzaj więcej czasu w domu. Zajmuj się wszystkim tym, czym powinny zajmować się kobiety, a ciężką pracę zostaw nam, mężczyznom.

– A więc – zaczęła, mrużąc oczy – chcesz powiedzieć, że wolałbyś dźwigać cztery bukłaki wypełnione wodą zamiast dwóch? Masz tyle siły?

– Mówię, że powinnaś zmienić swoje zachowanie. To szwendanie się po górach, jakbyś była członkiem plemienia... to się musi skończyć.

– Dlaczego?

– Dlatego... dlatego, że musi. Czas, żebyś zaczęła zachowywać się jak należy. Nie chcesz chyba, żeby ludzie, widząc cię, brali cię za szaloną.

– Jacy ludzie? – Podniosła wzrok na fiołkowe szczyty gór.

– Widzisz tu kogoś?

Noora wiedziała, że są sami. Do najbliższych ludzi mieszkających w Maazoolah trzeba by iść cały ranek. A jeśli chodzi o przejeżdżające karawany, zauważyłaby migotliwe gwiazdki ich ognisk w drodze na górę, natomiast samotny wędrowiec, który zapuściłby się w labirynt górskich ścieżek, trzymałby się niepisanego prawa i jak najszybciej dałby znać o swojej obecności: dotarłby na miejsce za dnia i rozbił obóz na górze tam, gdzie byłoby go widać.

To najlepszy sposób na uniknięcie ataku z zaskoczenia, który mógł nastąpić w każdej chwili ze strony każdego z wielu odizolowanych plemion gór Hararee, która to nazwa porównywała poszarpane wierzchołki gór do milczących wartowników.

Mało kto przechodził te nieprzyjazne góry, w których żyli, jako że podróżni chętniej wybierali okrężną drogę, wiodącą z pustyni na wybrzeże i z powrotem. Bali się spotkania twarzą w twarz z odwiecznymi mieszkańcami tych gór. Nieznajomych zniechęcano do odwiedzin przeciągłym wyciem, które odbijało się echem od nagich skalnych ścian. Można było odnieść wrażenie, że to groźna armia szykuje się do ataku z ukrytych pozycji. Podróżny nie mógł wiedzieć, że mieszkańcy gór boją się tylko jednego, że ich lęk zrodzony jest z konieczności chronienia zapasów wody.

Sager skrzywił się i chwycił bukłaki oraz wiadro.

– Nie będę zdzierał sobie gardła na ciebie – uciął.

– Nie masz prawa nic mi mówić. Jestem od ciebie starsza.

Nie odpowiedział, tylko kucnął pod rozłożystymi koronami akacji, żeby się przez nie przedrzeć.

– Tylko *abbah* może mi mówić, co mam robić! – zawołała za nim wyzywająco. – Jest naszym ojcem, głową rodziny!

Usłyszała, jak Sager parska śmiechem, zanim zniknął w ciemnościach wydrążonej skały.

– Będę się zachowywała, jak będę chciała! Będę chodziła, jak mi się podoba, i siadała tak, jak chcę! Pochyliła się, opierając ciężar ciała na dłoniach. To nie było zbyt kobiece, ale nie dbała o to.

Usłyszała stęknięcie brata. Wiedziała, że odsuwa duży kamień zasłaniający zbiornik. Zawsze robili to razem, ale dzisiaj Noora nie zamierzała mu pomóc.

– Niech sam sobie poradzi, wielki, silny mężczyzna – wymamrotała do siebie.

Dlaczego Sager zwraca uwagę na to, jak siostra wygląda czy się zachowuje? Pomijając jego ostatnie upomnienia, nikt inny się tym nie przejmował. Jej dom był rajem swobody, pozbawionym zasad i obecności ludzi wytyczających granice tego, co dopuszczalne.

Usłyszała łomot odsuwanego kamienia, a potem hurgot małych kamyków. Poczuła jeszcze większą wściekłość. Radzi sobie bez niej.

– A poza tym, próbowałam! Wiesz, że próbowałam i nic z tego nie wyszło.

Sager nie odpowiedział.

Kiwała głową z przekonaniem. To była prawda. Naprawdę się starała.

Raz, wiele lat temu, kiedy pojawiły się u niej pierwsze oznaki kobiecości, jej matka próbowała zaszczepić w niej odrobinę łagodności i skromności, które społeczeństwo uważało za pożądane u kobiety. Fatma powiedziała Noorze, żeby stawiała mniejsze kroki, mówiła łagodnym głosem i zamiast się śmiać, dyskretnie chichotała, spuszczając wzrok. Fatma wyjaśniła jej, że kiedy Noora pewnego dnia wyjdzie za mąż, będzie musiała przestrzegać zasad obowiązujących w gospodarstwie męża.

Noorę zafascynowały porady matki i przez pewien czas z oddaniem ćwiczyła chodzenie i głos, przygotowując się do przyszłego życia małżeńskiego. Udając się po wodę, unosiła rąbek sukienki i szła pod górę drobnymi kroczkami, chociaż pokonanie tego odcinka w ten sposób zajmowało jej dwa razy więcej czasu. Potem próbowała zawołać braci na obiad jak najbardziej łagodnym głosem, ale w ogóle jej nie słyszeli. Podciągała więc rąbek sukienki i drobiła na palcach, żeby ich znaleźć. To również trwało dłużej niż zwykle. No i wreszcie ten śmiech. Ćwiczyła kierowanie wzroku na ziemię i nieśmiały chichot. Jednak gdy patrzyła w dół, umykały jej wszystkie śmieszne miny, które robił ojciec, co frustrowało ją i złościło. Te kobiety muszą przez cały czas być złe, pomyślała.

Wtedy matka przedstawiła Noorze kolejną porcję instrukcji dotyczących jej wyglądu. Noora miała trzy razy dziennie rozplatać warkocze i rozczesywać włosy, by wyglądać schludnie.

– Ale to nie wymaga aż takich zabiegów, *abbah* – zaprotestowała Noora.

– Wymaga – odpowiedziała matka. – Dbasz o oczy, obrysowując je kohlem*, jak my wszystkie, dlaczego więc nie chcesz dbać też o włosy? Nie chcesz, żeby ci wypadły, prawda? Jeśli mają być mocne, trzeba je pielęgnować, wcierać w nie olej sezamowy.

– A co mam zrobić z kurzem? Jest wszędzie!

– Pamiętaj, żeby częściej otrzepywać ubranie.

Tak więc Noora czesała włosy i nacierała je olejem sezamowym każdego ranka, w południe i wieczorem. Jednocześnie kręciła biodrami, żeby strząsnąć kurz z sukienki. Przez cały czas czuła, że śmieszny sposób chodzenia, łagodny głos, żałosny chichot, puszyste włosy i podstępny kurz utrudniają jej życie. Co gorsza, jej wysiłki pozostawały niezauważone. Ani jej ojciec, ani bracia nie chwalili jej i nie zachęcali.

Wreszcie Noora poddała się i wróciła do starych nawyków. Postanowiła, że zacznie przestrzegać zasad skromnego zachowania, kiedy wyjdzie za mąż. Do tego czasu wystarczało jej, że wie, jak należy postępować. Fatma też wyglądała na usatysfakcjonowaną: spełniła matczyny obowiązek i mogła zostawić tę kwestię. Podobnie jak Noora, najwyraźniej uznała, że są większe zmartwienia.

---

* Kohl lub kajal – proszek używany do malowania oczu, rodzaj eyelinera, na bazie węgla i suszonych ziół.

Noora ziewnęła. Zaczynała się uspokajać. Kiedy wyciągnęła ręce nad głowę, poczuła, że materiał jej sukienki rozrywa się w kolejnym miejscu. Rozdarcie było mniejsze, zaledwie dziurka wzdłuż szwu tuż pod pachą jej kwiaciastej niebieskiej sukienki. Westchnęła. Jedyne lekcje matki dotyczące kobiecych zachowań, które okazały się przydatne, wiązały się z szyciem. Kiedy szyła, jej palce poruszały się szybko i precyzyjnie, zostawiając za sobą mocną linię szwów, równiejszych niż ścieżka wędrujących mrówek.

Do zbiornika wpadło wiadro, lądując na dnie z głuchym uderzeniem. Potem podróż w górę – bez rozpryskiwania i wylewania. Słuchając tego dźwięku, bardziej przywodzącego na myśl skałę niż wodę, znów poczuła wściekłość. Dlaczego właściwie czeka na Sagera? Niewiele myśląc, wstała i zaczęła wspinać się w stronę równiny, a stamtąd do domu.

Niech sam przyniesie wszystkie cztery bukłaki!

4

Tak to było, kiedy chłopcy i dziewczęta, bracia i siostry, dorastali, stając się mężczyznami i kobietami. Ich światy już do siebie nie pasowały.

Gdy Noora dotarła do skraju równiny, słońce wystrzeliło już w niebo, zalewając blaskiem góry i zamieniając ziemię w skorupę. Było tak gorące jak wściekłość, którą wciąż w sobie niosła.

Zatrzymała się, żeby popatrzeć w dół na swoją dolinę. Stały tam cztery chaty z kamienia, które składały się na obejście: dwie z izbami mieszkalnymi i miejscami do spania, schronienie dla kóz i kur oraz spiżarnia. Wyglądały na opuszczone.

Przeniosła wzrok dalej, za chaty, na dno doliny, gdzie zobaczyła niewielkie wzniesienie. Do jego gładkiego stoku przylegały ruiny domu, który kiedyś zajmował jej pradziadek. W blasku porannego słońca prawie nie widziała jego zarysu. Chropowate owalne bloki były niemal wchłonięte przez ziemię, stały się częścią jałowego wzgórza, do którego przylegały.

Noora znała każde pęknięcie i rysę na zwietrzałych blokach tworzących ruiny. Bawili się tu z Sagerem, kiedy byli młodsi. To była ich wieża obserwacyjna, w której wymyślali zabawy: chowając się i pokazując, budując i niszcząc. Udawali, że kamienne bloki ochronią ich przed wielkimi niebezpiecznymi stworami wałęsającymi się po górach. Były tam wilki, które czasem słyszeli, ale nigdy ich nie widzieli na własne oczy. Były też lamparty, które, jak sobie wyobrażali, przemykały pod chatami w ciemnościach nocy, i oczywiście węże oraz skorpiony. Wtedy jej brat był inny. Śmiał się i krzyczał. Śmiali się i krzyczeli, razem.

A teraz Sager wyznacza granicę, która ich od siebie oddzieli. Granicę jak w każdej społeczności z gór Hararee. Dlaczego jednak to robi? Mieszkają na odludziu w górach. Nie należą do żadnej społeczności.

Noora pomaszerowała w dół, w stronę chat. Dopiero kiedy zobaczyła dym unoszący się spiralą z paleniska na wolnym powietrzu, zaczęła się uspokajać. Ojciec rozpala ogień, żeby przygotować śniadanie. Przygotowywanie posiłków było zajęciem kobiety, ale ojciec kierujący się własnymi zasadami, wziął na siebie gotowanie kawy i pieczenie chleba, jakby to były najbardziej naturalne zajęcia dla mężczyzny z gór. Zawsze tak było. Jej ojciec, Ibrahim, wymieszał role mężczyzn i kobiet. Tak samo wychował dzieci, na długo przed tym, nim w jego głowie pojawiły się głosy, czyniąc go nieprzewidywalnym.

Noora zauważyła zmianę niedługo po śmierci matki (chociaż teraz podejrzewała, że nosił w sobie szaleństwo dużo wcześniej). Siedział pośrodku doliny, nieruchomy jak kamień, mamrocząc słowa, które dla niej nie miały sensu. Czuła się niewidzialna, próbując zwrócić na siebie jego uwagę. Kiedy zagłębiał się w swoim świecie, żeby prowadzić rozmowy z szeptami w głowie, miał szklany wzrok.

Noora przeskoczyła ostatnie kawałki gruzu i podchodząc do ojca, spojrzała mu głęboko w oczy. Wyszeptała słowa bożej ochrony: *Masha' Allah, masha' Allah* i szybko uznała, że jest sam. Żadne głosy nie mąciły czystego spojrzenia jego orzechowych oczu.

Tak bardzo kochała jego oczy, które w oprawie rozmazanego kohlu wydawały się jaśniejsze. Widać w nich było złote drobinki, połyskiwały niczym woda, na którą pada słońce. Ich energetyzujący blask podobał się jej bardziej niż głęboka zieleń jej własnych oczu, które bardziej przypominały brudny muł, utrzymujący się na powierzchni małych sadzawek, w których żyją kijanki.

– O co chodzi? – zapytał, kiedy dostrzegł, że wpatruje się w jego twarz.

– O nic – odpowiedziała i zrobiła krok do tyłu.

Kiedy machał ręką nad ogniem, w powietrzu unosiły się drobne iskierki.

– Głodna?

Pokiwała głową, kucając i uśmiechając się szeroko. Sager może gadać, ile dusza zapragnie, ale jej ojciec wciąż jest przy zdrowych zmysłach, zdolny stać na czele ich rodziny. Przeniosła wzrok na biegające z miejsca na miejsce kozy i kury, wypuszczone z szałasu, w którym spędzały noce.

Osioł stał niedaleko jej chaty. Wyszczerzył zęby i skubał kępkę żółtej trawy tkwiącą w suchej ziemi. Słyszała, jak jej znacznie młodsi bracia, Abud i Hamud, bawią się w ruinach. Poczuła w sercu ciepło na widok tej typowej scenki. Wreszcie odwróciła się w stronę ojca.

Ibrahim wpatrywał się w leżący daleko na północy szczyt. Dobrze go znała, to Jebel Hnaisz. Kopuła wznosiła się spiralnie jak wąż, od którego wzięła nazwę. Kiedyś żyło tam plemię al-Salmi. Teraz na płaskim wierzchołku pozostały tylko kamienne szkielety opuszczonych domostw.

Jebel Hnaisz był częścią opowieści Ibrahima o tym, co utracił. Przekazał ją Noorze, kiedy jako mała dziewczynka spytała, dlaczego nie ma żadnych kuzynów, wujów ani ciotek.

– Z całego plemienia al-Salmi zostaliśmy tylko my – powiedział. – Na długo przed tym, jak ty się urodziłaś, do wioski, w której żył nasz lud, wysoko na Jebel Hnaisz, zawitała zdradliwa susza. Studnia i podziemne źródła wyschły, a kiedy wyzdychała trzoda, plemię nie miało wyjścia, musiało wyruszyć na poszukiwanie wody. Ci, którzy byli silni, udali się w długą podróż trwającą wiele dni.

Noora była zaintrygowana. Wyobraziła sobie długą procesję ludzi zsuwających się po niebezpiecznym zboczu góry, idących w nieznane. Widziała oczami wyobraźni, jak słaniają się z pragnienia i zlizują poranną rosę z liści.

Otrząsnęła się, zerwała na nogi i wzięła glinianą misę stojącą przy niskiej ściance paleniska.

– *Abbah* – powiedziała – masz tu miskę, weź miskę. – Musiała go powstrzymać. Zawsze gdy mówił o klęsce i tchórzostwie swojego plemienia, wpadał w trans, który trwał wiele dni, a przerywały go jedynie napady gorzkich wspomnień i pogłębiająca się depresja. Nabrała porcję ciasta i podsunęła mu pod nos. – *Abbah*, upieczmy chleb.

Nie zwrócił na nią uwagi, wciąż wpatrując się w górę.

– Ta góra potrafi być zdradziecka – powiedział. – Coś, co wygląda jak zwykłe skały i kamienie, może kryć w sobie błogosławieństwo – wodę, bardzo, bardzo głęboko. Ale nasze plemię nie potrafiło jej znaleźć.

Zakręciła się przed nim, próbując oderwać go od Jebel Hnaisz. Ale było za późno. Złote drobinki w jego oczach znieruchomiały.

– Opowiem ci, co przydarzyło się naszemu plemieniu. – Ściągnął surowo brwi i poważnie skinął głową. – Nasze plemię zostało unicestwione przez jednego człowieka, jednego samolubnego człowieka. Ahmad al-Salmi – tak się nazywał. Był ich wodzem i zaprowadził ich do piekła. Znalazł studnię i był tak spragniony, że natychmiast do niej podszedł. – Ibrahim przerwał, a po chwili rzucił klątwę: – Niech Bóg pokaże mu piekielne płomienie.

– On już nie żyje.

– Ten głupi egoista po prostu napił się wody, nie myśląc o konsekwencjach. Wiesz, co dzieje się z ludźmi, którzy piją cudzą wodę, Nooro?

– Tak, *abbah*, zostają zabici – powiedziała i wskazała ręką ogień. – Popatrz, popatrz, węgielki się rozżarzyły. Musimy upiec chleb, szybko, zanim ogień zgaśnie.

Ibrahim nie chciał spojrzeć.

– Ahmad al-Salmi znał prawo gór Hararee: korzystanie z cudzej wody bez pozwolenia zawsze kończy się tragedią. Ahmad al-Salmi go nie uszanował.

– A potem został zabity przez plemię al-Hatemi, do którego należała studnia, a także wszyscy, którzy pili tę wodę – podjęła Noora, by przyspieszyć opowieść. – A reszta uciekła z powrotem do wioski.

– Uciekli do wioski jak parszywe psy – powiedział ojciec, plując na górę. Ślina z sykiem wpadła do paleniska. – Ale co to dało? Nie mogli uciec przed zemstą. Przybyli al-Hatemi z gniewem w oczach i ostrymi *yirz* w rękach. – Ibrahim trzymał teraz rękę w górze, ściskając wyimaginowaną *yirz*, małą siekierkę, którą członkowie plemion górskich noszą przy sobie, by rąbać drewno lub używać jej w walce.

– Zamiast walczyć, uciekli. – Machnął ręką w stronę Jebel Hnaisz. – Plemię al-Salmi opuściło swoje domy i uciekło. Gonili ich aż do morza. Mam nadzieję, że się w nim potopili, tchórze, brudne psy bez wstydu, podłe zwierzęta. – Jego głos stawał się chrapliwy, przepełniony upokorzeniem. – Wybrali kapitulację zamiast honorowej śmierci w obronie swoich korzeni. Wyobraź to sobie, Nooro, porzucili własne domy! – Wciąż trzymał rękę nad głową, trwając bez ruchu. Tylko w jego oczach widać było gniewne błyski.

Noora bała się, że się załamie, był taki przygnębiony.

– Dlaczego al-Hatemi nie zaatakowali również nas? – zapytała. Oczywiście znała również tę część opowieści, ale starała się przyciągnąć uwagę ojca do domu, ludzi, którzy go kochają, jego rodziny.

Najpierw wydawało jej się, że poskutkowało. Ibrahim potrząsnął głową, jakby budził się z dziwnego snu.

– Dlatego, że nasz dom był daleko – udzielił prostej odpowiedzi. – Widzisz, al-Hatemi nie wpadli na to, żeby tu zajrzeć. Nie wiedzieli, że należymy do al-Salmi, ani tym bardziej o tym, że mamy własne źródło. Zanim wieści dotarły do mojego dziada, było za późno. Plemię zostało rozproszone, al-Hatemi odnieśli zwycięstwo. – Wskazał ruiny. – Wiesz, że mój dziad tam mieszkał?

– Wiem, wiem. Nie jesteś głodny, *abbah*?

– Hmm?

– Głodny? Śniadanie? – Wcisnęła miskę do jego bezwładnych rąk. Tak, wraca do siebie. Tak, upiecze chleb. Tak jej się przynajmniej wydawało.

Ale on pozwolił, żeby miska wysunęła mu się z rąk i upadła na ziemię. I poszedł sobie.

Zamiast go gonić, Noora rzuciła się, żeby uratować ciasto, zanim ziemia je pochłonie. Dwa, może trzy kawałki chleba, oceniła, rozsmarowując je na cienkiej metalowej formie i kładąc na palenisku.

Grudkowaty chleb: to wszystko, co będą jedli tego ranka.

5

Chciała, żeby ten dzień się już skończył. Gdy tylko zacerowała dziury w sukience i spodniach, wpadła w wir nerwowej krzątaniny. Czuła, że za mocno szarpie kozy przy dojeniu i zbyt zamaszyście zamiata, sprzątając chaty. Późnym popołudniem wyrywała chwasty na poletku. A słońce wciąż świeciło oślepiająco, zalewając drżącą poświatą skały i kamienie w dolinie. Upał wszystko spowalniał. A Noora przypomniała sobie matkę.

– Kamienie, to wszystko przez kamienie. – Fatma powtarzała to zawsze, gdy wspominała o szaleństwie, które nękało tak wielu przodków jej męża. – Wszystkie te piekące promienie odbijają się od kamieni i przez lata wypalają umysł. Przez nie zwrócili się do swego wnętrza, dzieląc się tajemnicami z głosami, których nikt inny nie mógł usłyszeć. Dzięki Bogu, że nie miało to wpływu na twojego ojca.

– Dzięki Bogu, że nie miało to na niego wpływu, dopóki żyłaś – wymamrotała do siebie Noora, grabiąc ziemię, żeby wyrwać wyjątkowo uparty chwast. W dzieciństwie nie wierzyła matce. Teraz zastanawiała się, czy to była prawda. Kawałek dalej, w dolinie, widziała ojca nieruchomego jak głaz, na którym siedział. Z każdej strony atakowały go skały i kamienie. Obezwładniające promienie słońca uderzały w jej głowę i zdjęta nagłą paniką, pobiegła poszukać cienia.

Noora odchyliła deskę zamykającą wejście do spiżarni i osunęła się w kąt między małymi koszami kukurydzy i cebuli, które uprawiali na swoim poletku. W przeciwległym kącie stał do połowy pełny worek mąki, puszka masła ghee i koszyk daktyli oparty o kilka garnków, rondli i glinianych naczyń. Co kilka miesięcy Sager i jej ojciec wyprawiali się po te produkty do nadmorskiej wioski Nassajem. Dostawali je w zamian za drewno zbierane w górach. Tym razem Sager będzie pewnie musiał wybrać się sam. I wtedy poczuła, że łagodnieje, uświadamiając sobie, iż ten obowiązek musi mu coraz bardziej ciążyć. Poza tym, nie może gniewać się na niego bez końca.

Na jej nosie usiadła gruba zielona mucha. Odgoniła ją i wyciągnęła rękę, żeby przesunąć worek z mąką, za którym stał podłużny koszyk. Podniosła pokrywkę i zanurzyła dłoń w kłębowisku kwadratowych i trójkątnych ścinków materiału, używanych do łatania ubrań. Przesunęła palcami po dnie, czując szorstki splot koszyka, tępe zęby grzebienia, którego już nie używała, i zamrugała na widok własnego odbicia w chropowatej tafli małego lusterka. Wyglądała jak młoda kobieta, nie dziewczyna, którą wciąż się czuła.

Miała wydatne kości policzkowe i szczupły nos. Poruszyła nim i jej pełne brzoskwiniowe wargi zadrgały jak płatki delikatnego kwiatu w pustynnym powietrzu.

Zanurzyła rękę raz jeszcze i znalazła węzełek z tym, czego szukała. To była kolekcja ładnych kamyków, które Sager zebrał w górach specjalnie dla niej.

Kiedy rozwiązała supełek, położyła się na brzuchu i oparła głowę na dłoniach, żeby im się przyjrzeć. Błyszczały nawet w półmroku spiżarni. Były gładkie, wyjątkowe, niektóre blade, z połyskliwymi żyłkami jaskrawych kolorów – szafranowym i limety – inne ciemne, w złote i srebrne kropki tańczące niczym woda nocą.

Rzeczywiście, nie może się na niego gniewać bez końca.

Ziewnęła. Powieki jej opadły, głowa osunęła się między rozjeżdżające się łokcie i zasnęła głęboko.

Ta sama tłusta zielona mucha obudziła ją histerycznym bzyczeniem, a przynajmniej tak się Noorze wydawało – dopóki nie usłyszała wycia, które brzmiało upiornie, lecz znajomo. Potem zapadła cisza, ale oczy miała szeroko otwarte. Jednak bez względu na to, jak intensywnie się wpatrywała, nie widziała niczego w nieprzeniknionych ciemnościach, które ją otaczały. Tylko stęchły zapach kurzu i starych liści sprawiał, że jej rozespany umysł był coraz jaśniejszy.

Po omacku ruszyła do wyjścia, zastanawiając się, dlaczego nikt jej nie obudził, czując irytację, że nikt nie zmartwił się jej zniknięciem. Znowu usłyszała wycie. Teraz łagodniejsze, jakby ludzkie.

Gdy drzemała, chmury zasłoniły gwiazdy i księżyc. Noora wciąż z szeroko otwartymi oczami minęła chaty, idąc tam, skąd dobiegał hałas. Wreszcie zobaczyła cień, który okazał się jej ojcem. Wciąż siedział w dolinie na tym samym głazie co przedtem. Jak długo tam tkwił?

– *Abbah*, co tu robisz? – zapytała łagodnie, kiedy była już na tyle blisko, że mógł ją usłyszeć.

Jęk, jaki wydał, po części wyrażał zagubienie, po części smutek, był jak skowyt, który przywiódł Noorze na myśl zranione zwierzę.

– Odeszli – mamrotał – wszyscy odeszli. Jestem tutaj zupełnie sam.

– Nikt nie odszedł – powiedziała, próbując dostrzec w ciemności wyraz jego twarzy. – Wszyscy jesteśmy tu, blisko ciebie. Zawsze tu jesteśmy.

Ibrahim skrzyżował ramiona i pozwolił, żeby głowa opadła mu na pierś.

– Odeszli – powtórzył – wszyscy odeszli.

Noora dotknęła jego ręki.

– Wróćmy do chaty, czas spać.

Głos Ibrahima przeszedł w szept.

– Wy, wy, wy... – Zaczął kołysać głową na boki.

– Jesteśmy tutaj – powtórzyła. – Jesteśmy tu.

Nagle odskoczyła z piskiem, ponieważ ojciec wyrzucił ręce w górę.

– Dlaczego opuściliście swoje domy! – krzyknął. – Dlaczego nie broniliście swojego honoru!

Błyskawica rozjaśniła niebo białym światłem, wydobywając złoto z jego oczu. Wyglądał na udręczonego, zaszczutego. Zmaga się, widziała, że zmaga się z podstępnymi głosami. Znęcają się nad jego umysłem, przez nie wyobraża sobie różne rzeczy, zapomina, kim jest: jej ojcem, tym, którego kocha, który rozpieszczał ją, kiedy była dziewczynką, tym, który pozwala jej robić, co chce, jako kobieta. Zmaga się, żeby je odpędzić. Teraz ona musi mu pomóc.

Noora zrobiła krok do tyłu – na wszelki wypadek – i zebrała się na odwagę. Kiedy zrozumie, co się z nim dzieje, będzie mógł walczyć z głosami. Przełykając z wysiłkiem, stłumiła strach i powiedziała:

– *Abbah*, to jest w kamieniach. To one cię tak zmieniają.

Cisza.

Przynajmniej przestał wymachiwać rękami.

– Twój umysł jest umęczony – przekonywała. – Widzisz, kamienie wchłaniają gorąco i kierują je na twoją głowę. I wtedy dzieje się coś takiego.

Ibrahim zgarbił się i podkulił kolana. Zwinął się w kłębek jak wystraszona mysz.

Noora podeszła bliżej i mówiła ze stanowczością matki pouczającej dziecko:

– Musisz unikać upału, który bierze się z nagrzanych kamieni. Wchodzi przez oczy prosto do głowy, gdzie robi różne złe rzeczy.

Oddychał szybko, kołysząc się w tył i w przód. Wydawało się, że jest zupełnie bezbronny.

Noora położyła rękę na jego ramieniu. I wtedy się od-wrócił.

Złapał ją za nadgarstek. Uścisk był miażdżący i dziew-czyna wrzasnęła zaskoczona. Zanim zdołała cokolwiek zrobić, skoczył na równe nogi i drugą ręką chwycił ją za włosy.

– Za kogo ty się uważasz! – krzyknął, potrząsając nią jak pustym workiem. – Żeby tak się do mnie odzywać!

Noora próbowała się wyrwać, uwolnić włosy z jego za-ciśniętych palców. Udało jej się tylko wykopać trochę żwiru spod stóp. Był po prostu zbyt silny.

– Wiem, że chcesz mnie zdradzić – syknął, uśmiechając się szyderczo. – Kolejny członek al-Salmi zdradzający własne plemię!

– Nie! – wrzasnęła, kiedy kolejna błyskawica rozjaśniła plamki w jego oczach, wściekle pulsujące i wirujące.

– Tfu! – splunął na nią. – Kłamiesz! – Pchnął ją na żwir i krzyknął w niebo: – Dlaczego wokół mnie jest tyle zdrady!

Noora wiedziała, że powinna uciekać, ale jego brutalny atak ją zaskoczył. Odwróciła się, zwinęła jak ślimak, poru-szając bolącym nadgarstkiem i rozcierając skórę głowy, zdziwiona, że włosy wciąż są na miejscu.

Nie słyszała, kiedy wrócił. Nie zauważyła, jak nad nią stanął. Poczuła dopiero jego miażdżący uścisk.

Otworzyła usta, ale nie wydobył się z nich żaden krzyk. Szok i strach uwięziły jej głos, kiedy poczuła jego masywne palce wbijające się w żebra. Uwięziona w uścisku, na próżno wierzgała nogami. Usiłowała rozpaczliwie myśleć, jednak mogła tylko dyszeć jak ryba wyciągnięta z wody.

Potem poczuła, że upada. Ibrahim ją puścił, dokładnie w momencie, w którym trzecia błyskawica rozpłatała niebo.

I wreszcie spadł deszcz, na który czekała przez tyle miesięcy.

6

Noora zerwała się jak ścigane zwierzę i ruszyła biegiem w górę stoku. Szukała dziury, do której mogłaby się wczołgać. Chciała być sama, żeby opatrzyć rany – paskudną mieszankę bólu i wstydu.

Błąkała się po omacku pod ciemnym, rozdzieranym grzmotami niebem, ślizgając się w strugach płynącej ziemi i potykając o zdradzieckie kamienie. Gdzie jest? Noora po raz pierwszy czuła się zagubiona w swoich górach.

Ktoś ją woła. A może to wiatr wyje jej imię?

– Noooooraaaa!

Na czarnym niebie, jak wyspa, pojawił się księżyc – tylko na chwilkę, lecz na tyle długo, żeby rzucić zimny niebieski promień na czyjąś postać. Dostrzegła poły koszuli i odwróciła się, gotowa do ucieczki.

– Poczekaj! Wracaj! Dokąd idziesz?!

Rozpoznała głos Sagera i uświadomiła sobie, że krąży po omacku w pobliżu domu. Machał do niej. Pobiegła do niego i zaczęła mu pomagać w wyciąganiu wszelkich możliwych pojemników, garnków i słoików, jakie udało im się znaleźć. Gdy ustawili je w szeregu, żeby nałapać deszczówki, niebo wysłało kolejną błyskawicę, która ujawniła ból pulsujący na jej twarzy.

Wystarczyła zachęta jednego pytania, żeby Noora wyrzuciła z siebie całą złość, gwałtowną jak deszcz zalewający góry. Zanim dotarli do jej chaty, szok i wzburzenie, które w niej kipiały, osiadły jak zamarznięte krople na opuszkach jej palców. Sager też gotował się z wściekłości. Poznawała to po tym, jak wycierał do sucha głowę.

– Rozmowy z nim nie mają sensu – tłumaczył. – Nie wycofał się po cichu do swojego świata. Stał się niebezpieczny. Widzisz, zauważyłem u niego pewne oznaki, oznaki gniewu, ale udawałem, że ich nie widzę. Miał w oczach takie... takie... okrucieństwo.

Noora chciała powiedzieć coś mądrego, ale ponieważ nic nie przychodziło jej do głowy, wyżymała warkocze. Wydłużone cienie ich obojga tańczyły po ścianach w świetle lampy sztormowej.

– Nigdy bym nie pomyślał, że się na ciebie rzuci – dodał Sager, nadal energicznie wycierając głowę. – I wiesz, co jeszcze? Będzie coraz gorzej. Musimy coś zrobić... – Nagle zamarł, a jego tańczący na ścianie cień zmienił się w plamę.

– Co, co takiego? – zapytała Noora.

– Mam pomysł. Myślę, że znam kogoś, kto potrafi mu pomóc.

– Kto to taki?

– Zobaida bint-Szir.

– Zobaida? Nie będzie potrafiła nic dla niego zrobić.

Brat kiwał głową, a jego wilgotne włosy już zaczynały się skręcać.

– A właśnie, że jej się uda.

– Jak może mu pomóc? Co zrobi? Poprosi dżiny o radę?

Sager znieruchomiał na wzmiankę o tajemniczych dżinach, niewidzialnych duchach powstałych z ognia, które żyją we własnym wymiarze, ale czasem udaje im się przedostać do świata ludzi.

Noora uśmiechnęła się szydercze.

– Naprawdę wierzysz, że potrafi z nimi rozmawiać?

– Może... Przecież każdy muzułmanin wie, że istnieją. – Sager zakaszlał, żeby opanować drżenie głosu. – Tak mówi Święty Koran.

– Nie wiem, jak ona może pomóc *abbah* – westchnęła Noora. – Przecież jej zależy tylko na wyciąganiu od ludzi pieniędzy.

– To nieprawda. Jest uzdrowicielką. Ludzie przyjeżdżają zewsząd, żeby się z nią zobaczyć. Podróżują z odległych zakątków pustyni, z miasteczek nad morzem. Przyjeżdżają ze wszystkim: połamanymi kośćmi, dolegliwościami starości, skurczami żołądka...

Noora zaczęła kręcić głową, odrzucając ten pomysł, chociaż wydawał jej się coraz bardziej sensowny. Dlaczego za każdym razem, gdy Sager coś proponuje, ona zawsze ma ochotę to odrzucić? Dlaczego nie może po prostu się z nim zgodzić?

– ... po egzorcyzmy, ze złym urokiem, tajemniczymi chorobami, również taką, która wpędza naszego ojca w szaleństwo. Zobaida słynie ze swojej uzdrawiającej mocy.

Noora nie przestawała kręcić głową.

– *Abbah* nie będzie nawet chciał się z nią spotkać. Mówi, że ona jest wiedźmą, która zadaje się z demonami – przypomniała.

– Może ma sposoby, żeby jej posłuchał? A może przyrządzi mu jedną czy dwie lecznicze mikstury. Nie wiem. Wiem tylko, że wszyscy uważają ją za cudotwórczynię. A tego właśnie nam potrzeba: cudu.

W końcu Noora zaczęła kiwać głową – powoli – zastanawiając się nad tym.

– Ale on się nigdy nie zgodzi.

– Na razie nie musi o tym wiedzieć.

– Nie znosi jej.

– To nie ma znaczenia. – Sager przeczesał palcami włosy. – Posłuchaj, wybierzmy się do niej i zobaczymy, co powie.

Noora westchnęła z rezygnacją.

Kiedy Sager poszedł do swojej chaty, deszcz zamienił się w lekką mżawkę. Noora kołysała się na materacu, słuchając, jak krople deszczówki spływające z dachu wprost do pojemników przepełniają je, aż woda zaczyna się przelewać.

Wyciągnęła ręce nad głowę i naprężyła palce stóp. Przekręcała szyję, żeby pozbyć się napięcia tego wyczerpującego dnia. Musi odpocząć. Ustalili z Sagerem, że zobaczą się z Zobaidą o świcie.

Późno w nocy chmury się rozwiały i wnętrze chaty zalało światło księżyca. Świerszcze śpiewały zgrzytliwą kołysankę w upajającym powietrzu tak chłodnym, idealnym dla spokojnego snu. Ale Noora nie mogła zasnąć, szamocząc się pomiędzy lodowatą wściekłością i piekącymi łzami.

Przez całą noc próbowała pozbyć się nienawiści do ojca i zamiast niej poczuć do niego litość. Jednak nie potrafiła tego zrobić. Złość i frustracja nadal trzymały ją w morderczym uścisku, podczas gdy w jej głowie wybuchały tnące jak brzytwa obrazy tego, jak ojciec nią rzucał i dusił.

Potem noc wchłonęła fioletowa ciemność przedświtu. Noora usłyszała chrzęst kopyt osła na kamieniach. Usiadła, patrząc przed siebie. Już czas – pomyślała.

7

Au-a! Au-a!

Znajome wycie odbiło się echem w dolinie. Noora przywitała je z radością po długiej wędrówce wśród lekkiej mgły w towarzystwie Sagera, odbytej w ciszy. Przez cały czas pogrążona była w zadumie, a Sager też nie miał ochoty rozmawiać. Miał minę poważnego mężczyzny.

– Chyba nas zauważyły – powiedziała Noora. Zmrużyła oczy, ale widziała tylko Maazoolah, położone wysoko na smukłej szyi gór, z której tarasowo schodziły poletka.

– Auuu!

– Wyją jak małe wilczki. – Zaciśnięte usta Sagera wreszcie rozciągnęły się w uśmiechu. – Pewnie młode się uczą.

Chłopcy z Maazoolah w różnym wieku wypadli zza skalistych wychodni w dolnej części wioski, biegnąc w ich stronę. Przywitali ich piskiem, jak dzieciaki domagające się uwagi.

– *Marhaba* Sager. *Marhaba* Noora.

– Pobawmy się, pobawmy się.

- Możemy pojeździć na osiołku?

- Śmiertelnie nas przestraszyliście tym wyciem - powiedział Sager i zdjął z grzbietu osła siekierkę, bukłak oraz cynową miskę.

- Tak - potwierdziła Noora. - O mało nie zawróciliśmy i nie zaczęliśmy uciekać. Pomyśleliśmy, że jakieś groźne plemię zajęło wioskę.

- Nie myślcie sobie, że dopiero teraz was zauważyliśmy - powiedział zuchwale mały chłopczyk. - Widzieliśmy was już od dawna i szliśmy za wami, zanim wysłaliśmy ostrzeżenie.

- Baliśmy się, że ktoś nas zaatakuje - wyznał Sager.
- Dzięki Bogu, nie macie przy sobie żadnej broni.

- Mamy broń, ale używamy jej tylko, gdy musimy - wyjaśnił mały zuch, wyciągając zza pleców sękatą gałąź. - Zaatakowalibyśmy dopiero, gdy bylibyśmy gotowi. - Odwrócił głowę w stronę swojej armii oberwańców i unosząc rękę, dał sygnał. Wyciągnęli broń - gałązki, łodygi, liście - spod obszarpanych koszul.

Kiedy w tej asyście Noora i Sager szli do wioski, dołączyły do nich małe dziewczynki. Trzymały Noorę za rękę i podążały za Sagerem, który próbował zapanować nad chłopcami.

- Mój biedny osioł padnie - tłumaczył, podczas gdy chłopcy, jeden po drugim, spychali kolegów z grzbietu zwierzęcia, które ryczało żałośnie.

Sager znów spróbował:

- Jedziecie we trzech. Zejdźcie, jesteście za duzi. Poza tym, siedzicie za długo. Teraz kolej na małego Omara. - Inni chłopcy wspinali mu się na ramiona i o mało go nie udusili. Sager pochylił się, żeby podnieść swoją gitrę i roześmiał się.

– Udusicie mnie.

Wreszcie dotarli do osady w towarzystwie rozbrykanych, wyjących i piszczących z przejęcia dzieci. Nie co dzień ktoś odwiedzał wioskę.

Na osadę Maazoolah składało się około dwudziestu kamiennych chat, tworzących nieregularny okrąg na równinie na szczycie góry. Kobiety krzątały się w chatach i na zewnątrz, zajęte domowymi obowiązkami, na polu zaś pracowali przyjaciele Sagera. Obserwowali ich głośne przybycie, a teraz zbliżali się do nich z uśmiechami na twarzy.

– *Salam Alaikum*, pokój z tobą! – wołali.

– *Alaikum As-Salam* i pokój z wami – odpowiadał im Sager. Po powitaniu nastąpiła litania sylab, formująca się w poszczególne imiona, wypowiadane niskim głosem, jakim przemawiali młodzi mężczyźni z gór.

– Saif! Abdullah! Mohammad! *Marhaba*!

Nagle Noora poczuła się onieśmielona. Zebrała dziewczynki z boku i uniósłszy chustę, przytrzymując materiał tuż pod oczami, obserwowała, jak brat dotyka nosów przyjaciół, jednego po drugim, w tradycyjnym powitaniu. Trzy lekkie muśnięcia koniuszkiem nosa: z lewej strony na prawą, z prawej na lewą, a na koniec pośrodku. Ten „pocałunek" nosem stanowił element niepisanej etykiety w tym regionie.

Wieść o ich przybyciu dotarła do wioski na długo przed tym, nim usłyszeli wycie dzieci. Chociaż w Maazoolah nie

było wież obserwacyjnych, członkowie społeczności mieli oko na podróżujących. Dlatego starsza kobieta, Moza bint-
-Falah, daleka kuzynka ich matki, przygotowała dla nich śniadanie: arabską kawę, daktyle i chleb obficie posmarowany pożywnym masłem ghee, a wszystko podane na okrągłej macie z liści palmowych, rozłożonej tuż przed chatą dla chłopców. Noora miała dołączyć do Mozy w domu.

Moza czekała na nich w drzwiach swojej dwuizbowej chaty. Siwe warkocze leżały na jej piersiach, na luźnej pomarańczowej tobe w żółte kropki, tak przezroczystej i cienkiej, że wyglądała jak mgiełka pokrywająca czerwoną sukienkę pod spodem. Sager ucałował głowę i dłoń starej kobiety, Noora zrobiła to samo.

– *Masha' Allah*, ależ wyrośliście – powiedziała Moza.

Ciasno podwinęła rękawy tobe pod chustą i patrzyła na nich przymrużonymi oczami przez szerokie otwory w burce.

– Tak dawno was nie widziałam.

Sager i Noora popatrzyli na siebie znacząco.

– Nie, *khalti* Moza, widziałaś nas niedawno – powiedział Sager.

Moza przekręciła głowę i nastawiła ucha. Pamiętając o tym, że słabo słyszy, Sager zaczął mówić głośniej:

– Byliśmy tu, kiedy zmarła nasza matka.

Noora, wraz z ojcem i braćmi, przyniosła ciało Fatmy na noszach aż do Maazoolah, żeby przed pochówkiem można było zmówić zbiorową modlitwę za zmarłą. Tak należało postąpić. To była islamska tradycja.

– Wasza matka?

Chodziły słuchy, że pamięć Mozy zaczęła szwankować trzy lata temu, gdy jej mąż, jak to się czasem zdarzało w wypadku mężczyzn z gór, powędrował w góry i nigdy nie wrócił.

Mieszkańcy wioski szukali Sultana bin-Zahrana przez całe tygodnie, lecz w końcu zrezygnowali. Jednak Moza wciąż wierzyła, że wróci. Przecież Sultan, o spiczastej brodzie i żywych oczach, był najbardziej energicznym i przedsiębiorczym mieszkańcem Maazoolah. Przepasany taśmą z amunicją na piersi i w talii, przemierzał góry i leżącą za nimi pustynię, zbierając drewno, miód, a nawet rzodkiew i zioła. Potem sprzedawał lub wymieniał, co się dało. Wszystko, co przynosił, Moza chowała do zamykanej blaszanej skrzyni, którą trzymała w sypialni.

– Zapomniałaś, *khalti*? – zapytała Noora.

– Pochowaliśmy ją tam, na cmentarzu – powiedział Sager, machając ręką.

– A potem z tobą zostałam – dodała Noora, czekając na jakiś znak, że Moza coś sobie przypomina.

Przez trzy dni żałoby chatę Mozy wypełniał zapach łez i ciężkie westchnienia, kiedy odwiedzały ją kobiety z Maazoolah, żeby złożyć kondolencje. Falami płynęły jęki i zawodzenie wywołane smutkiem (a może bólem, jako że tę drogę smutku zawsze rozpoczynały stare kobiety). A potem mówiły:

– Co za żal! Przeżyj go, żebyś potem go nie czuła.

– Płacz, dziecko, płacz!

Aż wreszcie cisza.

Chciały, żeby Noora szybko pozbyła się cierpienia, żeby mogły wrócić do swojego życia. Uczone od wczesnego dzieciństwa, wiedziały, że strata nie powinna zbyt długo zakłócać równowagi emocjonalnej. Życie jest wystarczająco ciężkie. Bezlitosne słońce, wdzierający się wszędzie kurz, brak wody – wszystko to kreśliło między życiem a śmiercią linię tak cienką, że mogła w każdej chwili pęknąć. To był sposób patrzenia na życie ludu Hararee. Stare kobiety wydały jeszcze jeden jęk, po czym zaczęły przekonywać Noorę, żeby pamiętała, iż śmierć to nic wielkiego, że rozpamiętywanie jej nie ma sensu. „Świat jest dla żyjących".

– Niech smutek nie drąży twojego umysłu. Nie stój w miejscu.

Nie stój w miejscu! Czyż to nie jest sedno życia jej i ich wszystkich?

Wreszcie, gdy inne sposoby zawiodły, poddały się wyuczonej mądrości.

– Nic tu nie poradzimy. To Allah decyduje.

– Kim jesteśmy, jeśli nie Jego poddanymi i niewolnikami?

Siedząc wokół niej ze smutnymi minami, wyglądały naprawdę żałośnie. Tak bardzo się starały, ale jak Noora mogłaby lamentować przy obcych?

Teraz dała Sagerowi znak, żeby dołączył do przyjaciół, zachęcając Mozę, by weszła do domu, i znów spróbowała:

– Nie pamiętasz, jak dużo kobiet przyszło do twojego domu?

Wreszcie leniwe powieki Mozy uniosła myśl.

– Ach, ach, ach, tak. Teraz sobie przypominam. – Pociągnęła za srebrne warkocze. – Mieszkałaś u mnie, tak. Ale nie zostałaś długo, prawda?

– Dziesięć dni.

– Dziesięć dni? – Oczy Mozy zaszły mgłą.

Tym razem Noora powstrzymała się od wyjaśnień, a stara kobieta równie szybko o tym zapomniała. Kiedy usiadły przy macie ze śniadaniem, Moza zapytała:

– Jakie nowiny?

– Żadnych nowin, nie licząc deszczu – westchnęła Noora.

– Ulewnego deszczu, *masha' Allah*, wczoraj. Cały spadł jednego dnia.

– Ach, deszcz zawsze przychodzi – powiedziała Moza zapatrzona w pustkę. – Kiedy odchodzi, myślisz, że odchodzi na zawsze... ale potem wraca.

Piękno towarzyszące padającemu rzadko deszczowi było jedynym przejawem łagodności natury, jaki znali. Teraz i chłopcy o tym rozmawiali. Noora musiała się odchylić, żeby ich zobaczyć przez otwarte wejście do chaty. Jedli, pochyleni nad matą. Mohammad powiedział:

– Padało przez cały tydzień. Dopiero wczoraj przestało.

Noora ugryzła duży kęs chleba i żując go, walczyła z nagłym przypływem zawiści, który się w niej obudził. Jakie to niesprawiedliwe! Maazoolah cieszyła się całym tygodniem deszczu, a jej rodzina dostała tylko jeden dzień. Nawet chmury bardziej sprzyjają innym, omijając nasz dom, pomyślała i wepchnęła do ust resztę chleba.

– Tak – dodał Saif, nalewając Sagerowi kawę – spadł późno, ale obficie. *Masha' Allah*, spójrz, jak zazieleniły się nasze poletka.

Sager wypił gorzki napar jednym haustem. Potem, delikatnie kołysząc maleńkim kubkiem, który trzymał między kciukiem a palcem wskazującym (sygnał, że nie chce dolewki), spojrzał za siebię.

Noora wyciągnęła szyję i podążyła wzrokiem za jego spojrzeniem, dostrzegając tarasy na zboczu góry. Zwężały się ku dołowi, a każdy otaczał niski murek z kamieni. Ludzie mieszkający u stóp nagich skał Hararee mieli mniejsze pastwiska niż te na piaszczystych pustyniach w głębi lądu. Góry dawały akurat tyle ziemi, żeby umożliwić skąpe uprawy. Saif jednak miał rację: poletka wsi Maazoolah były zaskakująco zielone.

– To była wspaniała ulewa – powiedział Abdullah.

– Błogosławieństwo.

– Istne błogosławieństwo – zawtórował Saif. – Zarżnęliśmy nawet dwie kozy, żeby to uczcić. A potem urządziliśmy *nadbę*.

Nadba: nikt nie wiedział właściwie, kto ją wymyślił, ale zawsze, gdy się odbywała, przyciągała wszystkich mężczyzn i chłopców.

– Szkoda, że nas nie widziałeś – mówił Mohammad. – Wyglądaliśmy jak prawdziwy męski chór zebrany wokół starego Abdula-Rahmana. Trzymaliśmy czaszkę tego kozła wysoko i wrzeszczeliśmy z całych sił.

– *Masha' Allah*, on wciąż ma najlepszy głos – przyznał Saif.

– Tak, czułem mrowienie, kiedy krew napływała mi do twarzy za każdym razem, gdy krzyczał *hao* – powiedział Abdullah.

Pozostali chłopcy wydali serię krótkich krzyków: *Hao, hao, hao!* po czym wybuchnęli serdecznym śmiechem, który wywołał smutny uśmiech na twarzy Noory. Chociaż to było tak dawno, doskonale pamiętała krzyki podkreślające poczucie wspólnoty. Pochyliła się do przodu i ukroiła kawałek kleistego chleba. Już drugi, a wciąż nie mogła zapełnić pustego żołądka.

Kiedy Noora była mała, mogła przebywać w towarzystwie mężczyzn usadowiona na ramionach ojca, dzięki czemu oglądała *nadbę*. Wokół prowadzącego, mężczyzny o wyjątkowo silnym głosie, tłoczyli się inni. Ściskając w rękach oczyszczoną czaszkę kozy, którą właśnie zjedli, uniósł ją nad głowę i warknięciem wyraził zadowolenie. Grupa wtórowała jego osobliwym rykom.

Plemię dodatkowo wzmacniało poczucie wspólnoty lasem wzniesionych dłoni zaciśniętych w pięści. Noora też podniosła. Jej głos wznosił się wysokim tonem, przenikliwym jak u miauczącego kocięcia, nad niskim porykiwaniem mężczyzn. Trwało to tak długo, że myślała, iż nigdy się nie skończy. Lecz wtedy, wraz z pokasływaniem zdartych gardeł, niespodziewanie nastał koniec. Głosy stały się chrapliwe.

Dlaczego to, co dobre, zawsze się kończy? Noora poczuła, że nie chce wracać do domu, gdzie ojciec znów ją zaatakuje, a pogarda Sagera stanie się jeszcze bardziej gorzka i nieprzyjemna. Pragnęła zostać tutaj, gdzie są ludzie,

ludzie, którzy wspólnie robią różne rzeczy, którzy dbają o siebie nawzajem. Chciała patrzeć, jak bawią się dzieci. Chciała słuchać nabrzmiałego łzami głosu Mozy.

Poczuła, że się krztusi. Próbowała przełknąć, ale w ustach miała za dużo chleba. Łzy płynęły jej po policzkach i nie mogła przestać kaszleć.

– Już, już – powiedziała Moza, klepiąc ją w plecy. – Dlaczego jesz tak szybko?

Noora wypluła grudki chleba na dłoń.

– Napij się wody – powiedziała Moza. Z trudem dźwignęła gliniany dzban i przechyliła go nad cynowym kubkiem, który trzymała w drugiej ręce. A kiedy Noora zapatrzyła się na jej spuchnięte stawy, powiedziała: – Ból starej kobiety. Nie tylko palce z trudem się zginają, ale też kolana.

– Wiem, *khalti*, nie pamiętasz, jak ci je rozcierałam? Codziennie ci je rozmasowywałam.

– Kiedy?

– Nieważne – mruknęła Noora. Wzięła dłoń Mozy w swoje ręce i zaczęła wygniatać ból z jej stawów.

Stara kobieta zacisnęła powieki i jęknęła.

– Zostaniesz ze mną przez jakiś czas, żeby przynosić mi taką ulgę każdego dnia?

Noora się nie zastanawiała.

– *Insha' Allah*, zostanę, *khalti*.

Z dworu dobiegł wrzask jednego z chłopców:

– Ha, ha, możesz pomarzyć, przyjacielu! – To był Mohammad, który teraz roześmiał się głośno. – Ta złośliwa kobieta nawet nie przychodzi do naszej wioski.

– To prawda. Narzeka, że to za daleko.

Ten głos był nowy. Nie przestając masować dłoni Mozy, Noora odchyliła się do tyłu, żeby zobaczyć, kto to jest. Chociaż siedział tyłem do niej, widziała, że jest starszy. Miał szersze ramiona i niższy głos.

– To okrutne, że Bóg obdarzył ją uzdrawiającymi dłońmi – westchnął Saif.

– Tak – zgodził się Mohammad, ocierając łzy rozbawienia. – Uzdrawiające dłonie, które działają tylko na płacących.

– Cóż, będę musiał nazbierać sporo drewna – stwierdził Sager, uśmiechając się. – A jeśli to nie pozwoli mi zarobić dość pieniędzy, będę musiał zostać dłużej i nająć się do dorywczej pracy tu i tam w Nassajem.

– To nic nie da – powiedział nowy głos. – Zobaida bint--Szir nie potrzebuje twoich nędznych groszy. – Nad jedzeniem krążyła chmara much, a jego ręka powędrowała nad matę. Odgonił je jednym zdecydowanym ruchem.

– Dlaczego? Przecież każdy pieniądz to dobry pieniądz.

Mężczyzna (Noora uznała, że już nie jest chłopcem) lekko przekrzywił głowę. Widziała jego twarz z profilu. Nie miała pulchności typowej dla twarzy pozostałych chłopców. Była ostra jak poszarpane szczyty gór. Rosły na niej gęste kępki czegoś, co mogło się zamienić w twarzową kozią bródkę.

– Chodzą słuchy, że jest zajęta nowym klientem – powiedział. – Nowym bogatym klientem.

– Przybył z odległej nadmorskiej wioski – dodał Mohammad – a nie z naszych górskich okolic. Podróż tutaj zajęła mu dziesięć dni.

– Kto to taki? – chciał wiedzieć Sager.

Noora też chciała to wiedzieć, ale właśnie wtedy Moza gwałtownie otworzyła oczy i zapytała, dokąd jadą z Sagerem. Dziewczyna pochyliła się w stronę ciotki i pośpiesznie opowiedziała jej o tym, że ostatnio jej ojciec stał się nieobliczalny. Nie wspomniała o ataku, bo to by tylko zdenerwowało tę łagodną starą kobietę. – Postanowiliśmy, że zobaczymy się z Zobaidą, żeby się przekonać, czy może mu pomóc.

Moza odetchnęła głęboko. Było oczywiste, że nie usłyszała wszystkiego dokładnie. Miała właśnie o coś spytać, kiedy Noora pociągnęła ją za kciuk. Stara kobieta znów zamknęła oczy i odetchnęła z ulgą.

Ile jej umknęło? Noora znów zapatrzyła się w słoneczne światło, wdzięczna za półmrok w chacie, bo gdyby chłopcy (i ten mężczyzna) ją widzieli, wyglądałaby głupio, z plecami wygiętymi jak u starej kobiety i wykręconą szyją.

Teraz rozmawiali szeptem, głowy w turbanach prawie się stykały. Noora walczyła z wiatrem, który niósł ich głosy w drugą stronę, ale słyszała tylko urywki rozmowy: „...osobiste problemy... próbował i próbował...".

– Zobaida, mówisz? – Głos Mozy brzmiał tak, jakby wydobywał się z wyschniętej studni.

– Tak, *khalti*, tak – powiedziała Noora i zaczęła mocniej masować wnętrze jej dłoni.

„... zdesperowany... podejrzaną miksturę... między nogami...".

Mohammad i Saif zaczęli chichotać.

– Po obfitym deszczu pszczoły zabierają się do pracy – powiedziała Moza.

Noora jej nie słuchała. Chłopcy wybuchnęli głośnym śmiechem – wszyscy, oprócz Sagera (to do niego podobne, żeby nie docenić żartu).

– Miód, tego powinnaś poszukać, moja słodka – dodała Moza.

Noora usiadła prosto.

– Co?

– Powiedziałam „miód". Tylko w ten sposób uda ci się osłodzić język Zobaidy.

8

Kim jest mężczyzna, o którym rozmawiali? Jakie problemy go nękają? Sager i jego przyjaciele szeptem snuli zajmującą historię. Na ich twarzach odbijały się szok i niedowierzanie. Noorę skręcało z ciekawości. Musi jednak poczekać na odpowiedni moment, kiedy będzie sam na sam z bratem, by go o to zapytać.

Następnego dnia o świcie Sager i Noora ruszyli w drogę, obierając ścieżkę wiodącą do Nassajem. W połowie drogi odbili na północ, ciągnąc osła w szeroką dolinę gęsto porośniętą drzewami. Byli w wadi Sidr, gdzie można było znaleźć najlepsze drewno.

Pośrodku wadi, w kępach po pięć lub sześć, rosły akacje i głożyny. Inne drzewa stały samotnie po bokach tam, gdzie góry wznosiły się wprost z dna doliny. Zatrzymali się, żeby napić się wody, a Noora najbardziej obojętnym tonem zapytała:

– Co to za mężczyzna, o którym rozmawialiście?

Odpowiedź Sagera była obcesowa jak trzaśnięcie drzwiami:

– To była męska rozmowa, nieprzeznaczona dla twoich uszu.

Noora nie rezygnowała:

– Powiedz mi tylko, na czym polega jego problem. Zresztą i tak prawie wszystko słyszałam.

– A nie powinnaś była – uciął Sager, biorąc do ręki siekierkę i ruszając w stronę dorodnego drzewa akacji. Jego solidny pień wystrzelał z ziemi, by zamienić się w bujną koronę.

A więc tak to będzie wyglądało. Patrzyła, jak chwyta gałąź i zaczyna ją odrąbywać. Dziesięć uderzeń później oderwał ją.

– Nie zamierzasz mi pomóc? – zapytał, rzucając jej spojrzenie przez ramię.

Noora skrzyżowała ręce za głową i ziewając, powiedziała:

– Nie wiem. Jeśli nie chcesz mi zdradzić waszej męskiej opowieści, to może nie powinnam wykonywać męskich zajęć.

Rzuciła mu triumfujące spojrzenie, ale on tylko pokręcił głową i odwrócił się do drzewa.

Ciach, ciach, ciach! Noora usiadła na ziemi i opierając się na łokciach, uśmiechała się na myśl o tym, co umknęło uwadze Sagera. Całe to rąbanie pójdzie na marne. Każda ułamana gałąź będzie do wyrzucenia. Niech się zmęczy, ten wspaniały i mądry mężczyzna. Rąbie mokre drewno, drewno, którego nie będzie mógł sprzedać.

Noora znów ziewnęła i zapatrzyła się na góry, poszarpane, stare, połyskliwe skały. Nic nie umknęło jej oczom:

krzaki obsypane maleńkimi czerwonymi kwiatkami, mechate białe kropki na gęstych krzewach, fioletowe skupiska kwiatów wieńczące skarłowaciałe kaktusy. Bez względu na to, czy deszcz padał długo czy krótko, przyroda rozkwitała błyskawicznie i gorączkowo. Równie szybko umierała.

Ciach, ciach, ciach! Sager podszedł do kolejnego drzewa. Twarz Noory owiał wiatr i zamknęła oczy, zatracając się w dźwiękach, które przychodziły po deszczu. Z oddali od czasu do czasu dobiegało szemranie spienionego potoku. Czy to wiatr? Nieopodal rechotały żaby, grały świerszcze, czasem po kamieniach przemykało jakieś małe zwierzę.

– No i? Masz zamiar tam zasnąć? Wstań i mi pomóż.

Noora otworzyła oczy. Zmorzył ją sen. Na ziemi leżał pokaźny stos gałęzi, a Sager właśnie zaczął odzierać z kolców jedną z nich. Dziewczyna wstała i zdecydowanym krokiem podeszła do niego.

– To nie ma sensu – powiedziała, wyrywając mu gałąź z ręki. – To drewno jest nic niewarte, popatrz. – Przesunęła palcem po bladej wewnętrznej warstwie. Była wilgotna. – Widzisz? Drewno zawilgotniało w środku. Niepotrzebnie się męczyłeś.

– To nie ma znaczenia – syknął przez zaciśnięte zęby.

– Nie będzie się dobrze paliło – tłumaczyła Noora. – Będzie dymiło i wtedy wrócą do ciebie, mówiąc, że ich oszukałeś i sprzedałeś im złe drewno. Dobrze o tym wiesz! – Klepnęła się dłonią w czoło. – Dlaczego nie pomyślałeś, zanim zacząłeś?

Uśmiechała się, patrząc na wyraz jego twarzy zdradzający zdenerwowanie, maleńkie krople potu nad górną wargą, lepkie i spływające wolno jak gęsty sok jednego z tych górskich krzaków o mięsistych liściach. A potem nie wytrzymała i uśmiechnęła się od ucha do ucha.

Sager kopnął gałęzie, strasząc ropuchę, która skoczyła daleko przed siebie i wylądowała z pluskiem w kałuży nieopodal.

– Pozwoliłaś mi rąbać bez końca i nic nie powiedziałaś? Dlaczego?

– Dlatego że nic mi nie mówisz. I dlatego, że zawsze jesteś w złym humorze. Słyszałam, jak twoi przyjaciele się śmieją, ale ty nie. Nie, ty miałeś twarz smutasa. Dlaczego jesteś wiecznie skrzywiony?

Sager rzucił jej gniewne spojrzenie.

– Naprawdę chcesz wiedzieć?

Białka jego oczu zaczynały zabarwiać się na różowo. Noora nie była pewna, czy chce wiedzieć, ale i tak skinęła buńczucznie głową.

– Po prostu zastanawiałem się nad twoim problemem, siostro. Jesteś coraz starsza, a wciąż nie masz męża tylko dlatego, że samolubny ojciec chce cię mieć przy sobie. I to mnie martwi. Dlatego byłem smutny. – Skrzyżował ręce na piersiach. – Byłem taki smutny, siostro, bo chcę wszystkiego, co najlepsze, a nie jestem w stanie ci tego zapewnić. Pomyślałem, że przyjemnie byłoby, gdybyś miała kogoś, kto by się o ciebie troszczył, na przykład tego bogatego człowieka, o którym rozmawialiśmy. Wyobraź sobie! Mieszkać w prawdziwym domu, z wieloma pokojami, dobrze jadać – daktyle z Basry, mango z Indii, granaty z Persji – nosić ozdoby z najszlachetniejszego złota. – Westchnął i mlasnął. – Ale teraz widzę, że to wszystko na marne.

Muszą zacząć od nowa.

Noora poszła za bratem głębiej w dolinę, żeby znaleźć suche drewno. Szli wąwozem o stromych ścianach, który kojarzył jej się z przepaścią oddzielającą ją od Sagera. I to ona jest wszystkiemu winna. Dlaczego pozwoliła mu rąbać mokre drewno, tak się męczyć? Przemówił z głębi serca – tego była pewna – a ona wyśmiała jego szczerość.

Powietrze wibrowało jak przepuszczane przez tunel, jakby szeptało do niej, namawiając do przeprosin.

Szarpnęła osła i krzyknęła do Sagera:

– Wiesz co, właściwie nie musimy szukać drewna!

Zamiast odpowiedzieć, przeszedł górą nad stertą kamieni leżącą na drodze. Tę część góry deszcz rozpuścił i posłał z łoskotem w dół.

– Powinniśmy szukać gniazd – ciągnęła. – *Khalti* Moza powiedziała mi, że Zobaida bardzo lubi górski miód, że przyjmie go jako zapłatę. – Gdy tylko pokonała rumowisko, Sager zatrzymał się i pochylił głowę. – No i co o tym myślisz?

Podniósł rękę, żeby ją uciszyć.

– Posłuchaj – wyszeptał i wskazał ręką poszarpane szczyty. – Tam, tam...

– Co?

– Pszczoła, poleciała tam. – Jego palec zatańczył w powietrzu. – Tam wysoko jest gniazdo.

Noora osłoniła oczy dłonią i zapatrzyła się w błękit nieba.

– Jak to, ja wspominam o miodzie, a nagle ty zauważasz pszczołę? Nic nie widzę.

Była pewna, że Sager się na niej odgrywa.

– Tam! Pojawiła się na wschodzie i poleciała na południe. – Ruszył w stronę osła. – Widziałem ją, widziałem – mamrotał, biorąc miskę i siekierkę. Zaczął się wspinać po stoku tak zapamiętale, że zaraził ją swoim entuzjazmem.

Gdy tylko Sager chciał, potrafił ją pokonać. Potężne nogi niosły go skokami po stromym zboczu. Jego kanciaste ciało traciło sztywność, kiedy skakał, gibki niczym górski kot. Na tym stoku nie było wydeptanych ścieżek i Noora z trudem za nim nadążała. Kurczowo ściskając chustę, ciągnęła za sobą osła przez skalne osypisko. Czy Sager skłamał, że widział pszczołę, żeby ją zmęczyć?

– Może się mylisz! – krzyknęła. – To może być strata czasu.

Nie odpowiedział i postanowiła, że więcej się nie odezwie. Niech Sager załatwi sprawę po swojemu, jeżeli przez to lepiej się poczuje. Nawet jeśli nie znajdą tam gniazda, Noora nie będzie miała mu tego za złe. I może poprawi mu się humor. Takie myśli krążyły jej w głowie, a mimo to rozglądała się, szukając wzrokiem jednej czy dwóch pszczół.

Wielkie skały tworzyły rodzaj schodów usianych drobną trawą i maleńkimi żółtymi kwiatkami. Kiedy Sager się zatrzymał i przyłożył dłoń do ucha, Noora zrobiła to samo.

Wstrzymując oddech, próbowała pochwycić charakterystyczne bzyczenie dochodzące z gniazda. Zamiast tego jednak wiatr przywiał inny dźwięk.

Czy to płacz dziecka? Zaintrygowana odwróciła głowę w stronę, z której dochodził, ale wiatr znów zmienił kierunek. Tym razem przyniósł brzęczenie pszczół. Zdziwienie było jak fala zimnej wody. Sager miał rację!

W powietrzu tańczyły pszczoły. Śmigały z płytkiej szczeliny na szczycie góry, a w ich chaotycznym wirowaniu odbijało się światło. Gniazdo miało kształt wydłużonego trójkąta, który przekształcał się na dole z jednej strony w guzowatą kulę. Przyczepione było do złamanej gałęzi jakimś cudem tkwiącej w ziemi.

Chciała wziąć udział w tym niebezpiecznym zadaniu, ale się powstrzymała. Niech Sager znów poczuje, że dowodzi. Może wtedy z jego twarzy zniknie smutek. Już kucał przy gnieździe, a spod gitry, którą owinął twarz, wyzierały oczy. Patrzyła, jak wysuwa rękę i odciąga rój pasiastych owadów od gniazda. Rozdzieliły się, ale środkowa część gniazda była sucha i pusta. Pszczoły wykorzystały już tę część plastra miodu.

Sager zgonił owada z ręki i spróbował jeszcze raz. Wnętrzem dłoni odgarnął pszczoły z kuli wiszącej na dole. Ta część gniazda połyskiwała od wilgoci. Sager nie tracił czasu i wykonał czyste cięcie siekierką, łapiąc kulę do miski.

Pszczoły zaprotestowały wściekłym brzęczeniem. Uniosły się w powietrze, tworząc wokół jego głowy gęstą, gorączkowo wirującą chmurę. Noora widziała, że Sager chce uciec, ale obydwoje wiedzieli, że to tylko rozdrażni owady. Noora powoli oddalała się od gniazda, czując jednocześnie podniecenie i spokój, jakie muszą być udziałem złodzieja w domu uśpionych właścicieli. Pszczoły podążały za Sagerem i go gryzły, ale on nie wypuszczał miski z rąk.

Podziałało. Jego nastrój się zmienił. Chociaż powstrzymywał uśmiech, widać go było w oczach, rozświetlał twarz. Przykrył miskę gazą i mocno przytwierdził sznurkiem do grzbietu osła. Noora miała go właśnie pochwalić za odwagę, kiedy usłyszeli nawoływania dzieci. Spojrzeli po sobie zaintrygowani.

– Wydaje mi się, że już wcześniej słyszałam głosy dzieci – powiedziała, wskazując głową na zachód. – Wiatr przynosił je z drugiej strony góry.

Sager kręcił głową, starając się ustalić, skąd dolatują głosy.

– Myślę, że jesteśmy niedaleko Nassajem. Widzisz, to by się zgadzało. – Nakreślił ręką trasę w powietrzu. – Szliśmy przez wadi, a potem skrótem, wspinając się na górę.

Zanim dokończył, Noora pokazała ręką w górę. Znów zostali wytropieni przez dzieci.

9

Chłopcy z Nassajem udawali, że są armią. Ich misja polegała na bezpiecznym przeprowadzeniu Noory i Sagera stromą ścieżką prowadzącą do wioski.

– Uważajcie na te krzaki, pełno w nich węży – powiedział ich przywódca, patykowaty chłopiec o wydatnych ustach, wyższy od pozostałych. Grupa, teraz podążająca za nim gęsiego, obeszła krzaki, uważając, żeby nie dotknąć ich splątanych łodyg.

– To Faradż al-Mugami – wyszeptał Sager. – Jest najmłodszym synem szejka Khaleda.

Noora pokiwała głową i pociągnęła za sobą osła.

– Pewnie dlatego rzuca rozkazy jak wódz jakiegoś wojowniczego plemienia.

Faradż wydał kolejny rozkaz:

– Tędy, tędy, nie za blisko tej dużej skały. Jeśli się stoczy, wszystkich nas zgniecie.

Gdy udało im się ominąć skałę wiszącą nad ich głowami, Faradż przystanął. Jego mięsiste usta się rozchyliły.

– Patrzcie – powiedział, wskazując w dół doliny. – Jest tam, ta czarownica. – Podniósł ręce, a chłopcy pochowali się za głazami. – A wy dwoje na co czekacie? – syknął Faradż, dając Noorze i Sagerowi znak. – Schowajcie się, zanim was zobaczy.

– Tego już za wiele – burknął Sager, ale pozwolił Noorze wciągnąć się za kamienną płytę w kolorze ochry. Trzymała lejce osła, żeby dokąd nie powędrował. Zaczęli obserwację.

Czarownicą była oczywiście Zobaida, spowita w czerń postać kuśtykająca w górę odległego wzniesienia. Na szczycie stała jej chata, samotna pod dwiema uschniętymi palmami.

– Kiedy się z nią zobaczymy? – szepnęła Noora.

– Gdy tylko ta głupia zabawa dobiegnie końca – odpowiedział również szeptem Sager.

Noora ziewnęła i jej wzrok powędrował ku twarzom zapatrzonych w jeden punkt chłopców. Tworzyli interesującą zbieraninę. Jej ojciec nigdy nie cenił mieszkańców Nassajem. Mówił o nich „bękarty, niewierne własnym korzeniom". Byli to żeglarze z odległych portów i miasteczek, którzy zostali na lądzie, mieszkańcy pobliskich wzgórz i ludzie z gór, wybierający bliskość morza i szansę, jaką niesie. Przez lata pobierali się między sobą i teraz ich populacja była mieszaniną wielu ras i kolorów skóry: czarnych, brązowych, oliwkowych i białych twarzy zwieńczonych prostymi, falującymi i kręconymi włosami. Wieś Nassajem akceptowała ich wszystkich, w przeciwieństwie do jej ojca. Zawsze powtarzał, że kiedy plemiona się mieszają, powstaje chaos. Tracą to, co dobre i czyste.

– Czego od niej chcecie?! – krzyknął Sager do chłopców, kiedy Faradż dał malcom sygnał, żeby wyszli z kryjówek.

– Jest taka sama jak my.

– Tak wam się wydaje – pisnął chłopczyk o mysich włosach.

– Przez cały czas rozmawia z niewidzialnymi ludźmi.

– Tak – dodał jego towarzysz o różowych policzkach.

– I ma w chacie śmierdzące rzeczy.

– To nie wszystko – dodał Faradż wszystkowiedzącym tonem. – Zmieniła swojego syna w psa.

Noora teatralnie przewróciła oczami.

– W psa?

To bez wątpienia morskie fale wlewają im do głów głupie pomysły. Właśnie miała się roześmiać, kiedy zauważyła, że Faradż wydyma gniewnie dolną wargę.

– Ten jej syn! Na zewnątrz wygląda jak człowiek, ale w środku naprawdę jest psem. Nawet język mu odebrała.

Noora się roześmiała.

– Och, pies, który nie umie mówić ani szczekać.

Wargi Faradża uformowały się w kółko.

– Śmiej się, jeśli chcesz – burknął – ale obserwowaliśmy ją. Ona jest panem, a on psem.

– Pies Dur-Mamad! – krzyknął rumiany chłopiec. – Kiedy zachce jej się wody, podnosi rękę, a on biegnie, żeby ją przynieść.

– A kiedy... – zaczął trzeci chłopiec, ale Faradż gestem nakazał mu milczenie.

– Jest tutaj – wyszeptał.

Oczy Noory i Sagera powędrowały za jego spojrzeniem. Dur-Mamad stał wyżej na ścieżce. Kiedy się pochylił, żeby coś podnieść, szopa jego siwych włosów zniknęła za skałą. Noora odwróciła się do chłopców i westchnęła, rozbawiona ich dziecinnym rozumowaniem, zastanawiając się, dlaczego padli na kolana jak czujne górskie koty.

– Do ataku! – wrzasnął nagle Faradż.

Jego głos odbił się od nagich ścian urwiska i chłopcy rzucili się w stronę Dur-Mamada, wykrzykując wyzwiska. Noora i Sager chcieli ruszyć za nimi, kiedy usłyszeli paniczne rżenie osła. Przeciął powietrze gwałtownym kopnięciem i rzucił się w przeciwną stronę.

– Miód! – wrzasnął Sager i doskoczył do osła, zaciskając ręce wokół jego karku. Noora zatkała mu uszy i starała się go uspokoić łagodnym głosem. Osioł jednak nie słuchał. Wierzgnął jeszcze raz. Zachwiali się i puścili go.

Noora rozdziawiła usta, kiedy odwróciła się do chłopców. Przeobrazili się w bandę zbirów, błyskawicznie dobiegając do Dur-Mamada. Rzucali w niego kamieniami. Jeden trafił go w łydkę, a drugi otarł się o rękę.

Wraz z Sagerem pobiegli na pomoc temu mężczyźnie w średnim wieku, który przygotowywał się na to, co miało zaraz nastąpić. Kiedy chłopcy go dopadli, skulił się na ziemi. Szarpali go za włosy i uderzali w plecy.

– Zostawcie go! – Miało to zabrzmieć jak zdecydowany okrzyk, ale Sager dyszał ze zmęczenia.

Noora biegła najszybciej, jak mogła, ale musiała się zatrzymać, kiedy między palcami utknął jej kolec. Przez cały czas nie spuszczała wzroku z obrazu narastającego okrucieństwa. Faradż próbował przewrócić Dur-Mamada na plecy, żeby jego armia mogła szczypać mężczyznę w policzki, dźgać w nos i oczy.

Jednak zanim to się stało, Sager zdążył dotrzeć na miejsce. Złapał Faradża za ramiona i unosząc go, wymierzył mu policzek. Chłopak upadł na żwir.

Gdy dobiegła do nich Noora, chłopcy stali pokornie, a Sager zachęcał ich, żeby się z nim zmierzyli, groźnie wypinając pierś.

– Co za diabeł was podkusił? – prychnął i zwrócił się do Faradża: – Jesteś stworzeniem bożym?

Faradż podniósł na niego wzrok, pokręcił głową i splunął.

– To dziwadło. A poza tym lubi, kiedy się z nim bawimy.

– Nazywacie to zabawą? – wykrzyknęła Noora i odwróciła się, żeby usłyszeli ją pozostali chłopcy. – Rzucanie w człowieka kamieniami, bicie, szarpanie go za włosy? Zobaczcie, co mu zrobiliście. – Chciała wskazać Dur-Mamada, ale jego już nie było. Przebiegła wzrokiem górę. Nic. Dur-Mamad ulotnił się jak duch.

Faradż wycelował w Sagera oskarżycielski palec.

– Uderzyłeś mnie w twarz!

– I uderzy jeszcze raz! – rzuciła ostro Noora, dysząc z irytacji. Chłopcy patrzyli na nią wyczekująco wytrzeszczonymi oczami. Nie było w nich poczucia winy. Nie miała pewności, co bardziej ją rozwścieczyło: prostacka zuchwałość Faradża czy podekscytowane szepty chłopców, pełnych podziwu dla odwagi ich przywódcy.

– Nie ma prawa bić mnie w twarz. Nie jest moim ojcem – złościł się Faradż.

Noora zignorowała go i zwróciła się do chłopców:

– Wszyscy jesteście tchórzami.

Sager ją poparł. Zrobił kilka groźnych kroków w ich stronę.

– Powinniście się wstydzić – warknął.

Chłopcy cofnęli się, patrząc na niego z przestrachem.

– Zejdźcie mi z oczu, zanim powykręcam wam uszy jedno po drugim, aż odpadną.

Jeden z małych chłopców zasłonił uszy rękami i chyłkiem przebiegł obok Sagera i Noory. Inni poszli w jego ślady, uciekając w stronę wioski. Faradż wstał z ziemi i z twarzą mokrą od łez czmychnął po górskim stoku.

Sager i Noora stali z gniewnymi minami, przyglądając się, jak chłopcy wzbijają kurz, w panicznej ucieczce pełnej poślizgnięć i potknięć. Noora zastanawiała się, jaką przyjemność mają z zastraszania nieszczęsnego Dur-Mamada. Czy góry nie są wystarczająco surowe? Może ojciec miał rację. Może zdziczeli z powodu wymieszania krwi.

Ich piskliwe protesty słyszała jeszcze długo po tym, jak kurz opadł, długo po tym, jak bezpiecznie dotarli do wioski. Tylko Faradż zatrzymał się w bezpiecznej odległości, tuż pod wzgórzem Zobaidy, obok ich osła.

– Poskarżę na was ojcu! – zawołał. – A on was zbije i nigdy nie pozwoli wam wrócić do naszej wioski. – I z tymi słowami wyrwał siekierkę spod sznura w pasie, za który była zatknięta, i rzucił tak daleko, jak umiał.

Sager i Noora wydali stłumiony okrzyk i przypadli do ziemi.

Faradż zerwał z grzbietu osła bukłak i wylał jego zawartość na suchą ziemię. Potem rzucił go przed siebie.

– Przestań!

Chłopiec nie słuchał. Ostatnim mściwym szarpnięciem zerwał miskę z miodem. Złapał plaster, po czym uniósł go jak oczyszczoną czaszkę *nadba*. Następnie, wieńcząc swoją zuchwałość uśmieszkiem wyższości, zawył triumfalnie:

– Auuu!

Noora jęknęła.

– Ani drewna, ani miodu. – Pochyliła się, żeby podnieść bukłak. – Cała nasza wyprawa na nic, prawda? – Spojrzała na brata, który obejmował szyję osła. – Co to za dzieci?

– Takie, które chcą wszystko zniszczyć – wymamrotał Sager. Na jego skroni pulsowała żyłka. – Zepsute, zostawione same sobie, żeby dorastały jak zwierzęta.

– Nie możemy tego tak zostawić – uznała Noora. – Mówiłeś, że ten mały to syn wioskowego szejka, tego... tego Khaleda. Czy on nie jest mądrym szejkiem, który powinien rozstrzygać spory? Być może powinien rozstrzygnąć i tę kwestię. Czyli napaść na tego nieszczęśnika, obrzucanie go kamieniami, kradzież naszego miodu. Musimy się zobaczyć z tym szejkiem ojcem i złożyć skargę.

Sager pokręcił głową i jęknął z rezygnacją:

– Jaki to ma sens? Miód przepadł.

– Ciebie pocięły pszczoły, a oni zabrali miód. To niesprawiedliwe. – Noora rozłożyła ręce. Właśnie miała zacząć krzyczeć, jaka to jest nieszczęśliwa, kiedy zauważyła, że Zobaida i jej syn przyglądają im się ze swojego wzgórza.

– Patrzą na nas – wyszeptała, opuściła ręce i zaczęła otrzepywać sukienkę z kurzu.

Zobaida zniknęła w chacie, ale syn ruszył w ich stronę z entuzjazmem dziecka. Kiedy się do nich zbliżał, Noora pomyślała, że może się na nich rzucić i instynktownie zrobiła krok do tyłu. Lecz Dur-Mamad zatrzymał się gwałtownie i zaczął syczącym głosem wypowiadać słowa powitania z tak szerokim uśmiechem, że białka jego oczu stały się prawie niewidoczne. Miał cerę koloru sadzy, pozbawioną blasku jak mglista noc. Nawet jego czarnosiwe włosy, poskręcane w sprężyste loki, nie mogły jej ożywić.

Dur-Mamad próbował przekazać im jakąś informację, wymachując rękami. Kiedy ani Noora, ani Sager nie zrozumieli, o co chodzi, zrobił krok do przodu i pocałował Sagera w ramię. Następnie pocałował czoło osła i zaczął go ciągnąć w górę po stoku, pokazując im, żeby szli za nim.

10

Dur-Mamad złapał Sagera za nadgarstek i poprowadził do chaty. Potem wyszedł na dwór i dał Noorze znak, żeby też weszła. Kiedy znalazła się w chacie Zobaidy, uderzył ją zapach gnijącej trawy i starej skóry, a Dur-Mamad zastawił wejście cienką deską, zostawiając wąską szczelinę, przez którą wpadało światło.

– Cuchnie tu – stwierdziła Noora. – Dlaczego nas zamknął?

Sager ją uciszył:

– Zachowuj się, jesteśmy gośćmi.

Kiedy tak się kręciła i dreptała w miejscu, coś podrapało ją w czoło. Zamachnęła się. Z jaskrawego światła weszła w półmrok i musiała kilka razy zamrugać, zanim zobaczyła suszone rośliny zwisające z sufitu.

– No i gdzie ona jest? – wyszeptała.

– Nie wiem. – Sager usiadł na ziemi. – Usiądź i poczekaj.

Usiadła.

– Czego ona chce?

– Nie wiem.

Czekali, a kiedy oczy Noory przyzwyczaiły się do półmroku, ziewnęła, a jej wzrok spoczął na rzędzie słoi i butelek stojących pod przeciwległą ścianą. Czy te zygzakowate kształty to zdechłe węże? Skrzywiła się z obrzydzeniem.

– Fuj. Widzisz, co jest w tamtych słojach? – Była pewna, że w innym słoju zobaczyła zmiażdżone koniuszki ogonów górskich skorpionów. – Fuj – powtórzyła. – To miejsce przyprawia mnie o dreszcze. Zabierajmy się stąd jak najszybciej.

Zanim Sager zdążył odpowiedzieć, usłyszała Zobaidę. Uzdrowicielka wynurzyła się z ciemności, sunąc na pośladkach od drzwi prowadzących do innego pomieszczenia, którego nie zauważyli. Jej ubranie szeleściło, a tajemniczy naszyjnik postukiwał. Usiadła ze skrzyżowanymi nogami naprzeciwko nich, jak mroczna królowa szykująca się do wysłuchania lamentów swoich poddanych. Czekała z przechyloną głową i półprzymkniętymi oczami.

Sager odkaszlnął i powiedział:

– Twój syn nas tu przyprowadził.

– To prawda, ale i tak chcieliście się ze mną zobaczyć, czy tak?

Jej chrapliwy głos płynął jak leniwy prąd.

– To prawda, ale teraz to bez znaczenia. Nie możemy ci zapłacić.

– Tak, ponieważ ten nicpoń ukradł wasz miód.

Jaka zaklęta krew płynie w żyłach Zobaidy, że tak dużo wie? O tym myślała Noora, kiedy Zobaida zmieniła pozycję i wyprostowała nogi. Promień światła spod drzwi wejścio-wych padł na jej pierś. To nie żaden magiczny naszyjnik! To talizmany zwisające z kółek wszytych w skraj jej chusty. Noora zmarszczyła nos na widok zębów, pazurów, muszli i maleńkich zawiniątek. Nie chciała wiedzieć, co w nich jest.

Zobaida odwróciła głowę i Noora spuściła wzrok, ze zdumieniem patrząc na zdeformowane stopy kobiety. Od kostek zakrzywiały się niczym półksiężyce, ale nie miały nic z ich piękna.

– Moja matka próbowała je wyprostować, kiedy byłam mała, ale się nie udało – wyjaśniła Zobaida i gwałtownie otworzyła oczy. Zarówno widzące czarne oko, jak i ślepe, niebieskie, utkwiła w Noorze. – Przyciskała mnie do ziemi kolanami i kładła na moje stopy ciężkie kamienie. Ależ to bolało!

Noora poczuła, że pali ją twarz.

– Nie chciałam...

– Zostawmy to – ucięła Zobaida. – *Masha' Allah*, dzisiaj spełniliście dobry uczynek, pierwsi wstawiliście się za moim synem. – Westchnęła i mlasnęła językiem. – Jest taki bezradny, życie go nie rozpieszcza, dając mu język, który miele bez sensu, uszy, do których nie dociera szum wiatru.

Sager wymamrotał coś o tym, że zachowali się tak, jak powinni, ale stara kobieta uciszyła go ruchem ręki.

– Nie! Zrobiliście coś wyjątkowego. Dur-Mamad jest moim jedynym synem, tak cennym jak moja własna wątroba. Nawet jego ojciec nie stanąłby w jego obronie tak, jak wy to zrobiliście. Porzucił nas, kiedy Dur-Mamad był niemowlęciem. – Z jej gardła wydobył się jęk. Podniosła do ust jeden z zębów wiszących na swojej szyi i wyszeptała:

– Do ciebie, Mooso, ty kundlu, gdziekolwiek jesteś. Niech ten ząb stępi twoją próżność, żebyś poczuł się nie lepszy od paskudnego psa. – Beknęła i przymknęła oczy. – Dobrze, więc jak mogę wam pomóc?

Noora i Sager byli zbyt zaszokowani, żeby się odezwać. Przez chwilę chatę wypełniał tylko szmer ich zduszonych oddechów.

– A zatem?

Sager odkaszlnął i wyrzucił z siebie potok słów, wyjaśniając, jaki mają problem.

– Tak, rozumiem. – Zobaida pokiwała głową. – Macie własny dom, ale przestał być bezpieczną twierdzą, kiedy wasz ojciec stracił rozum. – Teraz była pogodna, niemal matczyna.

– Nie wiemy, co począć – wyznał Sager.

– Mogę wam przyrządzić miksturę, *insha' Allah*, która złagodzi jego zachowanie. Musicie jednak wiedzieć, że szaleństwo zostanie w nim na zawsze.

Wypowiedziawszy te słowa, wyjęła zza pleców dwa kamienie i uderzyła jednym o drugi.

Deska się uniosła. Do środka wlało się światło i do chaty wszedł Dur-Mamad. Czy usłyszał albo poczuł jej wezwanie? Noora nie miała czasu, żeby się nad tym zastanowić, bo oniemiała, słuchając rozmowy matki i syna. Mówili swoim własnym językiem. Otworzyła usta ze zdumienia, czując się jak intruz.

Zobaida kiwnęła głową, wskazując sufit. Jej język trzy razy szybko wysunął się z ust. Dur-Mamad sięgał po wysuszone rośliny, które mu pokazywała. Uderzenie jej pięści we wnętrze drugiej dłoni sprawiło, że Dur-Mamad rzucił się po moździerz i tłuczek. Kiedy wrócił, Zobaida nakreśliła w powietrzu kształt butelki, którą miał przynieść.

Zaraz zrobi miksturę. Spotkanie niebawem się skończy. Noora na tę myśl poczuła radość.

Wtedy jednak w Zobaidzie zaszła zmiana. Zaczęła właśnie odrywać listki od łodyg, lecz nagle upuściła rośliny i zapatrzyła się przed siebie mlecznobiałymi gałkami oczu. Wyglądała upiornie! Ramionami zaczęły wstrząsać drgania, które wygięły całe jej ciało aż po koślawe stopy. Czy do jej świata przenikają dżiny? Noora spojrzała na Sagera, szukając odpowiedzi, ale on patrzył zafascynowany na Zobaidę.

– Nigdy wcześniej was nie widziałam – powiedziała.

– Czy mam rację, mówiąc, że przychodzicie z głębi gór?

Sager pokiwał głową, chociaż wzrok wciąż miał szklisty, wpatrywał się w kiwającą się głowę uzdrowicielki.

– Jesteśmy dziećmi Ibrahima al-Salmiego – powiedziała ostro Noora. Chciała sprawić, by brat się otrząsnął. – Mieszkamy dzień drogi stąd.

Dreszcze ustały i głowa Zobaidy opadła na pierś. Zaczęła coś mamrotać. Słowa zlewały się ze sobą i kiedy Noora starała się zrozumieć, co kobieta mówi, ta kaszlnęła i wróciła na ziemię.

Seria szybkich mrugnięć sprowadziła źrenice na miejsce. Jej głowa lekko się kołysała, kiedy przycisnęła dłonie do ziemi, jakby upewniała się, że wciąż tam jest, po czym odezwała się do Sagera:

– Masz problemy nie tylko z ojcem, prawda?

– Każdy ma problemy – wymamrotał Sager.

– Lecz jeden dźga cię prosto w serce, zgadza się? – Sięgnęła po jedną z muszli i zaczęła ją pocierać. – Zostałeś głową rodziny i twoim największym zmartwieniem jest siostra.

Sager spuścił wzrok i odrzekł:

– To prawda, martwię się o nią. Ale który brat nie martwi się o siostrę?

Noora skrzyżowała ręce wysoko na piersiach i odchrząknęła. Rozmawiali o niej, jakby jej tu nie było. Do czego to prowadzi?

– Nie chce cię słuchać – stwierdziła Zobaida. – Musisz wiedzieć, że ona jest inna, uparta, dzika. Ale to nic złego. – Zachichotała. – Ja też różnię się od innych kobiet.

Noora skrzywiła się, słysząc, jak czarownica próbuje rozładować atmosferę.

– Nie różnię się aż tak bardzo, *khalti* – powiedziała, zastanawiając się, czy w ogóle powinna nazywać ją ciocią.

Zobaida nadal skupiała uwagę na Sagerze, wpatrując się w niego uporczywie.

– Widzisz, zostało zapisane, że przyjdziesz z jednym problemem, a otrzymasz rozwiązanie innego, ukrytego problemu, którym się gryziesz. – Zobaida dotknęła palcem swojej skroni. – Twoja siostra zaczyna już być za stara na małżeństwo, a ty nie wiesz, co robić.

Noora zaprotestowała, wciągając głośno powietrze.

Zobaida uciszyła ją machnięciem ręki, jakby nie była większa od komara, i nadal mówiła do Sagera:

– Chcesz dla niej jak najlepiej, ale to oczywiście nie do pomyślenia, żebyś próbował znaleźć jej męża. Nie robi się tego, opowiadając o niej na prawo i lewo. Zgodzisz się, że to byłby wstyd? Chodzi mi o to, że to mężczyzna wybiera żonę, a nie odwrotnie. Ale mogę ci pomóc. Widzisz, powiedziano mi, co dla niej najlepsze. Znam rozwiązanie problemu.

Czy ona powiedziała „rozwiązanie"? Noora chciała wybiec z chaty, zakończyć tę dziwną wizytę i więcej o tym nie myśleć. Lecz płonęła z ciekawości, a nogi jej ciążyły. Została na miejscu, uwięziona w lepkiej atmosferze oczekiwania.

– Musi wyjść za mąż – oznajmiła Zobaida.

Czas z tym skończyć.

– Nic o nas nie wiesz – prychnęła Noora. – Nie wiesz, czego chcemy.

– Pozwól jej mówić – poprosił Sager.

Jak łatwo go ogłupić. Co ta wiedźma zaraz powie?

A wiedźma rzuciła kilka komplementów:

– Uważam, że jesteś szczęściarą, mając brata, który tak się o ciebie troszczy. *Masha' Allah*, to odważny i szlachetny człowiek.

Noora zmieniła pozycję, czując, jak zalewa ją kolejna fala zdenerwowania popychająca do ucieczki. Głośno przełknęła ślinę i odezwała się:

– Przecież to spotkanie nie ma nic wspólnego ze mną. Przyszliśmy z powodu naszego ojca, a nie mnie. – Odwróciła się do Sagera. – Powiedz jej, Sagerze.

– Jeśli nie chcesz słuchać tego, co ta kobieta ma do powiedzenia, możesz poczekać na zewnątrz – syknął.

Noora czuła lekkie szczypanie na twarzy, a wilgotne, stęchłe powietrze w chacie wydawało się bardziej dokuczliwe, niż kiedy weszli.

– Może tak zrobię – mruknęła.

Wstała i zdecydowanym krokiem ruszyła do wyjścia. Tam się zatrzymała i rzuciła im ostatnie spojrzenie. Sager czekał cierpliwie ze wzrokiem wbitym w ziemię. Natomiast wiedźma patrzyła na nią uważnie z błyskiem triumfu w oczach – tym widzącym i tym niewidzącym.

11

Moja słodka! - wykrzyknęła Moza. - Chodź tutaj! Noora weszła do sypialni. Podłoga była wyłożona matami z liści palmowych, tak jak w pokoju dziennym. W jednym kącie leżały dwa zwinięte materace, a nad nimi, na gwoździu wciśniętym w szparę w ścianie, wisiała jedna z sukienek Mozy. W drugim kącie stała metalowa skrzynia zamykana na kłódkę.

– Czas rozłożyć materace – powiedziała Moza. Mówiła sennym głosem, który zawsze brzmiał tak, jakby miał przejść w ziewnięcie.

Sfrustrowana Noora głośno wypuściła powietrze. Od tygodnia mieszka w chacie Mozy, a Sager nie przyszedł błagać jej, żeby wróciła do domu. Jeszcze raz przez jej głowę przewinęła się seria obrazów: Sager uświadamiający sobie, że zniknęła; Sager martwiący się; Sager szukający jej w górach; Sager niemogący jej znaleźć; Sager, który jeszcze pożałuje.

Moza wyciągnęła ręce i pochyliła się powoli.

Tak, Sager doceni ją dopiero, kiedy zorientuje się, że jej nie ma. Jak sobie poradzi bez niej z ojcem i braćmi? Kto będzie naprawiał im ubrania? Kto im będzie gotował i sprzątał? Kto będzie dźwigał wodę? Ha! Dopiero wtedy docenią, ile jest warta.

Noora zauważyła, że palce Mozy wędrują po krawędzi pierwszego materaca i skoczyła jej na pomoc.

– Ja to zrobię. – Wyjęła brzeg materaca z palców Mozy, które wciąż próbowały się na nim zacisnąć. Noora rozwinęła materac i to samo zrobiła z drugim. Ułożyła je na środku izby i podniosła wzrok, lecz Mozy nie było już w miejscu, w którym ją zostawiła.

Z rzadką u niej szybkością, staruszka przeniosła się w drugi kąt pokoju i usiadła obok skrzyni. Odwróciła się do Noory i rozciągnęła usta w uśmiechu. Pogrzebała w kieszeni i wyjęła czerwony pasek materiału, na którego końcu wisiał klucz.

– Ten klucz otwiera zamek – wyjaśniła.

To była miła odmiana.

– Co jest w środku?

– O, wiele ładnych przedmiotów – powiedziała, wręczając Noorze klucz. – Pełno w niej rzeczy, które mój mąż przynosił ze swoich wypraw. Otwórz i wyjmij wszystko, żebyś mogła dokładnie obejrzeć.

Noora otworzyła skrzynię i wyjęła małe zawiniątko leżące na wierzchu. Rozwiązała supeł i wypuściła na wolność tęczę jedwabnych nici. Wzięła szpulki do ręki, a jej oczy zabłysły na widok takiej gamy kolorów.

Zachęcona pierwszym znaleziskiem, Noora zaczęła wyjmować pozostałe przedmioty. Kiedy ułożyła wszystko między sobą i Mozą, stara kobieta z dumą popatrzyła na swój dobytek: sześć beli bawełny i jedwabiu w charakterystycznych intensywnych kolorach, na sukienki i spodnie oraz kawałek sztywnego płótna w kolorze indygo, przeznaczonego na burki. Był też koszyk z mniejszymi kawałkami materiału na łaty. Tępe nożyczki. Dwa lusterka w ramkach z brązu. Flakon olejku jaśminowego i drugi z olejkiem z ambry. Cztery drewniane grzebienie oraz sztylet i dwa noże o srebrnych filigranowych ostrzach.

– *Masha' Allah*, to prawdziwy skarb – westchnęła Noora.

Moza przejechała dłonią po jednym z grubszych kawałków płótna, błękitnym jak niebo, w szerokie szmaragdowe pasy.

– Spójrz na ten materiał. Dlaczego mój sułtan tak trwoni pieniądze? Zawsze, gdy przynosił mi coś takiego, mówiłam mu, że jestem już na to za stara. – Jej opadające powieki uniosły się. – Ciekawe, co przyniesie mi tym razem.

Noora wzięła materiał i rozłożyła go jednym trzepnięciem.

– Dlaczego trzymasz te wszystkie rzeczy?

Moza odwróciła głowę w stronę Noory i nastawiła ucha.

Noora odezwała się głośniej:

– Nie powinnaś przechowywać rzeczy. Powinnaś z nich korzystać.

– Nie umiem szyć, a nie podoba mi się, jak kobiety z wioski... cóż, szyją bardzo topornie.

– Może więc pozwolisz, że uszyję ci ubrania? Moje szwy są gładkie.

– *Masha' Allah*. – Moza szeroko otworzyła oczy ze zdumienia. – Kto cię nauczył?

– Moja matka.

Decyzja Mozy była szybsza niż jej ruchy.

– Sukienki nie dłuższe niż dotąd. – Pokazała miejsce tuż nad kostką. – Inaczej mogę się o nie potknąć. I nie zapomnij wszyć kliny na całej długości po obu stronach – to bardzo ładnie wygląda. I nie za dużo haftu przy szyi, bo widzisz, drapie mnie.

Spodnie tradycyjne w kroju: luźne w talii, zwężające się ciasno przy kostkach w mankiety, które można zapinać na guziki obciągnięte materiałem – Noora będzie musiała je zrobić.

– Mankiety przy kostkach możesz haftować do woli – mówiła Moza. – Zużyj wszystkie te kolorowe nici i wybierz dowolny wzór: linie, kwadraty, trójkąty, zygzaki, co tylko zechcesz. – Przerwała i przyłożyła materiał w szmaragdowe pasy do piersi Noory. – Ach, dokładnie w kolorze twoich oczu. Musisz go przyjąć.

Był to wspaniały upominek. Noora odmówiła, ale bez przekonania.

– Nie, nie, nie – upierała się Moza. – W moim domu musisz mieć nową sukienkę.

Szycie sukienek wywołało entuzjazm Noory. Nowe zadanie wypełni puste godziny w ciągu dnia, więc nie zwlekając, przystąpiła do pracy. Przycięła materiał, a potem jej palce śmigały, przeciągając nici szybkimi skoordynowanymi szarpnięciami. Pierwsza sukienka Mozy była gotowa po dwóch dniach.

Oprócz wczesnych godzin porannych, kiedy chodziła po wodę do studni, Noora spędzała dni w chacie Mozy i jej pobliżu, gotując, piorąc, wymiatając kurz z pokojów i zajmując się Mozą. Przez resztę czasu szyła.

Kiedy zbliżał się wieczór, przed chatą rozlegał się cichy tupot małych stóp. To dzieci z Maazoolah wymykały się z domów, żeby podglądać ją przez szpary między kamieniami w ścianach domu. Zostawały tam, aż stanowcze głosy matek wołały je z powrotem. Po raz pierwszy w życiu Noora stanowiła część społeczności. A mimo to wciąż czuła się obco. Nie pojawiło się poczucie wspólnoty, o którym tak marzyła.

Kiedy zapadał zmierzch, wiatr przynosił cichnące odgłosy nocy: kaszel jakiegoś mężczyzny, płacz niemowlęcia, pobekiwanie kóz. Dopiero kiedy w nieruchomym powietrzu rozlegało się ciche granie świerszczy, w jej głowie zaczynały kłębić się myśli, które ignorowała przez cały dzień.

Dlaczego Sager po nią nie przyszedł? Czy wiedźma go przekonała? A co z ojcem? Noc po nocy Noora leżała obok Mozy i noc po nocy starała się zasnąć przy akompaniamencie chrapania starej kobiety.

Noora poczuła ziewnięcie czające się w gardle. Czyżby zbliżał się sen? Zamknęła oczy i czekała. Chrapanie Mozy miało zawsze ten sam przebieg: ciche pociągnięcie nosem nabierało rozpędu, którego punktem kulminacyjnym było ciężkie sapnięcie. Z jej płuc wydobywał się chrapliwy bulgot, który stopniowo zmieniał się w chropawy ryk.

To na nic. Noora odwróciła się do ściany, podkurczając nogi. Zapatrzyła się na promienie księżyca – chłodne, kobaltowe – wpadające cienkimi snopami przez szpary w kamiennej ścianie. A potem coś jeszcze: ruch.

Trzy stąpnięcia na palcach i szelest ubrania, które przełamało księżycowy promień.

Ktoś jest na dworze.

Usłyszała, jak ktoś gwałtownie wciąga powietrze, jakby przez zaciśnięte zęby. Słychać w tym było syknięcie z bólu i była pewna, że ten intruz nadepnął na kolec. Czekała na zduszony krzyk, który zwykle potem następuje, lecz izbę wypełniało tylko miarowe pochrapywanie Mozy. Stawało się coraz bardziej zdecydowane, z dłuższymi przerwami pomiędzy chrapnięciami: głęboki wdech, przerwa i świst powietrza przy wydechu. Wyobraziła sobie, że każda przerwa jest dłuższa niż poprzednia. A jeśli staruszka nagle przestanie oddychać?

Znów usłyszała kroki. Były ostrożne i czujne, z rodzaju tych, które chcą pozostać niesłyszane, ale dyskrecję odbierał im chrzęst żwiru.

Zsunęła się z materaca i zbliżyła twarz do wąskiej szpary w ścianie, ale widziała tylko zwężające się tarasy poletek, otulone indygowym błękitem księżyca. Naliczyła trzy ostrożne wdechy, po czym usłyszała, jak ten ktoś niepewnie przestępuje z nogi na nogę i odchodzi.

Gość pojawił się następnej nocy i jeszcze kilka razy. Kiedy zakradł się po raz piąty, Noora zdążyła znaleźć w ścianie poluzowany kamień. Przy szóstej wizycie go wyjęła. Przez podłużną szparę dostrzegła charakterystyczną diszdaszę migającą jej przed oczami. Mężczyzna!

Wcisnęła kamień na miejsce, ogarnięta osobliwą nieśmiałością, i opadła na materac. Serce jej waliło. Dlaczego co noc kręci się koło chaty Mozy, stojąc tak cicho, że słyszy jedynie jego oddech? Oddychał równo, lecz raz na jakiś czas wyczuwała lekkie drżenie, które jeszcze bardziej rozpalało jej ciekawość. Kto to taki?

Następnej nocy uznała, że powinna zobaczyć twarz tego mężczyzny. Patrząc przez szparę, dostrzegła poświatę padającą na odwłok maleńkiego żuka wędrującego obok krzewu rosnącego tuż przy ścianie. Na pewno uda jej się zobaczyć coś więcej. Sądząc po oddechu, zgadywała, że mężczyzna stoi blisko i nieco w bok od szpary. Poczuła ucisk w oczach, które wytrzeszczała z całych sił. Usłyszała chrupnięcie w szyi, którą skręciła tak bardzo, jak się dało – na próżno. Mężczyzna pozostawał otulony cieniami nocy, nieruchomy jak skała, i tylko w jego oddechu można było wyczuć nutę lęku.

To musi być ktoś ze wsi – uznała Noora. Dlaczego przychodzi tylko nocą, kiedy wszyscy śpią? Czy przychodzi dla niej czy z innego powodu? Czego chce? Potrząsnęła głową, żeby odpędzić te pytania. Potem się nad nimi zastanowi, kiedy on odejdzie, a ona będzie leżała samotnie, czując lekkie mrowienie w kończynach i mając za towarzysza tylko swój rozbudzony umysł.

Usłyszała cichy stukot osuwających się kamyków i uznała, że mężczyzna odchodzi, jako że nigdy nie zostawał zbyt długo. Jednak kroki stawały się coraz głośniejsze. Gorąca fala paniki rozlała się po ciele Noory, kiedy zorientowała się, że idzie w jej stronę. Szybko rzuciła okiem na Mozę, która spała głęboko. Kiedy się odwróciła, mężczyzna stał nie dalej niż trzy kroki od niej.

Za nim świecił półksiężyc, zalewając jego ramiona spokojnym blaskiem, ale twarz mężczyzny pozostawała w mroku. Podczas tej, siódmej z kolei, wizyty, Noora nie potrafiła zapanować nad ciekawością.

– Kim jesteś? – wyszeptała.

– Kimś – odparł.

– Jak się nazywasz?

– Nie mogę ci powiedzieć, Nooro.

– Tak nie może być. – Co innego mogła odpowiedzieć? – Wiesz, kim ja jestem. Muszę wiedzieć, kim jesteś ty.

Ukucnął przy ścianie i zaczęła przebiegać wzrokiem po ostrej linii jego policzków, zdecydowanym kształcie nosa. Miał w sobie coś znajomego i próbowała zobaczyć nieco więcej, ale w zagłębieniach jego twarzy czaił się cień.

– Żal mi cię – powiedział.

– Dlaczego? – Czuła zapach jego oddechu, ciepłą mieszaninę ziemi i trawy. Unosił się pomiędzy nimi, ciężki, niosący tajemnicę tego zupełnie nowego doświadczenia.

– Przez to wszystko, co stało się z twoim ojcem, i w ogóle.

Skąd tyle o niej wie?

– Nie żałuj mnie – powiedziała z pogardliwym uśmieszkiem. – U mnie wszystko w porządku.

– Nie, nie chciałem potraktować cię lekceważąco – zapewnił. – Mówię tylko, że nie zasłużyłaś na to, co cię spotkało.

Szukał jej słabych stron, a ona chciała czegoś namacalnego, faktów: jego imienia, wieku, jaką ma rodzinę. Dlaczego przyjmuje troskę tego nieznajomego?

– Nie będę z tobą rozmawiała, jeśli nie zdradzisz mi, jak się nazywasz – upierała się.

– Po prostu się o ciebie martwię. Chcę ci pomóc.

Znów zszedł na inną ścieżkę, unikając odpowiedzi na ważne pytania. Musi połączyć ich ścieżki. Właśnie szykowała się, żeby znowu spróbować, kiedy w nieruchomym powietrzu rozległ się kaszel. Dochodził z wioski, ktoś nie spał.

– Muszę iść – szepnął.

– Ale kim jesteś?!

Lekki powiew poruszył jego koszulę, rozpraszając promienie księżyca w plamy połyskliwego błękitu, które uchwyciły jego śnieżnobiałe zęby, gdy się uśmiechnął. Dlaczego wygląda tak znajomo? Pochylił się w jej stronę i wyszeptał:

– Nazywam się Raszid. – Jego dłoń wsunęła się w szparę, palcami musnął jej rękę. – Spotkaj się ze mną przy dalekiej studni jutro po południu, kiedy wszyscy w wiosce odpoczywają.

Od razu pojawił się problem.

– Jak mam to zrobić?

– Powiedz, że chcesz się przejść.

– Ale...

Znów się uśmiechnął.

– Nie musisz całych dni spędzać z tą starą kobietą, wiesz? Możesz się swobodnie poruszać. To nie więzienie. Nikt nawet nie zauważy.

Noora poczuła, jak ciężar obowiązków spada jej z ramion. Jego miejsce zajął niepokój związany z zakazanym spotkaniem, które proponował, spotkaniem, na które – już to wiedziała – pójdzie.

– Idź do pobliskiej studni, miń ją i skręć na zachód. Idź prosto, a ja cię znajdę.

Wszystko dzieje się za szybko. Potrzebuje więcej informacji. Jakich punktów orientacyjnych powinna wypatrywać? Co ma powiedzieć ludziom, którzy ją zobaczą?

Ale Raszid już wstał i zniknął w mroku uśpionej wioski.

12

Moza zgodziła się, kiwając głową i ziewając, po czym ułożyła się do poobiedniej drzemki. Noora wyszła z chaty i ruszyła pod niebem spieczonym słońcem wczesnego popołudnia. Przy studni skręciła na zachód, tak jak polecił jej Raszid, i przecięła równinę na szczycie górskiego grzbietu. Spacer nie był męczący, a mimo to czuła, jak serce tłucze jej się w żołądku. Idzie na spotkanie z człowiekiem, którego nie zna. Dlaczego to robi?

Grzbiet zaczął opadać w dół, zwężając się w wyboistą ścieżkę z głazami po obu stronach. Usłyszała stukot przesuwających się poniżej kamieni i w zasięgu jej wzroku pojawiła się łaciata koza. Noora szybko ukryła się w szczelinie między dwiema górującymi nad nią skalnymi płytami. Waściciel zwierzęcia pewnie jest niedaleko.

Usiadła i oplótłszy rękami kolana, czekała, obserwując osła skubiącego kępę soczystej trawy rosnącej u stóp palmy. Czuła, że zaczyna się trząść z powodu nowej fali niepokoju.

Dlaczego wybrała się na tak niebezpieczną eskapadę? Wiedziała, że jeśli ktoś ją zobaczy, będzie zhańbiona. Zaczęła się zastanawiać, jak ukarają ją mieszkańcy wioski. Czy ją zamkną? Pobiją? Czy po prostu odeślą do brata, pozwalając zabrać hańbę do rodzinnego domu? Oczywiście Raszidowi nic by się nie stało. Upokorzenie zawsze spada na kobietę.

Noora skrzywiła się na myśl o ryzyku, jakie podjęła, jednak nie przyszło jej do głowy, żeby zawrócić. Im dokładniej wyobrażała sobie Raszida, tym bardziej była zaintrygowana. Stał tam, taki silny, w księżycowym blasku. Tak bardzo leżało mu na sercu jej dobro. Noora pokiwała głową. Tak, była pewna, że jest w nim dobroć, która ochroni ją przed wszelkimi grożącymi jej niebezpieczeństwami.

Przebiegła wzrokiem dolinę usianą wielkimi głazami. Od czasu do czasu przez szczeliny między nimi przeciskał się z pomrukiem podmuch wiatru. Słyszała pobekiwanie kóz. Kiedy uznała, że jest sama, pozwoliła, żeby jej chusta opadła na ramiona i dotknęła przedziałka pośrodku głowy, jakby bała się, że się przekrzywił z powodu jej zdenerwowania. Wtedy usłyszała łopotanie materiału dochodzące z góry.

– Na górze.

Założyła chustę na głowę i podniosła wzrok. Zobaczyła Raszida, a właściwie tylko jego sylwetkę, na krawędzi górskiego grzbietu. Wiatr wydymał jego diszdaszę.

– Wejdź tu.

Nie było już czasu na zastanawianie się. Strzepnęła kurz z sukienki w szmaragdowe pasy, którą skończyła szyć poprzedniego dnia, i zaczęła się wspinać. Zanim dotarła na szczyt, jej twarz poczerwieniała zarówno z wysiłku, jak i ze zdenerwowania. Raszid czekał, wysoki, opanowany, wpatrzony w nią oczami w kształcie migdałów.

Noora nie wiedziała, co powiedzieć. Spuściła więc wzrok i wymamrotała coś, czego nie usłyszał.

– Słucham? – zapytał.

– Na dole są kozy – powtórzyła, czując zakłopotanie, gdy tylko wypowiedziała te słowa. Co za nieudolna próba rozpoczęcia rozmowy!

Raszid pokiwał głową i powiedział:

– Są moje, ale to nie ma znaczenia. – Machnął ręką. – Ważne, że jesteś ze mną w tym wyjątkowym miejscu.

Noora popatrzyła dokoła, zastanawiając się, co jest takiego wyjątkowego w górskim grzbiecie, na którym stoją. Nie ma na nim roślin ani drzew i jest bardzo niewiele cienia, tylko skały i kamienie – za nimi piętrzył się wielki ich stos.

Zapadła krępująca cisza. Noora zastanawiała się, co powiedzieć. Wreszcie spytała:

– Czego ode mnie chcesz?

Drgnął, jakby obudzony z głębokiego snu, i zakaszlał.

– Jest gorąco. Może usiądziesz tam, przy skałach?

Usiadł po jednej stronie stosu kamieni, a ona po drugiej, próbując zmieścić się cała w wąskim pasku cienia. Kozy znajdujące się poniżej nadal dreptały w poszukiwaniu czegoś do jedzenia, a ona zastanawiała się, jak długo ją obserwował, zanim ją zawołał.

Ukradkiem spojrzała na człowieka, który namówił ją na to spotkanie. Nigdy u nikogo nie widziała tak długich rzęs. Układały się w gęsty łuk tuż nad oczami, które były wpatrzone w ziemię, podczas gdy Raszid gałązką trzymaną w ręku kreślił na ziemi zygzaki przypominające małe węże. Iqal, czarny sznurek, oplatał gitrę nieco na ukos, nadając mu dystyngowany wygląd młodego szejka plemienia.

Wyglądał na starszego niż jej brat (a na pewno był przystojniejszy). Kozia bródka przydawała mu dojrzałości, której brakowało Sagerowi. Siedzi obok mężczyzny, a nie chłopca, i ta myśl sprawiła, że sobie przypomniała: to przyjaciel Sagera, ten, który dołączył do chłopców podczas śniadania i siedział do niej tyłem przed chatą Mozy. To odkrycie podekscytowało ją i wystraszyło jednocześnie.

Raszid rzucił gałązkę i wstał, przeciągając się i rozkładając szeroko ręce. Ten gwałtowny gest sprawił, że Noora podskoczyła i spuściła wzrok, zastanawiając się, co on zrobi.

– Chodź ze mną – powiedział Raszid i zaczął odsuwać na bok dzielące ich kamienie, odsłaniając mały otwór, który przechodził w ciemną szczelinę, na tyle dużą, że można się było przez nią przecisnąć na stojąco. – Chcę ci coś pokazać.

Noora się zawahała. Czy jest gotowa zrobić kolejny krok w tej niezwykłej przygodzie?

– Nie bój się. Mam uczciwe zamiary. Po prostu uważam, że spodoba ci się to, co jest w środku.

Noora podniosła się i zerknęła przez ramię, jakby szukała kogoś, kto powiedziałby jej, co ma robić, lecz tylko kozły odpowiedziały beczeniem na jej nieme wołanie. Znów spojrzała na Raszida, który czekał cierpliwie, patrząc proszącо spod długich rzęs.

Kiedy kiwnęła głową, ostrzegł ją:

– Gdy wejdziesz do środka, trzymaj głowę nisko i idź wzdłuż ściany, przesuwając po niej ręką. Zrobi się ciemno, ale podążaj za moim światłem.

– Jakim światłem? – zapytała Noora, ale Raszid wszedł już przez szczelinę.

Kiedy ruszyła za nim, przeciskając ramiona przez wąskie przejście, dostrzegła blask: lampę sztormową, którą uniósł, żeby oświetlić drogę prowadzącą tunelem niewiele szerszym niż jej biodra.

Kiedy zrobiła kilka kroków, zauważyła, że sklepienie opada jeszcze niżej. Mimo to szła za Raszidem, aż wędrówka stała się uciążliwa, gdyż prawie cały czas szli na ugiętych nogach. Noora miała wrażenie, że zagłębia się we wnętrze góry. Czepiała się kruszących się ścian, a z każdym krokiem powietrze stawało się coraz chłodniejsze, a jej nerwy coraz bardziej napięte.

Właśnie miała się odwrócić i uciec ku światłu, kiedy owionął ją jego oddech przebijający się przez szelest jego koszuli. Ten magiczny oddech! Ożywił wspomnienie sekretnych odwiedzin, tych, z których powodu nie spała, czekając na niego co noc.

Westchnęła i szła dalej, czując, że krucha ściana staje się wilgotna, a jej nos chłodzi zapach mokrej gliny. Ścieżka rozszerzała się, a ich cienie wydłużały, pełznąc po coraz rozleglejszym sklepieniu.

Teraz Noora szła prosto i tylko muskała ścianę palcami. Coś spłynęło po opuszkach.

– Co to jest? – wyszeptała.

Śmiech Raszida odbił się echem od ścian.

– To tylko woda – powiedział. – Idź wolniej i sprawdzaj, po czym stąpasz. Nie poślizgnij się. Miejscami jest mokro.

– Mokro? O czym ty mówisz? W tych górach nie ma niczego mokrego.

Raszid nie odpowiedział, ale była pewna, że się uśmiecha. A potem usłyszała plusk wody. Tunel rozszerzył się, tworząc przestronną grotę z ciemną sadzawką pośrodku. Noora otworzyła usta ze zdziwienia. W sadzawce bez trudu zmieściłoby się na stojąco dziesięć dorosłych osób!

Przez sklepienie przesączały się krople wody, przebijając czarną powierzchnię zbiornika subtelnymi iskierkami zieleni. Podeszła do pokrytego żwirem brzegu i zanurzając się po kolana, nabrała w dłonie wody i napiła się. Była lekko gorzkawa, ale czysta i chłodna. Dostrzegła maleńkie bąbelki unoszące się na powierzchni. Sadzawka ma źródło gdzieś głęboko pod ziemią.

– I co ty na to? – spytał Raszid.

– Nie mogę uwierzyć. To piękne. – Usiadła i zanurzyła stopy w wodzie.

Raszid zrobił to samo, stawiając między nimi lampę.

– Widzisz tę ciemnozieloną wodę na powierzchni? Ma dokładnie taki sam kolor jak twoje oczy.

Noora roześmiała się i pomyślała, że niepotrzebnie się wcześniej denerwowała. Raszid jest przyzwoitym człowiekiem i chociaż łaskotało ją w żołądku, zaczynała się w jego towarzystwie czuć nieco swobodniej.

Uśmiechnął się i powiedział cicho:

– Masz bardzo piękne oczy, *masha' Allah*, nie powinnaś ich ukrywać.

– Nie ukrywam. To znaczy, używam ich... żeby patrzeć.

– Nie, chciałem powiedzieć, że często odwracasz wzrok. A nie powinnaś.

– Wcale nie – zaprotestowała, ale wbiła wzrok w ziemię. Gdy tak mówił, peszyła się.

– Widzisz? Znów to zrobiłaś.

Noora wbiła stopy w chropowate dno sadzawki. Woda objęła jej łydki, a kamyki masowały stopy.

– Widzisz, wiele osób uważa, że nie jestem wiele wart, ale to nieprawda – powiedział Raszid głosem, który w grocie brzmiał jak aksamit. – To miejsce ma większą wartość niż całe złoto Indii.

Noora popatrzyła na niego i pokiwała głową. W świetle lampy jego oczy błyszczały jak mokre kamyki. Wpatrywał się w jej stopy, które zanurzała i wynurzała z wody, mącąc jej nieruchomą taflę, wysyłając zielone kręgi na środek, gdzie było głębiej. Woda obmywała mankiety jej spodni przy kostkach, zostawiając na obszyciu falistą linię.

– No dobrze, musimy iść – powiedział Raszid, a jego głos stał się bardziej szorstki. – Lepiej nie wracać za późno. Nie chcę, żeby ludzie dopytywali się, gdzie byłaś.

Noora westchnęła, słysząc te słowa, i zanurzyła ręce w wodzie, żeby obmyć twarz, jakby sadzawka miała nagle zniknąć. Naprawdę się o mnie troszczy, pomyślała.

13

Spotykali się w grocie codziennie o tej samej porze i wracali do wioski tuż przed obudzeniem się jej mieszkańców na popołudniową modlitwę. W Maazoolah czas dawał się mierzyć łatwo, podzielony na jednostki wyznaczane głosem muezina, stojącego na szczycie wzgórza i wzywającego do modlitwy. Noora zawsze zastanawiała się, dlaczego jest zwrócony twarzą w stronę doliny, a nie domów. Moza wyjaśniła jej, że jego głos musi dotrzeć do wszystkich podróżujących, a nie tylko mieszkańców wioski.

Kiedy Moza spytała ją, gdzie spędza upalne godziny, podczas których powinna odpoczywać, Noora zamrugała szybko, pozbywając się poczucia winy szczypiącego w oczy, i powiedziała, że jest przyzwyczajona do chodzenia o tej porze na długie spacery. Nie lubiła okłamywać starej kobiety, ale co innego mogła powiedzieć?

Dobra Moza! Szybko dała się przekonać i przekazała tę informację pozostałym kobietom w wiosce, które składały jej wizyty, przynosząc nowiny z Maazoolah w zgrabnych zestawach informacji, uporządkowanych zgodnie ze stopniem ważności. Pewnego dnia przyszła z wizytą Hessa bint-Ali, przyprowadzając ze sobą siostrzenicę Aisę.

Aisa była niewysoką pulchną dziewczyną, trochę młodszą niż Noora. Niewiele mówiła, za to często się uśmiechała. Wtedy jej policzki nadymały się jak baloniki, a oczy mrużyły, tworząc szparki. Aisa była obiecana synowi Hessy.

– Już lada dzień – powiedziała Hessa z czarnymi jak węgle oczami błyszczącymi dumnie w otworach burki. Miała wyjątkowo silny głos, przypominający chrapliwe krakanie wrony. – A mój syn jest wielkim szczęściarzem. *Masha' Allah*, Aisa jest jak deszcz, pełna dobroci. Wszystkich wokół zalewa swoim szczęściem.

Siedziały w kręgu, w chacie Mozy, po śniadaniu, a przed obiadem. Aisa tkwiła między ciotką i swoją matką, Khadiją, niczym soczysty kawałek mięsa. Patrzyła, mrużąc oczy, pozwalając, żeby ciotka opowiadała jej historię.

Hessa zdawała szczegółowe sprawozdanie z ostatniej choroby dziewczyny:

– Codziennie miałyśmy ataki gorąca i zimna, a między nimi dreszcze. Kłopoty ze snem. I taaaaki straszny kaszel. – Uszczypnęła Aisę w pulchny brzuch i dodała: – Zobacz, jak schudłyśmy.

– Niech ją Bóg błogosławi – powiedziała Moza. – Tak się pochorować, kiedy powinna przybierać na wadze przed zamążpójściem.

– Będziemy musiały zacząć więcej jeść, prawda? – powiedziała Hessa, pocierając pieszczotliwie plecy Aisy.

Potem westchnęła i przeniosła wzrok na złożone spodnie, które Noora właśnie skończyła szyć.

– Są nowe, prawda? – powiedziała, biorąc spodnie i rozkładając je. Następnie obejrzała uważnie, czy proporcje są właściwe. Sprawdziła szwy. Kiedy się nie rozpruły, przesunęła palcami w górę i w dół po falistych liniach haftu na mankietach przy kostkach. Wreszcie oświadczyła:

– To bardzo dobra robota.

– *Masha' Allah*, Noora to uszyła – powiedziała Moza. – Słodka dziewczyna.

– To nic w porównaniu z twoją szczodrością, *khalti* – odrzekła Noora, biorąc rękę starej kobiety i całując ją.

– *Al-Hamdulillah*, dziecino, chwalić Allaha. To wszystko jego zasługa.

Nie minął dzień, a nowiny o tym, że Noora pięknie szyje, obiegły wszystkie domy. Kobiety w Maazoolah nie miały ani cierpliwości, ani serca do szycia ubrań. Nie wahały się więc wykorzystać zdolności Noory. Do chaty Mozy trafiły małe kupki zniszczonych koszul, rozdartych sukienek i spodni do naprawy.

I tak Noora szyła dla całej wioski. Nie oczekiwała za to zapłaty. W końcu, co ci ludzie mają? Maazoolah nie różniła się w swoim niedostatku od reszty górskich wiosek. W gruncie rzeczy Noora cieszyła się na myśl o dodatkowej pracy. Mogła teraz siedzieć w wejściu do chaty Mozy, widziana przez przechodzących mężczyzn i kobiety. Wiedziała, że nie wywoła to złośliwych plotek na temat jej niedyskrecji, gdyż wszyscy rozumieli, że potrzebuje światła słonecznego, żeby nawlekać nitkę i prowadzić równiutkie szwy.

Noora wybrała ten punkt obserwacyjny z jeszcze jednego powodu. Dom Mozy stał nieco wyżej, więc miała dobry widok na poletka, a co ważniejsze, na pracujących na nich mężczyzn. Raszid zawsze tam był. Pomiędzy kolejnymi szwami Noora zerkała na niego ukradkiem, chciwie wpatrując się w jego proste plecy i szerokie ramiona.

Przebijając igłą materiał, tłumiła głębokie poczucie winy, że łamie prawa rządzące tą społecznością. Zamiast tego zaczynała snuć przyjemne marzenia pełne słów i gestów Raszida. Spotkania z nim w grocie oraz jego nocne wizyty nadal trwały.

Kilka dni później przyszła Hessa, żeby porozmawiać z Noorą. Jej czarne oczy wydawały się niecierpliwe, a do piersi przyciskała węzełek z kawałkiem materiału.

– Promieniejesz – powiedziała. – Jak to robisz, że masz cerę złotą jak dzban miodu?

Noora poczuła, że się rumieni. Hessa zwykle nie prawiła jej komplementów.

– Wejdźmy do środka, zanim słońce opali nas na czarno – dodała kobieta.

Noora wstała i weszła za nią do chaty.

– Posłuchaj – zaczęła Hessa, kiedy się usadowiły – jak wiesz, mój syn żeni się z Aisą. Jeszcze o tym nie wie, ale gdy ona zostanie jego żoną, już nigdy nie będzie smutny.

– Kiedy ślub?

– Niedługo, *insha' Allah*, niedługo – odrzekła Hessa zagadkowo. – Najpierw musimy wszystko przygotować. – Zaczęła rozwijać zawiniątko, które przyniosła. – Chcę, żebyś uszyła ubrania panny młodej dla mojej przyszłej synowej, jako część wyprawy. Możesz uszyć dwie sukienki, dwie pary spodni i jedną tobe.

Noora wzięła do ręki najładniejszy kawałek materiału, doskonałej jakości jedwab w kolorze ognistej czerwieni. Zbliżyła go do twarzy i spojrzała przez przezroczystą tkaninę. Ubrania dla panny młodej powinny być wyjątkowe.

– Ma szczęście, że dostanie taki piękny strój – powiedziała.

– Nic nie jest za dobre dla naszej kochanej Aisy. Nawet wyjście za mąż za syna bin-Ghanema, co dla każdej innej kobiety byłoby prawdziwym przywilejem.

– Bin-Ghanema?

– Tak. Nie wiedziałaś? Przodkowie mojego męża byli pierwszymi mieszkańcami Maazoolah.

Noora nie miała o tym pojęcia. Nie rozumiała też, w jaki sposób czyni to bin-Ghanemów wyjątkowymi. Z tego, co zauważyła, wszyscy mieszkańcy wioski są jednakowo biedni. Wyjątek stanowiła Moza, którą mąż w czasie trwania ich wieloletniego małżeństwa obsypał prezentami, teraz trzymanymi w blaszanej skrzyni.

– Ten czerwony materiał przeznaczony jest na suknię ślubną, więc będziesz musiała uszyć ją tak, żeby wyglądała wyjątkowo.

– Jest piękny. – Noora rozwinęła kupon jednym machnięciem ręki. – Wiem dokładnie, co zrobię: bogaty haft srebrną nicią na piersiach i małe srebrne gwiazdki na pozostałej części, tak że będzie pięknie połyskiwała. Pod pachami wszyję duże kliny. Moza ma kawałki materiału, które będą pasować – jaskrawoniebieskie, jeśli się nie mylę. – Dała się ponieść ekscytacji związanej z szyciem sukni ślubnej. – A żeby była naprawdę idealna, będzie lekko ciągnęła się po ziemi. – Podniosła wzrok, chcąc dalej mówić, ale zauważyła, że Hessa posmutniała. W jej bystrych oczach migotał maleńki płomyk, próbując przebić ich martwą czerń, dać im duszę.

Czy to wahanie? A może cierpienie?

Hessa otworzyła usta, ale zaraz je zacisnęła. Ich kąciki drżały.

– Uszyję te ubrania bardzo szybko – zapewniła Noora.

– Och, wiem. – Hessa odkaszlnęła, żeby pozbyć się chrypki. – Nie o to chodzi. To coś innego. Zawsze się martwię, że dziewczyna, która nie jest jedną z nas, ukradnie mi syna.

Noora wymamrotała bezgłośne „ah...".

Hessa dodała:

– Odebranie mojemu synowi skarbu, jakim jest Aisa, byłoby tragedią. Rozumiesz to, prawda?

Noora pokiwała głową.

– Mężczyzna musi się ożenić z kimś ze swojej społeczności, swojej rodziny. Jeśli tego nie zrobi, napyta sobie biedy. – Płomyk, który przed chwilą migotał w oczach Hessy, zniknął i teraz wpatrywała się w Noorę zimną czernią nocy.

Noora znów pokiwała głową.

– A kobieta, która nie bierze pod uwagę tego prostego prawa, nie jest godna szacunku.

Tego popołudnia, kiedy siedzieli ramię w ramię na brzegu sadzawki, Noora opowiedziała Raszidowi o spotkaniu z Hessą.

– To było bardzo dziwne. Najpierw powiedziała mi komplement, że moja skóra wygląda jak miód, a potem nagle zaczęła rzucać mi złe spojrzenia.

– Cóż, nie można oczekiwać od kobiet, że będą rozsądne. Ich umysły pracują inaczej.

Noora kręciła w wodzie kółka palcami u nóg i szukała ukrytej mądrości w tym, co właśnie powiedział.

– A uczucia matki zawsze są inne. Wyjątkowe – dodał.

Z tym się zgodziła, ale nadal chciała wiedzieć dlaczego Hessa obrzucała ją oskarżycielskimi spojrzeniami.

– Jakby mnie o coś obwiniała. A ja nie wiedziałam o co. Słyszałeś jakieś plotki? Znasz tę kobietę?

Śmiech Raszida wydawał się wymuszony. Mimo to ona też się uśmiechnęła.

– To nie jest zabawne – zaczęła się z nim droczyć.

– Nie, ale ty jesteś. Pewnie sobie to wszystko wymyśliłaś.

– Nie...

Przerwał jej w pół słowa:

– Posłuchaj, nie chcę rozmawiać o tym, co kto powiedział i dlaczego. Cały dzień tego słucham. Chcę porozmawiać o tobie i o mnie.

– A co tu jest do powiedzenia? – Noora opowiedziała mu już swoje życie.

– No wiesz, co do ciebie czuję.

Milczała. Takie słowa sprawiały, że robiło jej się słabo. Ściskała kamyki palcami u nóg.

– Przez cały czas o tobie myślę. Nie mogę jeść ani pracować – wyznał Raszid.

Noora nie lubiła poczucia braku kontroli, którego doświadczała, kiedy mówił w ten sposób, ale nic z tym nie mogła zrobić. Skubała brzeg chusty.

– Co noc, kiedy się rozstajemy, śnię o tobie. A potem, gdy wstaje słońce, nie mogę się doczekać, kiedy znów cię zobaczę.

Przyciągnęła kolana do piersi, próbując opanować lekkie drżenie płynące z jej wnętrza. Musi szybko coś powiedzieć, zmienić temat. Wbijając wzrok w środek sadzawki, powiedziała:

– *Masha' Allah*, ty i pozostali mieszkańcy macie szczęście, nie musicie się martwić o wodę.

Raszid chrząknął i oparł się na łokciu.

– Nikt nie wie o tym miejscu.

– Ale gdyby była długa susza, powiedziałbyś innym?

Znów chrząknął.

– To moje miejsce i pokażę je, komu zechcę.

– To miejsce Boga i Jego błogosławieństwo i należy się nim podzielić.

– Nie ma takiej potrzeby. W wioskowej studni jest dużo wody.

– Tak, ale mając to stale uzupełniane źródło, moglibyście zbudować system kanałów. Tylko pomyśl, wszystkie te kanały mogłyby nawadniać wasze uprawy. Nigdy nie cierpielibyście głodu. I nie tylko to, moglibyście uprawiać wiele innych roślin.

– Nie!

– Tylko tak mówisz – przekonywała. – Naprawdę tak nie myślisz.

– Przestań mówić o wodzie! Jest tutaj i jest moja. Koniec tematu.

Całe to delikatne drżenie rozchodzące się po jej ciele zniknęło. Jak słodkie słówka tak szybko mogą stać się gorzkie?

Raszid nagle złagodniał.

– Nie chcę rozmawiać o wodzie. Chcę rozmawiać o tobie, o nas.

Lepiej było zamilknąć i słuchać.

– Zależy mi na tobie.

Noora położyła dłonie na udach. Czuła, że palce jej nóg zanurzone w wodzie są zimne.

– Zależy mi na tobie – powtórzył. – Chcę się z tobą ożenić.

Przez kilka następnych dni Noora była zajęta szyciem sukni ślubnej dla Aisy. Srebrną nicią wyhaftowała z przodu subtelne roślinne wzory. Obwiodła kształt płatków i liści wypukłym ściegiem i wypełniła je koronkowym ornamentem. Mankiety ozdobiła srebrnymi lamówkami i wyhaftowała tyle drobnych gwiazdek, że tobe wyglądała jak rozgwieżdżone nocne niebo.

Następnie zajęła się mankietami spodni, które miały być włożone pod spód. Orzechy nerkowca – taki wzór postanowiła wyhaftować na tkaninie o barwie słonecznej żółci. Orzechy w kolorze liściastej zieleni wokół mankietów tworzyły tło dla orzechów w kolorze limety na pierwszym planie.

Noora wyhaftowała orzech i spojrzała w dół na tarasy. Był tam i przyćmiewał urodą innych mężczyzn, z którymi pracował. Wyglądał jak prawdziwy książę. Niebawem ona będzie dostawała prezenty ślubne.

„Chcę się z tobą ożenić". Tak powiedział. To tylko słowa, ale jakże ważne.

Ich świeżo nakreślona przyszłość dodała Raszidowi odwagi podczas ich spotkań, na których często trzymał ją za rękę. Lubiła dotyk jego szorstkiego kciuka. Sprawiał, że spływało na nią poczucie bezpieczeństwa. Czy czuł, że jej palce poddają się jego woli?

Raz sięgnął po kosmyk jej włosów, który wymknął się z warkocza i spod chusty. Jej śmiałość zaskoczyła ją samą, kiedy zamknęła oczy i wydęła lekko drżące usta, czekając, aż ten sam szorstki kciuk zsunie się niżej i ukoi jej usta pulsujące z pożądania.

Moza wyjrzała przez drzwi.

– *Masha' Allah*, pięknie to wygląda, jest takie gładkie i staranne – powiedziała, poklepując z aprobatą plecy Noory. – I twoja twarz. Jakże promienieje! Cieszysz się, że ze mną mieszkasz?

– Tak – odrzekła Noora. Chciała delikatnie dać do zrozumienia, jaka jest prawdziwa przyczyna jej uniesienia, które rozlewa się po jej twarzy i rumieni policzki. Jednak Raszid polecił jej, żeby nikomu nie mówiła. Musi przedtem porozmawiać z Sagerem i poprosić oficjalnie o jej rękę.

Już niedługo, pomyślała uszczęśliwiona, licząc rzędy wyhaftowanych orzechów.

Noora szybkim krokiem przemierzała znajomą równinę, rozciągającą się pod nieruchomym białym niebem. Zanosiło się na deszcz, ale nawet to nie było w stanie utrzymać jej z daleka od groty. Dzięki oświadczynom Raszida czuła, że ich spotkania stały się teraz przyzwoite. Należy do niego i jest tylko kwestią czasu, kiedy to ogłosi.

Dopiero gdy siedzieli obok siebie na brzegu sadzawki, trzymając się za ręce, poczuła męczący niepokój na wspomnienie Zobaidy. A jeśli Sager nie zgodzi się na ślub?

– Niedługo porozmawiasz z Sagerem – zaczęła i ścisnęła dłoń Raszida w nadziei, że podejmie temat.

– Tak – odparł. Kiedy zaczął gładzić jej dłoń, jego kciuk wydawał się bardziej szorstki niż zazwyczaj.

– A jaki masz plan? Jak go poprosisz?

– Wiem, jak rozmawiać z Sagerem. To mój przyjaciel.

Mocniej ścisnęła jego rękę.

– A jeśli się nie zgodzi? Co wtedy?

– Dlaczego miałby się nie zgodzić?

– Cóż, to dziwny chłopak, ten mój brat. Czasem pozwala, żeby inni wpływali na jego zdanie. – Wzruszyła ramionami. – Nie wiem. Może chce, żebym została z nimi?

– Po co? Żebyś zestarzała się i zbrzydła, a potem umarła w samotności?

– Nie wiem. – Wyczuła, że ten temat jest dla niego niewygodny. Zwróciła ku niemu uśmiechniętą twarz. – Nasz pierworodny to będzie chłopiec. Nazwiemy go Salem. Salem bin-Raszid Bin... i co dalej?

– Moje nazwisko, oczywiście.

– A jak ono brzmi?

– Raszid bin-Abdullah, niemądra dziewczyno.

– Tak się nazywa twój ojciec. A twoje rodowe nazwisko?

– Dlaczego tak się przejmujesz moją rodziną? Ja będę twoją rodziną – W jego głosie brzmiało zniecierpliwienie.

Za każdym razem, kiedy chciała porozmawiać o ich przyszłości, przybierał postawę obronną.

– A gdzie będziemy mieszkali? W Maazoolah?

– Nie, zamieszkamy na pustyni.

Spojrzała na niego z otwartymi ustami.

– W namiocie. I będziemy wędrowali z miejsca na miejsce. Zabierzemy też ze sobą wielbłądy. Ale to nie wszystko... – Był coraz bardziej rozbawiony, lecz jego śmiech wydawał się nieco sztuczny.

Starał się rozładować napięcie, drocząc się z nią.

– Nie żartuj – powiedziała Noora. – Ja mówię poważnie.

– Dlaczego tak się przejmujesz?

Zastanowiła się.

– Nie wiem dlaczego.

– Pewnie nic na to nie poradzisz. – Prychnął. – Przez całe życie miałaś tyle zmartwień, wiodąc samotną egzystencję jak dzikuska.

Wyrwała rękę z jego dłoni i uderzyła go w ramię.

– Dzikuska?! – wykrzyknęła.

– Nie, nie, chciałem powiedzieć, iż żyłaś z dala od ludzi. Przez całe życie mieszkałaś samotnie w odległych górach, a to ciężki żywot. – Uniósł ręce, żeby zasłonić twarz. – Nie zrób mi krzywdy, rozgniewana, silna kobieto! Nie obronię się!

To było zaproszenie, żeby użyć obu rąk, i Noora zaatakowała go czułymi klepnięciami i kuksańcami w klatkę piersiową i brzuch. Zwinął się w kłębek, a ona usiłowała przewrócić go na plecy, żeby odsłonił wrażliwsze części ciała, ale był zbyt ciężki. Przenosząc ciężar na uda, pchnęła go, zaskoczona własną siłą, tak że przewrócił się na plecy.

Z szybkością głodnego psa uderzyła go, czując, jak pięścią wbija się w miękki brzuch. Odgłos gwałtownie wciąganego powietrza odbił się echem w pustej grocie. Uderzyła go zbyt mocno.

Raszid zareagował błyskawicznie. Poczuła, jak uderzenie wyciska jej powietrze z płuc.

Noora wpadła do sadzawki. Chusta zsunęła jej się na ramiona i nasiąkła wodą. Dziewczyna siedziała oparta o skałę, ugięte nogi trzęsły się, kiedy próbowała usiąść w bardziej przyzwoitej pozie. Mrugnęła kilka razy, pozwalając spłynąć łzom szczypiącym w oczy i patrzyła, jak Raszid się podnosi, otrzepuje diszdaszę i znika w ciemnościach.

Noora odkaszlnęła.

– Nie musiałeś być taki brutalny – odezwała się.

– Sama zaczęłaś.

– Ale ja jestem tylko dziewczyną. Ty jesteś mężczyzną.
O wiele silniejszym ode mnie.

– Skoro nie znasz się na żartach, to nie powinnaś żartować.

– To pchnięcie to nie był żart – wymamrotała. Założyła
chustę na głowę i przesunęła się na środek sadzawki.
W najgłębszym miejscu woda sięgała jej tuż poniżej piersi.
Zamknęła oczy i zatykając nos, zanurzyła głowę, rozpusz-
czając ból w mroku wody.

Wstrzymywała oddech tak długo, jak mogła. Kiedy się
wynurzyła, gwałtownie wciągnęła powietrze. Powędrowała wzrokiem w stronę lampy sztormowej, ale Raszida
nie było widać w jej świetle. Stała nieruchomo i czekała na
odgłos jego kroków, ale grotę wypełniało tylko kapanie
wody. Przez dłuższą chwilę trwała bez ruchu, aż spłynęła
z niej większość wody i teraz o powierzchnię sadzawki uderzały tylko pojedyncze krople. Czuła, że z każdym pluskiem jej paląca złość słabnie i kiedy miała się ruszyć, dostrzegła go.

Raszid wyłonił się z mroku jak cień. Zaczął iść przez
wodę, wywołując fale, które odbijały się od jej piersi. Noora
poczuła, że serce zaczyna jej bić mocniej, i nagle zdała sobie sprawę, że ubranie nieprzyzwoicie oblepia jej ciało.
Chociaż wiedziała, że jest za ciemno, żeby Raszid widział
ją wyraźnie, czuła się obnażona. Zaczęła odrywać od siebie

tkaninę. Mokre plaśnięcia odbijały się echem w grocie, przez co wyraźniej uświadomiła sobie pożądanie, które z niej emanowało.

Zatrzymał się przed nią, a jego twarz nie była dalej niż na odległość wyciągniętej ręki. Zsunął jej chustę na ramiona. Chociaż z odkrytą głową czuła się bardziej naga, nie opierała się.

– Nie chciałem być taki brutalny – wyszeptał. – Tak wyszło. Mocno mnie uderzyłaś, a ja pchnąłem bez zastanowienia.

Noora skrzyżowała ramiona na piersiach i uśmiechnęła się.

– Było, minęło.

– Wybaczasz mi?

– Wybaczam.

Odwróciła się, żeby wyjść z wody, ale on złapał ją za rękę i przyciągnął do siebie.

– Nie idź – powiedział i objął ją tak, że ich twarze niemal się stykały.

Nagle wydało się jej, że woda wokół robi się gęsta, a jej sukienka cięższa. Czuła siłę bicia jego serca na swoich żebrach. Próbowała złapać równowagę, ale ze zdenerwowania ślizgała się. Ścisnęła więc kolana, żeby się nie osunąć.

Raszid drżał, a jednocześnie wydawał się taki silny. Czuła na twarzy jego gorący oddech. Wiedziała, że musi się wyswobodzić z jego uścisku, ale jej słaba próba wywinięcia się poskutkowała tylko tym, że przyciągnął ją bliżej.

– Jesteś moim życiem – wyszeptał. – Chcę cię tulić, tulić tak mocno, żebyśmy się ze sobą stopili.

Jego głos brzmiał jak szmer wody, w której stali. Próbowała zobaczyć namiętność w jego oczach, ale pozostawały w mroku. Wydawało się, że powietrze jest bardziej rozrzedzone, cieplejsze. Traciła siły, wyciskane z niej jak woda z gąbki. Muszę to przerwać, pomyślała. Ręce opadły jej bezwładnie wzdłuż boków, kolana się ugięły i zapadła się w jego objęcia.

Czuła na piersiach jego żebra. Wtulił twarz w jej szyję, wdychając jej zapach. Muszę to przerwać.

Zaczął gładzić ją po plecach i całować oczy – małymi, wilgotnymi pocałunkami, które pozostawały na dłużej, lepkie jak dojrzałe daktyle. Jego ciepło wprawiło ją w drżenie i poczuła, że pewna część jego ciała twardnieje. Nie wiedziała, co to oznacza, ale wyczuła niebezpieczeństwo. Czas wyrwać się z tego mocnego, bardzo mocnego uścisku.

– Muszę iść – pisnęła, słysząc panikę w swoim głosie.

– Jeszcze chwilę...

– Nie – powiedziała głośniej, bardziej zdecydowanie. – Muszę już iść!

Słyszała, jak Raszid oddycha głęboko. Zwolnił uścisk i zanurzył głowę w wodzie.

Noora skrzywiła się na myśl o własnej głupocie. Była przemoczona. Jak to wytłumaczy w wiosce? Wyszła z tunelu, podążając za Raszidem i mrużąc oczy przed blaskiem światła. Niebo wciąż było białe, ale zdążył spaść deszcz. Zagłębienia w skałach wypełniły się wodą. Noora uśmiechnęła się i powiedziała:

– Wiesz, po raz pierwszy w życiu przegapiłam ulewę. I to dla ciebie.

Raszid znów próbował ją objąć, ale wymknęła mu się i zeszła górskim grzbietem pewna, że ją obserwuje. Jak zwykle został z tyłu, żeby nie pojawić się w Maazoolah w tym samym czasie co ona.

Noora nie mogła się doczekać, aż będzie mogła spokojnie pomyśleć o tym, co się stało. Siła wróciła do jej członków i Noora biegła równiną, niosąc ciężar sukienki nasiąkniętej wodą i umysł wypełniony wspomnieniem jego dotyku. Czuła się pełna energii i zarazem wyczerpana, pewna siebie, ale też onieśmielona, szczęśliwa, lecz przepełniona poczuciem winy.

Co za zuchwałość z jego strony, żeby dotykać jej w taki sposób! I co za wstyd, że mu na to pozwoliła! Zamiast kary Bóg nagrodził ją deszczem. A jak ona odpłaciła Bogu? Pozwoliła mężczyźnie, który nie jest jej mężem, dotykać się i sprawić, że obudziła się w niej grzeszna żądza.

Kiedy dotarła do wioskowej studni, przysięgła sobie, że pozwoli Raszidowi się dotknąć dopiero wtedy, gdy się pobiorą.

14

Następnego dnia wczesnym rankiem do chaty Mozy dotarły nowiny. Noora była w swojej izbie, składając prezenty dla panny młodej, kiedy do domu Mozy weszły trzy starsze kobiety. Usłyszała, jak mówią, że Hessa posprzeczała się z synem, kiedy wyznał, że nie chce żenić się z Aisą. Ich stłumione głosy przybrały na sile, kiedy przekazywały szczegóły konfrontacji.

– Słyszałam z mojego domu razy wymierzane laską – opowiadała jedna z kobiet. – Ale nie słyszałam, żeby on podniósł na nią rękę, po prostu stał i przyjmował ciosy.

– Jest duży i silny, ale nie zapomniał, że ona mimo wszystko jest jego matką – odrzekła Moza. – I co teraz?

– Nikt nie wie. Zniknął. Nie ma go!

Nie minęło wiele czasu, a przyszła Hessa. Wpadła do domu Mozy jeszcze tego samego dnia, tuż przed popołudniową modlitwą, łopocząc chustą niczym skrzydłami. I wylała gorycz z serca:

– Myśli, że prawdziwy z niego mężczyzna, wielki i potężny, rzucający takie okrutne słowa swojej bezbronnej matce, wdowie, łamiąc jej serce, upokarzając ją w jej własnym domu. – Głos zaczął jej się łamać i przerwała, żeby się uspokoić. – Nie rozumie, że chcąc być mężczyzną, musi dotrzymywać słowa.

Moza westchnęła współczująco, a myśli Noory powędrowały do wszystkich tych pięknych ubrań, które uszyła, leżących w schludnych kupkach w drugiej izbie. Włożyła serce w tobe panny młodej, wyczarowała na niej nocne niebo połyskujące mnóstwem gwiazd. A te wszystkie uśmiechnięte orzechy nerkowca, jednakowej wielkości, na mankietach przy kostkach? Jak radośnie wyglądały: kolor limety na liściastozielonym. Tak, uśmiechają się, chyba że Hessa odwróci je do góry nogami. Co się stanie z wszystkimi tymi ubraniami teraz, kiedy ślub został odwołany? Czy Hessa je zabierze czy porwie na strzępy?

Hessa opuściła głowę.

– Moja biedna siostra – westchnęła. – Muszę jej powiedzieć, że mój syn stracił rozum.

Moza odwróciła głowę w jej stronę.

– Co mówisz?

– Powiedziałam, że muszę powiadomić moją siostrę, że mój syn postradał zmysły – powtórzyła Hessa. – Wyobraź sobie, że powiedział: „Nie chcę się żenić. Aisa jest dla mnie jak siostra". Czy to są słowa mężczyzny? Najpierw daje słowo, a potem je łamie?

Moza wahała się przez chwilę, zanim wypowiedziała ogólnikowe pocieszenie:

– Chłopcy mają niedojrzałe głowy. Mówią różne rzeczy, ale tak nie myślą.

Lecz Hessa nie mogła się uspokoić.

– Ale ten chłopiec nie ma niedojrzałej głowy – tłumaczyła ochrypłym głosem – tylko głupią. – Odwróciła się do Noory i uważnie jej się przyjrzała. Nagle otwory w burce Hessy wydały się za duże, zupełnie jakby zbyt wyraźnie pokazywały jej nieprzejednane spojrzenie.

Oczy Hessy były czujne jak oczy jastrzębia. Błysnęło w nich oskarżenie. Czy kobieta myśli, że pobyt Noory w Maazoolah przyniósł nieszczęście jej rodzinie? Noora odwróciła wzrok, ale usłyszała, jak Hessa mlaska językiem. Jeszcze nie skończyła.

– A kiedy wiadomość dotarła do mojej słodkiej siostrzenicy... – ciągnęła. – Cóż mogę powiedzieć? Ten świeży kwiatuszek nie chce z nikim rozmawiać ani wychodzić z domu. Odmawia jedzenia! Ten aniołek... niebawem zniknie świeżość jej policzków. – Pokręciła głową. – A wszystko przez mojego samolubnego syna.

Jakiś cień przełamał snop światła wpadający przez drzwi. Hessa gwałtownie odwróciła głowę i wykrzyknęła:

– Mohammad! Widziałam cię!

Wsunął głowę do środka.

– Tak, matko?

– Zastanów się, dokąd mógł pójść twój brat?

– Mówiłem, że nie wiem – powiedział Mohammad i uśmiechnął się zuchwale. – Może poszedł się ożenić z inną? Hessa pochyliła się, zdjęła klapek z nogi i rzuciła w niego. Mohammad był jednak szybszy.

– Musisz się uspokoić – powiedziała Moza, wstając.

– Przyniosę ci wody.

Pokuśtykała obok niej i wyszła z chaty. Hessa zacisnęła usta i wbiła wzrok w ścianę ponad ramieniem Noory. Wyglądała, jakby czegoś szukała. A może, dla odmiany, nie miała nic do powiedzenia.

Noora czuła się w obowiązku ją pocieszyć. Tak należy się zachować. Otworzyła usta, ale nic nie powiedziała. Niech pozostanie jeszcze przez chwilę zatopiona w myślach, ze ściągniętymi brwiami i oczami tak skupionymi, że czarniejszymi niż khol, którym były obwiedzione.

I wtedy, niczym wąż obudzony piskiem myszy, Hessa przechyliła głowę i posłała Noorze jadowite spojrzenie.

– Gdyby mnie ktoś spytał, powiedziałabym, że jakiś zielonooki potwór musiał mu namieszać w głowie, nie sądzisz?

– Nie wiem, *khalti* – odrzekła Noora, zdumiona swoją szybką odpowiedzią. – Diabeł zawsze jest w pobliżu i do nas należy dopilnowanie, żeby nie podążać jego ścieżką.

Kropla wstydu zostawiła w jej ustach kwaśny posmak. Czy ona sama nie biegnie ścieżką szatana na te zakazane schadzki? Przełknęła głośno. Musi zachować pozbawione poczucia winy przekonanie, które zabrzmiało w jej głosie.

– Cóż, mój syn zawsze odnosił się do matki z szacunkiem – powiedziała Hessa zrzędliwie. – Dlatego zastanawiam się, czy coś... – urwała – albo ktoś skłonił go do takiego zachowania.

Wreszcie mówiła, co myśli, ale Noora postanowiła zrobić wszystko, żeby nie pozwolić Hessie wpędzić ją w poczucie winy. W odpowiedzi na twarde spojrzenie Hessy zacisnęła usta.

– Dlaczego jesteś w domu o tej porze? – nie ustępowała Hessa. – Myślałam, że będziesz na jednym ze swoich długich spacerów.

Ile Hessa wie? Czy kazała ją śledzić? Noora poczuła, że oblewa ją zimny pot.

– Dzisiaj jestem trochę zmęczona – wymamrotała, wycierając spocone ręce w sukienkę.

– Jak długo zamierzasz tu zostać? – chciała wiedzieć Hessa.

– Czy twoja rodzina za tobą nie tęskni? Kiedy do nich wracasz?

– Niedługo, *khalti*, już niedługo – zapewniła Noora.

Czarne jak sadza oczy Hessy rozjaśniły się na te słowa.

– Cóż, będę się zbierała – powiedziała, wstając. – Allah wszystko naprawi, a my, bin-Ghanemowie, jesteśmy silni.

Noora spuściła wzrok.

– Kto wie, co zastanę po powrocie do domu – mówiła Hessa. – *Insha' Allah*, jak Bóg da, mój Raszid będzie z powrotem, szczerze żałując, że tak mnie zdenerwował.

Noora podniosła wzrok, ale było za późno. Hessa już wyszła z chaty. Nie obejrzała się. Tym lepiej. Na pewno dostrzegłaby, że dziewczyna, trzęsąc się, wciąga powietrze, że drga jej kącik ust, a rozdygotane ręce pośpiesznie wciska pod uda.

Czy to ten sam Raszid? Czy syn Hessy to jej Raszid?

15

Noora ściskała nożyczki, ich czubek kierując w stronę orzecha nerkowca. Jedno cięcie – to wystarczy, żeby wszystkie nitki zaczęły się pruć. Kiedy ból i wściekłość trawią twoje wnętrze, chcesz wszystko niszczyć.

Raszid bin-Ghanem! Oczywiście. Jego nazwisko, nazwisko rodowe, ukrywane przed nią, chowane w mrokach groty. Co to znaczyło? Jakie miał zamiary, tuląc ją, zdobywając jej serce, chcąc jej tylko dla siebie? Czy miała zostać jego drugą żoną?

Poczuła, jak uchwyt nożyc wbija jej się w kciuk. Ich ostrza połyskiwały. Poczuła, jak do jej palców spływa gorąco i nacięła haft. Nadal jednak się trzęsła. Pragnie go, tak, ale zaufanie zniknęło.

Rozległ się chrzęst zardzewiałego metalu. Następny orzech zniszczony.

Raszid zniknął bez słowa. Wiedziała, że nie ma go w grocie, bo tam poszła, przewędrowała całą, lecz było w niej pusto. Czy jest w drodze na spotkanie z Sagerem? Raszid złamał obietnicę, że ożeni się z Aisą, ale czy ona chce zdobyć go kosztem innej?

Jej delikatna, kobieca strona, która obudziła się w niej, gdy była w grocie, wydawała się teraz taka odległa. Teraz jest zupełnie inną istotą, która chce jedynie niszczyć. Kolejne nitki zostały sprute, a kiedy orzechy wyglądały jak zachwaszczony ogród, sięgnęła po czerwoną ślubną tobe. Rozłożyła ją tak, że przód opadł na jej skrzyżowane nogi. Z drżącymi ustami rozcinała delikatne zawijasy jedwabnych nici, prując szwy, liście i płatki, które tak starannie haftowała.

Nadzieja i zdrada. To odurzająca mieszanka, a Noora nie potrafiła oddzielić jednego od drugiego. Szaleństwo kotłujące się w jej głowie było torturą. Wzrokiem twardym jak skała wpatrywała się w srebrne gwiazdki rozrzucone na całej powierzchni tobe. To był jej pomysł, jej projekt rozgwieżdżonego nocnego nieba. A teraz to wszystko trzeba pogrążyć w chaosie. Cięła i pruła po kolei każdą gwiazdę, aż uznała, że najbardziej wyjątkowa z sukni zmieniła się we wściekły szkarłatny koszmar.

Księżyc wygląda tak samo na początku i na końcu miesiąca: uśmiechnięty rogalik pochylony w jedną stronę zmuszający do zgadywania, czy kończy się stare, czy zaczyna nowe.

Takiej właśnie nocy pojawił się Raszid.

– Kto to? – wyszeptała Noora, chociaż rozpoznała znajomy oddech przed chatą Mozy.

– Ja – odparł Raszid.

– Wróciłeś. – Podkradła się do ściany, wyciągnęła kamień i spytała: – Gdzie byłeś przez cały tydzień? Co się stało? – Miała tak szeroko otwarte oczy, że aż ją piekły. Pragnęła, żeby księżyca przybyło i żeby rzucił więcej światła na jego twarz. Jednak ten pozostał bez zmian, wygięty w krzywym uśmiechu, ukrywając twarz Raszida.

Westchnął i wyszeptał:

– To niemożliwe.

– Co? Dlaczego? Sager się nie zgodził?

– Nie byłem u niego.

– Dlaczego?

– Dlatego, że to bezcelowe. To po prostu niemożliwe.

– Dlaczego to niemożliwe? A co z nami? Mieliśmy się pobrać.

„Obowiązek... tak należy postąpić... nie mogę sprzeciwić się woli matki" – mówił.

Noora zaczęła protestować. Była tak zdumiona jego pośpieszną uległością, że zapomniała skarcić go za to, że ją zostawił i okłamał. Miotały nią tak intensywne uczucia, że z trudem mówiła.

Przełknęła i usłyszała, jak on powtarza to, czego nie chciała usłyszeć: „Obowiązek... tak należy postąpić... nie mogę sprzeciwić się woli matki".

Co za bzdura! Chciała je zniszczyć, pozbawić znaczenia. Chciała złapać go za ramiona i potrząsnąć, żeby na nowo obudzić w nim namiętność. Lecz jej ręce opadły bezwładnie, a w kącikach oczu pojawiły się łzy.

– A co ze mną? – wyszeptała. – Jak możesz mnie tak zostawić?

Usłyszała szelest jego diszdaszy, kiedy oddalał się w ciemnościach. I zapatrzyła się w nicość. W to, z czym została, w nicość.

16

Musi stąd odejść. Tylko w ten sposób uśmierzy pulsujący ból.

Następnego dnia o świcie Noora wyjrzała z chaty Mozy. Wyciągnęła rękę, ale widziała tylko końce palców, unoszące się w gęstej jak mleko mgle. Kiedy nadpłynęła ta zasłona? Pokręciła z niedowierzaniem głową. Że też musiało się to wydarzyć akurat dzisiaj.

Biorąc pod uwagę wszystkie urwiska czyhające po drodze, jej wędrówka we mgle może być niebezpieczna. Nie będzie mogła oprzeć się na punktach orientacyjnych, z których zwykle korzystała – wszystkie te głazy o osobliwych kształtach, stroma górska grań, drzewa o rozłożystych koronach znikną w gęstej mgle. Musiałaby wykorzystać swój talent do orientacji w terenie.

– Zgubisz się i tyle – usłyszała senne mamrotanie Mozy. – Poczekaj, aż wzejdzie słońce. – Starsza kobieta leżała pod kocem.

– Nie mogę, *khalti* Moza. Już i tak się tu zasiedziałam – powiedziała Noora, pakując swoje rzeczy. – Wiem, że w domu mnie potrzebują i im szybciej się zbiorę, tym szybciej tam dotrę.

– Ale sama, moje dziecko?

– Całe życie wędruję sama.

Nic innego nie może zrobić. Musi natychmiast stąd odejść.

– Przynajmniej weź lampę – powiedziała Moza, opierając się na łokciach.

Noora zapaliła zapałką lampę sztormową i uklękła przy Mozie, kiedy ta z trudem usiadła. Uciekaj stąd! Tylko o tym myślała Noora, żegnając się z Mozą.

– Gdyby *khalti* Hessa pytała, są tam – szepnęła. W tym, co zrobiła, nie było ani pogardy, ani satysfakcji, tylko ponura obojętność na myśl o tym, co zniszczyła.

– Co mówisz?

– Prezenty dla panny młodej. Są zapakowane i gotowe. Położyłam je w rogu.

Noorę zalała fala wstydu, ale nie zastanawiała się nad tym. Musi stąd jak najszybciej zniknąć.

Kiedy wreszcie ruszyła w drogę, całą uwagę poświęciła zboczom, spadkom, zakrętom i zakosom. Była to powolna wędrówka, a mimo to kilka razy potknęła się na wyboistej drodze i uderzyła łokciem o skałę. Niejednokrotnie zastanawiała się, czy nie poszła za daleko. Ile wzgórz minęła? Jednak szła dalej. Czy podąża we właściwym kierunku? Podawała w wątpliwość swoją doskonałą orientację w terenie.

W pewnym momencie nie była już pewna niczego oprócz tego, że tak wytęża wzrok, iż musi trzeć oczy, żeby przestały ją piec.

Dopiero kiedy była w połowie szerokiego wadi, mgła się rozwiała. Noora przystanęła, żeby się zorientować, gdzie jest. Wilgotny powiew wiatru szczypał ją w uszy, więc ciasno otuliła głowę chustą i spojrzała w górę, wreszcie dostrzegając księżyc. Tkwił na szczycie drzemiącego szczytu: walcząca o uwagę srebrna blizna na zasnutym chmurami niebie. Wysłał ostatni błysk, po czym mglisty welon wchłonął go całego. A potem mgła zaczęła spływać, tworząc przemieszczające się welony, które pojawiały się i znikały.

Ukłucie dumy wywołało uśmiech na twarzy Noory: jednak się nie zgubiła. Poznała to wadi: gęsto porośnięte jadłoszynem. Jest w połowie drogi do domu. Teraz wędrówka będzie już łatwa. Wszystko dobrze się skończy.

Czując przypływ pewności siebie, Noora usiadła na skale, żeby dać odpocząć nogom. I wtedy ból odrzucenia zalał ją po raz kolejny. Jak sobie z tym poradzić? Nigdy wcześniej tak nie cierpiała. Zaczynało się od ukłucia, jakby wbijano jej pod skórę igły. A potem przychodziło otępienie zmieniające się w pustkę, której nie dało się niczym wypełnić.

– Idź, idź dalej – wymamrotała Noora, czując, że opada jej głowa. Zerwała się i szybkim krokiem ruszyła doliną, wymachując lampą, roztrącając pełzającą po dnie wadi mgłę.

Nie zatrzymuj się, a cały ten ból minie! Tak właśnie myślała. W końcu, czy nie tak jest urządzony świat? Skoro jej życie (podobnie jak życie całego ludu Hararee) jest tak niepewne i nędzne, czy nie wystarczy pójść dalej, żeby ze wszystkim sobie poradzić?

Księżyc zniknął, mgła się rozwiała i ostatnie znużone pasma mgły czepiające się szczytów przebiły pierwsze promienie słońca. Noora zobaczyła chaty wyglądające znajomo jak dawno niewidziani przyjaciele. Tęskniła za przewidywalnością domowej rutyny. Tylko dzięki niej znów poczuje się dobrze. Dopiero wtedy wróci spokój jej umysłu.

Jednak nic takiego się nie stało. Nie było normalności, a już na pewno nie było spokoju. Po pospiesznym i nerwowym powitaniu bracia przekazali jej złe nowiny: ojciec zaginął niedługo po tym, jak ona i Sager wyruszyli na spotkanie z Zobaidą. Tak jak mąż Mozy powędrował w góry i już nie wrócił. Bracia długo go szukali, lecz w końcu zrezygnowali.

Cały wstyd i ból, który odgoniła podczas wędrówki, spadł na nią całym ciężarem. Raszid i jej ojciec: jeden i drugi zniknął! To zbyt trudne. Chciała skulić się w kącie chaty i spać, spać, spać... I tak właśnie spędziła trzy kolejne dni.

Prawie nie jadła tego, co przygotowali jej bracia. Byli tacy dobrzy, otaczając ją troską, łagodnie prosząc, żeby ugryzła kęs chleba, który upiekli, napiła się trochę bulionu, który ugotowali. Jak wytłumaczy, że czuje tylko otępienie i ból po stracie? Czwartego dnia poczucie winy, że nie pomaga w pracach domowych, sprawiło, że wyszła z chaty.

Dopiero następnego dnia obudził się w niej gniew, trzaskając jak krucha gałązka – a wszystko z powodu Sagera.

Zawołał ją późnym popołudniem i obłaskawił słowami pocieszenia.

– To minie, czas to uleczy.

Siedzieli koło spiżarni, a popołudniowe słońce zalewało jego ramiona złocistożółtym światłem.

Był taki współczujący. Wiedziała, że czułość, jaką jej okazuje, rozświetla zieleń jej oczu. Dopiero gdy obsypał ją prezentami, poczuła ukłucie podejrzenia.

– Nowa chusta? – zdziwiła się.

– Ta, którą nosisz, jest taka stara, że już nawet nie jest czarna. Spójrz na nią. Ma kolor prochu.

Wsunęła na stopy skórzane klapki (pierwsze w życiu), trochę na nią za małe.

– Skąd masz te rzeczy?

– Od podróżnego sprzedawcy w Nassajem.

Założyła na środkowy palec trzy pierścionki (tworzące całość), które były na nią nieco za duże.

– To złoto!

– No wiesz, jesteś moją siostrą i kogo, jeśli nie ciebie, mam rozpieszczać? – zapytał z uśmiechem.

Otworzyła maleńki flakonik z ambrą i powąchała.

– Cóż, to miłe, ale skąd wziąłeś pieniądze?

– Powiedzmy, że kiedy zrobisz to, co należy, czekają cię jeszcze lepsze rzeczy. Zobaida pomogła nam w podzięce za ocalenie syna.

– Ach, ta chciwa oszustka – mruknęła Noora.

Skrzywił się.

– Myślę, że jesteś wobec niej zbyt surowa, zbyt podejrzliwa.

– Zaraz mi powiesz, że to ona dała ci pieniądze. – Przekomarzała się z nim, ale Sager się nie uśmiechnął. Zobaczyła, jak jego brwi stykają się i nieruchomieją. Naprawdę go dotknęła. Noora natomiast poczuła przerażenie osadzające się w jej żołądku jak muł na dnie sadzawek, które powstają po deszczu. Ryby mogą w nim pełzać, a ropuchy go rozpryskiwać, ale ostatecznie i tak osiada na dnie, ciężki i kleisty.

– Cóż, w pewnym sensie to dzięki niej stać mnie było na te wszystkie rzeczy – przyznał. – Widzisz, jest pewien mężczyzna, bogaty handlarz pereł, który przybył się z nią zobaczyć. A tajemne źródła Zobaidy powiedziały jej, co musi zrobić.

– Tajemne źródła? Musisz przestać wierzyć w te bzdury. Dżiny powiedziały to czy tamto! – Noora podniosła ręce i zagięła palce rąk jak szpony. – Uuuuu!

– One do niej przychodzą. Dżiny kazały jej wyswatać handlarza pereł. A ponieważ jest bogaty, oczywiście będzie musiał wnieść sowitą opłatę dla panny młodej.

– A Zobaida oczywiście coś z niej uszczknie za swoje usługi i swatanie?

– Oczywiście.

W oczach Noory widać było triumf.

– Widzisz? Ten występ, wywracanie oczami, drgawki. Jej zależy tylko na pieniądzach. I co zrobiła, dała ci trochę tych pieniędzy za uratowanie syna?

– Nie, nie. Widzisz, po raz pierwszy ktoś pomógł jej synowi. Zobaida była taka szczęśliwa, że dała mi, dała nam... inny prezent. – Zrobił przerwę. – Dała ci w prezencie lepsze życie.

– Mnie?

– Tak. Tak sobie myślałem, że to nie jest życie dla ciebie, tkwić tak z nami, mężczyznami, w dziczy. Zasługujesz na coś lepszego.

O czym on mówi? Chce zostać tu, gdzie jest. Chce przynosić mleko, wodę, doić kozy, gotować posiłki, zbierać drewno. Pragnie, żeby wszystko wróciło do normalności – zwłaszcza teraz.

– Wreszcie możesz mieć własny dom i rodzinę. A ten mężczyzna jest bogaty. Tak bogaty, że nie będziesz musiała się już męczyć.

– Jaki mężczyzna? O czym ty mówisz?

– Mówię, że jesteś wybranką.

Równie dobrze mógłby rzucić jej w twarz piaskiem albo uderzyć ją w żołądek, ponieważ zdobyła się jedynie na splunięcie i gwałtowny wdech.

Kiedy próbowała coś powiedzieć, nie mogła poruszyć językiem. Tkwił w jej ustach suchy jak gruby kawałek skóry.

– Zobaida uważa, że jesteś warta tak wyjątkowej oferty. Myślę, że to coś znaczy, a ty? – Pokiwał głową, a jego loki wystające spod gitry podskoczyły entuzjastycznie. – To znaczy, wyśle swoje swatki, żeby cię zaakceptowały i zrobiły z ciebie odpowiednią pannę młodą. – Przerwał na chwilę. – I nawet płaci im z własnego wynagrodzenia.

Kiedy to się stało? Kiedy Sager i Zobaida uknuli spisek przeciwko niej? Zaraz po tym, jak wybiegła z chaty Zobaidy czy później? Czy Sager został dłużej w Nassajem, żeby spotkać się kilka razy z tą wiedźmą?

– Nazywa się Jassem Said bin-Mattar i mieszka w dużym domu. Ma dwie żony, ale nie martw się, to dobrze, bo zyskasz dwie troskliwe siostry. Nauczą cię wszystkich tych kobiecych rzeczy, których byłaś pozbawiona, mieszkając z nami, brzydkimi braćmi, w tym zapomnianym miejscu. – Zmusił się do nerwowego chichotu. – A kiedy zostaniesz pobłogosławiona dziećmi, staną się pomocniczymi matkami. Najpierw siostrami, a potem matkami.

Zachowuje się jak troskliwy brat, udając, że się o nią martwi. Wreszcie Noora odzyskała głos.

– Od kiedy tak się mną przejmujesz? Zniknęłam, a nawet nie chciało ci się mnie poszukać.

– Wiedziałem, gdzie jesteś. Poszłaś do *khalti* Mozy. Dokąd indziej byś poszła? Nie przyszedłem po ciebie, bo pomyślałem, że dobrze ci zrobi towarzystwo kobiet. No wiesz, żebyś się nauczyła zachowywać jak one i tak dalej.

– Jak mogłeś zaplanować moje życie za moimi plecami?! – krzyknęła, młócąc powietrze pięściami, żeby rozładować złość. – Tak łatwo cię ogłupić. Ta wiedźma namieszała ci w głowie, a ty jej na to pozwoliłeś. Jej zależy tylko na pieniądzach. Nie rozumiesz?

Sager jednak nie rozumiał, nie chciał zrozumieć.

– Wiedźma, jak ją nazywasz, powiedziała też, że będziesz musiała poskromić swój ostry język. Żaden mężczyzna nie zechce takiej żony.

Noora odetchnęła głęboko i zebrała wszystkie siły, żeby zapanować nad gniewem.

– Cóż, możesz mówić i planować, co chcesz, ale nie oczekuj, że zostanę taką panną młodą, jaką opisałeś.

17

Noora leżała na skalnej półce, na stoku nieco poniżej jej domu, z rękami wyciągniętymi za głową. Lekki powiew chłodu wczesnego poranka pieścił jej twarz i poruszał krzakami wokół niej. Leniwie przekręciła głowę i zauważyła gekona w jaskrawe srebrne paski. Skoczył na gładką krawędź skalnej płyty i polizał swoje oko. A potem szybko kiwnął głową i zanurkował do szczeliny poniżej. Przynajmniej wie, dokąd zmierza – pomyślała.

A dokąd zmierza ona? W bliżej nieokreślone odległe miejsce. Sager ujął to inaczej: „Do lepszego miejsca, gdzie będziesz żyła jak księżniczka".

Jak szybko zaplanował jej życie. I teraz, zaledwie miesiąc po jej powrocie z Maazoolah, plan ma zostać wcielony w życie.

Noora przygryzła dolną wargę. Zdrajcy! Najpierw niemoc i kłamstwa Raszida, a teraz jej brata.

Próbowała wszystkiego, żeby skłonić Sagera do zmiany zdania. Kiedy logiczne rozumowanie zawiodło, wszczynała gwałtowne kłótnie.

– Ale ja nie chcę stąd odchodzić! – krzyczała. – Chcę zostać z tobą, Abudem i Hamudem.

– Tak mi dziękujesz, że o tobie myślę? Jesteś taka niewdzięczna.

– Nie wyjdę za niego i nie odejdę stąd. Zostanę tu, gdzie jestem.

– Nie mogę na to pozwolić.

– Dlaczego?

– Dlatego że nie chcę, żebyś zestarzała się między tymi skałami bez dzieci i bez przyszłości.

– Ale ty tu zostajesz, Abud i Hamud też.

– Jesteśmy mężczyznami. To co innego.

Po jakimś czasie zaczął ją ignorować, odrzucając jej argumenty jednym oschłym stwierdzeniem:

– Jestem za ciebie odpowiedzialny. Ja decyduję.

Płakała i wrzeszczała ze złości i jak rozkapryszone dziecko groziła, że ucieknie, chociaż wiedziała, że nie ma dokąd.

Kiedy wszystko zawiodło, nie przyjmowała prezentów od Sagera i dąsała się. Chodziła przygnębiona. Brat jednak się nie ugiął.

– Dałem słowo – powiedział. – Niehonorowo byłoby je złamać.

Teraz, leżąc na skale, skąpana w porannym słońcu, żałowała, że nie ma już ojca. Obroniłby ją. Pomimo szaleństwa chciałby ją mieć blisko siebie. Być może spytałby ją nawet, co zamierza zrobić. Być może jej opinia miałaby jakieś znaczenie.

Usłyszała Abuda i Hamuda i spojrzała w górę.

Próbowała przekonać ich, że jej potrzebują, ale jakimś cudem, kiedy była w Maazoolah, wyrośli na małych mężczyzn, świadomych władzy przypisanej ich płci. Stali w pewnej odległości od niej w dolinie, tuż za ruinami. Już nie skakali jak mali chłopcy, tylko przechadzali się z poważnymi minami. Od czasu do czasu uderzali laskami jakiś krzak albo rozbijali grudkę ziemi.

Nic więcej nie mogła powiedzieć. Nic więcej nie mogła zrobić. Noora zwiesiła nogi poza krawędź półki i zmrużonymi oczami spojrzała w niebo: wielkie, błękitne, olśniewające. Niedługo pojawią się swatki, żeby dobić targu. Sprawdzą dokładnie, czy w domu jest czysto, czy Noora ma dwoje czy troje oczu. Uśmiechnęła się szyderczo na tę myśl i ziewnęła.

18

J uż czas – oznajmiła Gulsom.

Przez siedem dni Gulsom i Sakina przygotowywały Noorę do nowego życia: wykąpały ją, podkreśliły oczy kholem, zmiękczyły włosy i skórę olejkiem jaśminowym, okadziły ambrą i piżmem, wyperfumowały ją olejkiem różanym i sandałowym, pokryły dłonie i podeszwy stóp wzorami z henny. Była gotowa.

Wciśnięta pomiędzy swatki, Noora wyszła z domu. Na sukience miała jedwabną tobe panny młodej z przezroczystej tkaniny w kolorze butelkowej zieleni, ozdobioną tu i ówdzie srebrnym haftem. Głowę okrywała jej chusta, całe zaś ciało abaja. W polu jej widzenia pojawił się raczkujący niemowlak, żałosnym płaczem skarżąc się na kozę, która wyrwała mu z ręki kawałek chleba. Nie widziała, jak się zbliża, i prawie się o niego potknęła w za małych klapkach, które kupił jej Sager, ponieważ burka uniemożliwiała zobaczenie tego, co jest z boku. Było to jeszcze jedno ograniczenie, do którego powinna przywyknąć. Jako mężatka musi ją nosić przy innych. Burka więziła jej twarz jak wilgotna druga skóra.

Oficjalne porozumienie zostało zawarte zaledwie dzień wcześniej. O świcie ojciec Faradża, szejk Khaled, który był zwierzchnikiem religijnym Nassajem, wszedł do chaty w towarzystwie Sagera, dwóch świadków i przyszłego męża Noory, Jassema. Kiedy indziej, powodowana ciekawością, zerkałaby ukradkiem na mężczyznę, który niebawem ma zostać jej mężem, jednak nieśmiałość i dziwne poczucie obowiązku kazały jej wbić wzrok w podłogę. Szejk Khaled zapytał, czy przyjmuje Jassema za męża, a ona potwierdziła. Cały proces był bardzo prosty.

– Dziewczyna się zgadza – oznajmił szejk Khaled. Obyło się bez większego zamieszania i kiedy mężczyźni wyszli z chaty, Noora zastygła, ogłupiała i zdumiona faktem, że nie miała odwagi zaprotestować.

Kiedy szły krętymi uliczkami Nassajem, Gulsom odbiło się mięsem i ryżem. Ostra woń wkradła się pod burkę Noory i tam pozostała. Gulsom krzyknęła:

– Nie tłoczyć się wokół panny młodej!

Tyle że w Nassajem nie było żadnego tłumu, nie licząc kilku dziewcząt, które przerwały rozwieszanie prania na płaskich dachach domów, żeby popatrzeć na trzy dostojnie kroczące kobiety. Gdzie podziali się mieszkańcy wioski? Dlaczego nie słychać zamieszania, jak poprzedniego wieczoru, kiedy Jassem polecił zarżnąć piętnaście kóz na ślubną ucztę? Jej ucztę. Ucztę, o której słyszała od podekscytowanych kobiet, ucztę, w której nie mogła uczestniczyć, gdyż jako panna młoda musiała pozostawać w ukryciu, aż mąż ją zabierze.

Dopiero kiedy w polu jej widzenia pojawił się wioskowy meczet, usłyszała wibrujące ślubne nawoływanie. Kobiety i dzieci czekały u stóp zbocza stanowiącego punkt graniczny między skałami a piaszczystym wybrzeżem.

Gulsom chrząknęła zadowolona, gdy wszyscy otoczyli Noorę.

– Zróbcie przejście. Dajcie pannie młodej trochę powietrza! – Kobiety ułożyły usta w trąbkę i znów wprawiły języki w wibracje. Wtedy Noora poczuła pierwsze ukłucie paniki.

Przy akompaniamencie ślubnych treli i kołyszącego się tłumu życzliwych osób oraz gorąca bijącego od dzieci, czepiających się jej abaji, poczuła, jak żołądek zaciska jej się w węzeł, a w gardle pojawia się kwaśny posmak. Jej podróż dobiega końca. A może to dopiero początek? Bez względu na to, co myślała, rozmowy się skończyły. Nadeszła rzeczywistość – jej rzeczywistość – i ta świadomość przyprawiała ją o zawrót głowy.

– Jesteśmy prawie na miejscu – wyszeptała Sakina.

Słońce przenikające przez otwory i tkaninę pociemniało, a góry przybrały odcień szarości, Noora zaś po raz pierwszy w życiu zobaczyła morze. Jaki ogrom wody! Ciągnęło się tak daleko, jak sięgał jej wzrok, było takie błękitne, ciemniejsze niż niebo. Nieograniczona głębia tajemnic. Mocniej ścisnęła Sakinę za ramię.

– Nie bój się – powiedziała Sakina głosem drżącym z emocji, jak matka, która lada chwila ma stracić córkę.

– Po prostu patrz przed siebie, tylko jeden krok do przodu, jak w życiu.

– Ale ta woda – wymamrotała Noora, kiedy kamienisty piasek wsypywał jej się do butów. – Muszę ją przepłynąć, a ona nie ma końca.

Sager czekał na nią z jej mężem przy łodzi wiosłowej, która miała ich zabrać na większą łódź, jelbut. Kiedy Gulsom opisała handlarza pereł, Jassema, jako „dojrzałego mężczyznę", Noora założyła, że jest w wieku jej ojca. Jednak wyglądał na przynajmniej o dziesięć lat starszego – mógł mieć około pięćdziesiątki. Stał, promieniejąc w białej diszdaszy i gitrze starannie zawiniętej w turban. Wyprostował się, wypiął pierś i brzuch, pewny siebie jak każdy bogacz.

Podczas mozolnej wędrówki w stronę brzegu Noora zauważyła trzeciego mężczyznę, który pochylił się, żeby ustabilizować łódź kołyszącą się na falach. Włosy wystające spod gitry zwisały w jedwabistych pasmach wokół jego brody. Wyglądał na kilka lat starszego niż Sager, mniej więcej dwudziestoletniego.

Kołysanie fal poruszyło łódź.

– Trzymaj ją nieruchomo, Hamadzie – polecił Jassem młodemu mężczyźnie. – Zbierajmy się. Trzeba skorzystać ze wzmagającego się wiatru.

Przerażające! Noora musi wejść do tej maleńkiej łodzi. Łomotanie w piersi zagłuszyło wszystkie inne dźwięki. Zaczęła oddychać ciężko i chrapliwie jak zmęczony pies. To gorsze niż wtedy, kiedy zaatakował ją ojciec! Wtedy przynajmniej wiedziała, że boi się jego szaleństwa. Lecz czego boi się teraz? Rozciągającego się przed nią bezmiaru czy czegoś innego? Kiedy Jassem i Sager wyciągnęli ręce, żeby pomóc jej wejść do łódki, cofnęła się.

– Co się z nią dzieje? – zapytał Jassem.

Poczuła, jak Gulsom obejmuje ją w talii i popycha do przodu.

– Nie bądź niemądra! – wyszeptała. – Zachowaj godność! Niczego się od nas nie nauczyłaś?

Jej głos kłuł jak żądło pszczoły.

Noora rzuciła okiem na otaczające ją twarze. Była zła, że urządza scenę, okazując słabość. Jednak nic nie mogła na to poradzić. Poczucie zagrożenia, którego nie rozumiała, powstrzymywało ją od wejścia do łodzi. A może czepia się cienia szansy, że ktoś ją ocali?

Gulsom znowu ją pchnęła. Wtedy Noora ukryła twarz w dłoniach i upadła na piasek. Będą ją musieli na tę łódź zanieść.

– Odbyłem tak długą podróż, a ona zachowuje się w ten sposób? – prychnął Jassem. – Nie zdaje sobie sprawy, jakie ma szczęście, że zabieram ją z tego... tego... żałosnego ubóstwa?

Wtedy odezwał się jej brat:

– Pozwól, że z nią pomówię.

Noora wyczuła, że klęka obok niej. Jego palce znalazły drogę do jej brody – miękkie i delikatne – i uniosły jej głowę, ale kiedy próbowała pochwycić jego spojrzenie, nie udało jej się. Sager spoglądał nerwowo to na Jassema, to na tłum kłębiący się wokół nich. On także czuł się nieswojo.

– Musisz iść – powiedział. – To już postanowione. Dokonało się.

Nadzieja zniknęła. Noora szukała na jego twarzy oznak żalu, jakiegoś uczucia, które mogłaby ze sobą zabrać, o którym będzie mogła myśleć, kiedy zostanie sama.

– Teraz należysz do niego – wyszeptał Sager. – Nie mogę ci pomóc. Ani nikt inny. – Umilkł na chwilę. – Dbaj o siebie.

Spuścił wzrok i cmoknął ją pośpiesznie w czoło.

Zacisnęła powieki i wyszeptała: „Nie wolno mi zbyt wiele oczekiwać, nie wolno mi zbyt wiele oczekiwać". Słońce znów pociemniało, a ona wymamrotała: „Powinnam się cieszyć, powinnam się cieszyć".

Kiedy zmusiła się, żeby wstać, usłyszała wokół westchnienia ulgi i szepty. Jej głowę wypełniły słowa swatek: „Musisz być posłuszna, musisz być posłuszna...".

Noora trzymała się kurczowo burty łodzi, gdy ta, kołysząc się, płynęła przez zatokę. Hamad każdym pociągnięciem wioseł pchał ich na większą głębinę. Miał duże i poważne oczy, jakby mieszkały w nich wszystkie problemy świata.

Noora westchnęła i przeniosła wzrok na drugi koniec łodzi. Siedział tam jej mąż, z głową zwróconą w stronę nagich klifów uczepionych zatoki Nassajem. Nozdrza drgały mu jak skrzydła, z ciemnych otworów wystawały szczeciniaste włosy. Co za paskudny nos! Jego koniuszek błyszczał w słońcu, podtrzymując okrągłe okulary w metalowych oprawkach.

Spojrzała na wodę. Nawet przez burkę widziała dno pokryte błyszczącymi kamykami. Jak tu jest głęboko? Czy
może zanurzyć rękę i wyłowić kilka?

Blisko dna przepłynęła ławica żółtych ryb. Ich jaskrawe
paski pochwyciły światło, po czym ryby, ścigając się, zaczęły okrążać omszoną skałę. Widziała ten świat po raz
pierwszy, podobnie jak ten, do którego zmierzała, cze-
kający na nią w miejscu zwanym Wadima.

19

Łódź gładko sunęła po falach, zostawiając za sobą zatokę. Noora wsłuchiwała się w stłumiony plusk wody uderzającej o ściany łodzi, siedząc w pachnącej stęchlizną kajucie pod pokładem. Siedziała na materacu, który miał jej służyć za łóżko, między dwoma workami ryżu, puszką masła ghee oraz kilkoma koszami daktyli. Był to schowek, który dzieliła z Latifą bint-Majed.

Latifa była kuzynką i pierwszą żoną Jassema. Towarzyszyła mu w podróży, żeby zaaprobować wybór nowej żony, i po jednej wizycie w domu swatek, głosem głuchym i chrapliwym jak dwa kamienie pocierane o siebie, zawyrokowała: „Będzie dobrze pasowała do twojego gospodarstwa".

Musiała być mniej więcej w wieku męża, ale wyglądała nieco starzej z powodu worków pod oczami i zwiotczałej skóry na szyi. Cała jej młodość kryła się w gęstych włosach, ufarbowanych na pomarańczowo henną. Ruchome elementy jej lejkowatych złotych kolczyków dzwoniły, kiedy zaplatała włosy w warkocze.

– Myślę, że droga do domu zajmie nam siedem dni lub nieco dłużej. – Jej ślina zderzyła się z drobinkami kurzu unoszącymi się w powietrzu.

– Tak, *ommi* Latifa – mruknęła Noora.

Latifa chciała, żeby Noora zwracała się do niej *ommi* Latifa, matko Latifo. Noora domyślała się, że tak siebie postrzega: jako swego rodzaju matkę młodszych żon Jassema. Noora była trzecią żoną. Latifa powiedziała jej, że druga żona Jassema, Szamsa bint-Juma bin-Humaid, ma dwadzieścia dwa lata i ożenił się z nią trzy lata temu.

To Jassem ustalił, gdzie będą mieszkały podczas podróży. Miały zostać pod pokładem, z dala od ciekawskich spojrzeń załogi. Przez godzinę rano i godzinę wieczorem mogły przebywać na pokładzie, by zaczerpnąć świeżego powietrza.

Noukhada, czyli kapitan, zawołał z góry:

– Wypływamy na otwarte morze!

Noora usłyszała kroki członków załogi i trzeszczenie drewna trącego o drewno. Żagiel zaszemrał i z szelestem wsunął się na miejsce, gotowy nadąć się pod naporem wiatru. Łódź uniosła się lekko, po czym opadła z łomotem. Nie kołysała się już tak łagodnie, jak na gładkich wodach zatoki.

Unosiła się i opadała tak długo, że żołądek Noory poszedł w jej ślady. Oddychała głęboko przez nos, ale zapach starego drewna, kurzu i soli sprawiał, że było jej jeszcze bardziej niedobrze. Kiedy spróbowała oddychać przez usta, wilgoć zmieszana z kurzem osiadła jej na języku.

Łódź kołysała się jak stary muł. Od czasu do czasu wyrywała do przodu i opadała z hałasem, który wstrząsał jej drewnianym kadłubem. Noora raz za razem przełykała ślinę, ale kwaśny smak wymiotów nie chciał zniknąć. Wdrapywał się po jej gardle do góry tak długo, aż poczuła, że dłużej nie wytrzyma.

– Zbiera mi się na wymioty – wyjąkała.

Jassem skrzywił się i uznał, że trzeba się inaczej rozlokować. Jego żony miały zostać przeniesione na pokład, bliżej dziobu.

– Niedogodność, ale konieczna – powiedział do Latify, po czym dodał, zwracając się do Noory: – Dobrze, że nie zepsułaś całego jedzenia. Na górze poczujesz się lepiej. Musisz ssać limetę i pozwolić, żeby wiatr cię uleczył.

Polecił Hamadowi, żeby wyniósł ich materace na górę i po jednej stronie zamocował niskie zadaszenie. By zapewnić kobietom prywatność, Jassem kazał postawić dwa drewniane słupki, między którymi miał zawisnąć sztywny muślin. Parawan oddzielał jego żony od załogi.

Kiedy Noora wreszcie znalazła się na świeżym powietrzu, przestała zwracać uwagę na Latifę narzekającą na niewygody przeprowadzki i skupiła się na tym, żeby poczuć się lepiej. Ssała limetę, a jej twarz owiewał wiatr. Łykając słone powietrze, czuła, że mdłości powoli ustępują.

Wiatr szczypał ją w oczy, więc najpierw mrugała przez chwilę, a potem przesunęła wzrokiem wzdłuż linii brzegowej złożonej z nagich klifów i poszarpanych skał. Potem spojrzała na bezmiar błękitu i zanurzone w nim góry. Tuż przed nimi wyrastała największa z nich. Wydawała się zbyt duża, żeby można ją było opłynąć. Usłyszała, jak Jassem woła zza parawanu:

– Diabla skała! Trzymajcie się mocno, kobiety!

Noora zadrżała. Latifa mówiła jej, że pod skałą mieszkają diabły trzęsące każdą łodzią płynącą przesmykiem pomiędzy klifami a górą. Noora osunęła się na kolana i odmówiła szeptem modlitwę. Kiedy wpłynęli do przesmyku, poczuła, że łódź wibruje. Coś na pewno żyje w tej głębinie, coś niewidzialnego i strasznego. Podwodne tornado obracało ich, jakby nie ważyli więcej niż piórko. Latifa jednak siedziała pod daszkiem nieruchoma jak góra, ze skrzyżowanymi nogami, okryta cienkim kocem. Wyglądała jak namiot, którego maszt stanowiła jej głowa, uda zaś odgrywały rolę linek naciągających płótno.

Żagiel stracił kształt, łopocząc i szarpiąc się w proteście przeciwko wiatrowi, który wiał chyba ze wszystkich stron. Podmuch uniósł chustę Noory, porwał ją w powietrze nad parawanem i natychmiast jej warkocze się rozplotły.

Latifa krzyknęła do niej spod koca:

– Uczesz się. Wyglądasz jak dzikie zwierzę!

Jakby Noora nie wiedziała.

– To przez wiatr, *ommi* Latifa! – odkrzyknęła w odpowiedzi, przytrzymując wydętą chustę jedną ręką, a drugą chwytając włosy. – Nie mogę sobie z nimi poradzić. Włosy fruwają mi na wszystkie strony. A teraz jeszcze wiatr porwał mi chustę.

– I mów poprawnie!

Nie pierwszy raz Noora słyszała te słowa. Od kiedy poznała Latifę w domu swatek, ta nalegała, żeby dziewczyna pozbyła się górskiego akcentu.

Po chwili od strony namiotu znów rozległo się wołanie:

– Dlaczego, gdy mówisz, tak śmiesznie mlaskasz?

Jak ta starsza kobieta może myśleć w takiej chwili o poprawianiu jej wymowy?

– Wszyscy tak mówimy, *ommi* Latifa.

– Cóż, będziesz musiała zacząć mówić tak jak my. Inaczej wszyscy pomyślą, że jesteś głupia.

Noora nie odpowiedziała. Obserwowała, czego potrafią dokonać ukryte diabły. Ciągnęły łódź w stronę skały. Znów poczuła ostry smak wymiotów, kiedy łódka, trzeszcząc i skrzypiąc, miotała się na wodzie. Szarpnęło żaglem i usłyszała, jak Jassem woła:

– Ster lewo na burt!

Noora nie mogła dłużej patrzeć. Zwinęła się w kłębek, szybko przełykając ślinę i zasłaniając oczy rękami. To nie jest dobra pora na wymioty.

I wtedy jakimś cudem łódź się ustabilizowała i ruszyła do przodu. Wyglądało na to, że wyrwali się z diabelskiego uścisku. Noora zerknęła, rozsuwając palce, i dostrzegła koc Latify. Ostatnie wstrząsy zrzuciły go i teraz leżał pofałdowany wokół bioder kobiety. Latifa patrzyła na niego z grymasem niezadowolenia.

– Jak bardzo muszę się poświęcać dla innych? – jęknęła.
– Ile ze mnie zostanie?

Noora nie odpowiedziała. Wolała przełykać ślinę.

Jassem odchylił muślinowy parawan za jej plecami, mówiąc:

– Już jest spokojnie. Można chodzić.

Podniosła na niego wzrok i zobaczyła jego rozdęte nozdrza. Musiała wyglądać interesująco z potarganymi włosami wystającymi spod chusty i opadającymi na spoconą twarz, na pewno bardziej zieloną niż jej oczy. Mimo to wyciągnął do niej rękę.

– Chodź – powiedział – możesz teraz wstać i umyć twarz.

Przez chwilę zapomniała o przełykaniu. Trzymając Jassema za rękę, zwymiotowała na niego.

Wiatr ustał, łódź płynęła spokojnie. Jassem poszedł doprowadzić się do porządku, a Latifa, znów ukryta pod kocem, obserwowała świat przez jego sztywny splot. Nie skomentowała bałaganu, jakiego narobiła Noora, tylko nadal narzekała na niewygody:

– I to nazywają kocem? Jest tak wytarty, że czuję, jak przenika przez niego wiatr. A materac, na którym siedzę, jest tak cienki, że czuję, jak kości wbijają mi się w deski. – Stęknęła. – Teraz mi robi się niedobrze. Przynieście tu zaraz limety i wodę! – krzyknęła. – Hej, bin-Surour!

Jakby czekając na polecenie, w rogu parawanu pojawiła się ręka Hamada. Trzymał w niej kilka limetek i ociekający wodą dzbanek, który po omacku powiesił na drążku. Latifa odrzuciła koc i natychmiast zaczęła płukać usta wychylona za burtę. Wtedy za parawanem znowu pojawiła się ręka Hamada, tym razem trzymająca chustę Noory.

Noora sięgnęła po nią, lecz wiatr znów pokazał swoje szelmowskie oblicze. Wyrwał tkaninę z rąk Hamada i poniósł do nieba.

Spojrzała na niego. Wiedziała, że powinna spuścić wzrok, ale nie zrobiła tego, chłonąc intensywność jego nieruchomego spojrzenia – smutnego i czułego jednocześnie. Była to krótka chwila, ale dla Noory ciągnęła się jak bezsenna noc. Dopiero kiedy usłyszała potężne chrząknięcie i splunięcie Latify za burtę, wzdrygnęła się i podniosła ręce do policzków, mrugając na widok rdzawych kręgów ślubnej henny namalowanych na środku jej dłoni. Była mężatką patrzącą bezwstydnie na twarz innego mężczyzny.

Noora była zaintrygowana. Dlaczego ten chłopak tak jej się przyglądał? Przypomniała sobie jego twarz, prośbę w oczach. Był nieznajomym, ale z jakiegoś powodu miała wrażenie, że jest z nim związana. Dostrzegała u niego tę samą desperację, którą sama czuła. Może dlatego, że jego życie też należy do Jassema. Słuchając tego, co mówili żeglarze po drugiej stronie parawanu, wywnioskowała, że Hamad terminuje u jej męża. Czy czuje, że jest w potrzasku, tak jak ona?

Zauważyła rozdarcie w dolnym rogu parawanu, przy burcie, i szybko zdecydowała, że z tego skorzysta. Jeśli ułoży się na boku, tyłem do Latify, może udawać, że śpi. Oprze głowę na ręce, żeby znalazła się na wysokości rozdarcia. Wtedy wystarczy, że spojrzy przez dziurę, a zobaczy, co robi Hamad i reszta załogi.

Poczekała, aż Latifa ułoży się do drzemki, żeby przetestować swój pomysł, przygotowana do wprowadzenia niezbędnych korekt, na przykład oparcia się na łokciu, a nawet powiększenia rozdarcia, jeśli będzie to konieczne. Jednak zgodnie z jej przewidywaniami nie trzeba było niczego poprawiać. Noora najpierw zobaczyła stopy o zgrubiałych podeszwach. Duże stopy, małe stopy, wszystkie brązowe i stwardniałe od słońca i wiatru.

Przez wiele dni, gdy morze wspaniałomyślnie otwierało się przed nimi, a miejsce gór zajęły skaliste pagórki, Noora wypatrywała Hamada. Pozostawał jednak poza jej polem widzenia. Wreszcie pewnego ranka, gdy Noora obudziła się w pierwszych promieniach słońca, na plecach czując jego ciepło, usłyszała głos Hamada blisko parawanu. Trwało krótką chwilę, zanim odpędziła resztki senności i ułożyła się przy rozdarciu, żeby popatrzeć. Czuła drżenie powiek, próbując go wypatrzeć, ale dostrzegła tylko kawałek jego koszuli, po czym materiał parawanu, wydęty nagłym podmuchem wiatru, uderzył ją w otwarte oczy. Cofnęła się gwałtownie. Oczy piekły i łzawiły. Potarła je i wróciła na swoje stanowisko obserwacyjne.

Hamad zniknął. Teraz w polu widzenia pojawił się Jassem, sterujący łodzią na jej przeciwległym krańcu. Część mężczyzn przerwała pracę, żeby go posłuchać. Wyglądało na to, że Jassem właśnie skończył opowiadać jakąś zabawną historię. Zamknął oczy i zaśmiał się serdecznie. Noora zmarszczyła nos. Wyglądał na bardzo szczęśliwego. Właściwie czemu nie? Nigdy nie był biedny.

– Los sprzyja Jassemowi Saidowi bin-Mattarowi – powtarzała Latifa każdego dnia. – Jego ojciec, a przed nim jego dziad, byli handlarzami pereł. Sama więc widzisz, że dzięki tak imponującej rodzinnej tradycji urodził się bogatszy niż reszta mieszkańców wioski, a już na pewno pod szczęśliwszą gwiazdą. Stać go, żeby dobrze się ubierać i jeść pożywne zróżnicowane posiłki. Jednak niczego takiego nie robi. – Na tym etapie opisu męża, człowieka, którego darzyła ogromnym szacunkiem, zawsze z namaszczeniem kiwała głową. – Widzisz, on jest skromnym człowiekiem.

Morze rozkołysało delikatnie łódź, a wiatr zmienił kierunek i Noora usłyszała, co mówi Jassem. W jego słowach pobrzmiewała charakterystyczna nuta wyższości.

– Należy wieść proste życie. Nie mam racji, Hilalu?

– Tak – powiedział kapitan i dołączył do mężczyzn, którzy nie mieli nic przeciwko temu, żeby przedłużyć sobie przerwę i nie robić nic poza słuchaniem Jassema.

Jego głos przebijał się przez wiatr i łopotanie żagla.

– Wiodąc proste życie, będziecie szczęśliwi, gdy pewnego dnia stracicie swoje bogactwo. A to dlatego, że nigdy nie folgowaliście swoim zachciankom. Dlaczego mielibyście płacić więcej za jedzenie? Ja nie płacę, a wierzcie mi, że dobrze jadam. – Zachichotał i pogłaskał się po brzuchu. – Po co komu wszystkie te kosztowne przyprawy? Wszyscy powinniśmy jeść to, co ludzie prości: ryż i ryby. Tak – mówił z naciskiem – nie potrzebujemy kardamonu, szafranu, suszonych limetek czy innych tego typu irytujących przypraw, które zresztą są głównie na pokaz. Chcąc nadać potrawom charakter, wystarczy dodać kilka kropli świeżej zielonej limety.

Żeglarze zaczynali się niecierpliwić, bo słońce paliło ich głowy. Noora patrzyła na nich i zastanawiała się, czy wolno im zostawić go w połowie zdania, po prostu przestać na niego patrzeć i wrócić do swoich obowiązków. Nie ruszali się jednak z miejsca i Noora nie mogła dociec dlaczego. Czy dlatego, że od niego zależy ich utrzymanie i czują się w obowiązku słuchać jej brzuchatego męża, czy naprawdę ciekawi ich jego opowieść?

– Trzeba też pamiętać, żeby tą samą limetą nadawać potrawom smak przez cały tydzień – ciągnął Jassem, uśmiechając się i kończąc: – Kilka kropel limety dziennie, tak, to wszystko, czego potrzeba.

20

Następnego dnia skały ustąpiły miejsca rozległym wydmom w kolorze szafranu. Dzień później ich garby zbladły i spłaszczyły się, przechodząc w bagniste wybrzeże, z którego podrywały się mewy z piórami błyszczącymi w słońcu, i przelatywały obok żagla ich napędzanej wiatrem łodzi. Potem mknęły wzdłuż linii brzegowej pokrytej oślepiającym białym piaskiem.

Noora przywykła już do unoszenia się i opadania łodzi i kiedy tylko Latifa ucinała sobie drzemkę, ona spędzała czas na przyglądaniu się przez dziurę w parawanie ośmioosobowej załodze.

– Jeszcze nie minął tydzień, a on już ją przyprawia o mdłości. – To był Khamis, wiecznie skrzywiony tyczkowaty nurek.

– Odczuł to na własnej skórze. – Sangoor miał cudownie aksamitny głos i od czasu do czasu podśpiewywał.

Teraz znów nucił i Noora wiedziała, że to wstęp do piosenki.

Wraz z miłością opada czarny woal nocy,

Słodko-gorzkie wspomnienia wypełniają moje myśli.

Wspominam blask jej mlecznej skóry,

I łza płynie z moich oczu, lecz nie mogę o tym mówić.

Chętnie oddałbym wszystko,

poświęcił życie, idąc za jej słodkim głosem.

Namiot się poruszył.

– Znów te ośle porykiwania – wymamrotała Latifa i wygramoliła się spod koca. – Gdzie to my jesteśmy?

Kiedy patrzyła zmrużonymi oczami w słońce, Noora spytała:

– Czy mam kłopoty?

– Dlaczego miałabyś mieć kłopoty? – zdziwiła się Latifa.

– Chodzi mi o mojego męża... To znaczy, naszego męża... Pobrudziłam mu ubranie. Od tego czasu nie przyszedł do nas.

– Nie! A co ty sobie myślisz? Myślisz, że nie ma nic lepszego do roboty, niż pielęgnować twój chory żołądek; że nie potrzebują go do sterowania łodzią?

– Więc... nie mam kłopotów?

– Nie!

Po drugim „nie" Latifa znowu zakryła głowę i Noora wiedziała, że nie otrzyma odpowiedzi. I co z tego, że się nie pokazuje? Że wszyscy, łącznie z młodym Hamadem, trzymają się z daleka? Migały jej tylko jego ręce, brązowe od słońca, kiedy wyłaniały się zza parawanu, żeby podać to czy zabrać tamto. Jednak przysunęła się do rozdarcia. Dlaczego nie miałaby patrzeć? Zamiast Hamada dostrzegła jednak Jassema otwierającego zegarek.

– Piętnasta trzydzieści – oznajmił. Pociągnął nosem, jakby wyczuł odór psującej się ryby, i wskazał coś ręką. Dotarli do Limy.

Khor Marmar – Marmurowa Zatoka. Latifa opowiadała o niej Noorze, opisując jej odcień jako sto razy jaśniejszy niż morska woda. Pewien handlarz nazwał ją tak dawno temu, ponieważ przypominała mu marmur z meczetów w Persji i Indiach.

Handlarz miał rację. Noora musiała mrużyć oczy przed połyskliwym kawałkiem morza ustępującego miejsca zatoce, nad którą wznosiło się miasto Lima. Woda miała kolor lśniącej mlecznej bieli i była na tyle głęboka, że mogły po niej pływać łodzie. Lecz nie zawsze, tak przynajmniej twierdziła Latifa.

– Co miesiąc na kilka dni piasek wsysa całą wodę, zostawiając tylko odrobinę pośrodku. Wtedy można przejść pieszo z jednego krańca Limy na drugi. – Noora nie potrafiła sobie tego wyobrazić. – I pomyśl tylko, że kiedy nie ma wody, łodzie muszą tkwić oparte na jednej burcie i czekać, aż woda powróci i znów je uniesie.

Bajki! Noora popatrzyła przed siebie. Khor Marmar była wypełniona wodą, na której kołysały się łodzie wszelkich kształtów i rozmiarów. Do szorstkich kamieni koralowca, tworzących nabrzeże po wschodniej stronie, przycumowanych było około czterdziestu statków dau z żaglami przywiązanymi do masztów. Wokół i pomiędzy nimi na wodzie podskakiwały mniejsze łódki. Niektóre były wyciosane z pojedynczego pnia palmy, inne składały się z wielu liści palmowych połączonych sznurkiem. Były też maleńkie drewniane beczki udające łódki, w połowie zanurzone w wodzie, a w każdej siedziało jedno lub dwoje dzieci.

Widok był imponujący po usypiającym krajobrazie morza. Tak wielu ludzi! Mężczyźni kucający na piaszczystym brzegu, naprawiający sieci, pochylający się i podnoszący skrzynki, wiosłujący w poprzek laguny, stojący na brzegu i polerujący kadłuby łodzi, a nawet pływający wpław.

Tyle do obejrzenia! Jej wzrok powędrował w stronę domów stojących po obu stronach zatoki. W niczym nie przypominały kamiennych chat z jej gór. Miały gładkie ściany złote jak słońce – solidne sześciany ukoronowane niskimi wieżami.

– To wieże wiatrowe – wyjaśniła Latifa, kiwając głową. Zdjęła koc i wkładała burkę, upewniając się, czy dokładnie zakrywa jej twarz. – Chwytają wiatr i wprowadzają go do wnętrza domu. Chłód, chłodne powietrze.

Jaki geniusz to wymyślił? Z głową wypełnioną chłodnym, bardzo chłodnym powietrzem, Noora zaczęła liczyć wieże: trzydzieści wyrastało wzdłuż wschodniego brzegu i kolejne dwadzieścia wzdłuż zachodniego.

– Tylko bogacze mają wieże wiatrowe – zaznaczyła Latifa, a w jej głosie pobrzmiewała duma osoby zamożnej. – W naszym domu są dwie.

– Gdzie jest wasz dom?

Latifa machnęła ręką w powietrzu.

– Mieszkamy trochę dalej, w Wadimie. Stąd go nie widać.

Może jednak Sager wie, co dla niej dobre? Może to będzie lepsze życie? Po raz pierwszy Noora odważyła się mieć nadzieję. Czy dlatego, że to nowe miejsce tętni życiem? Zaraził ją niespodziewany zgiełk wokół niej po tylu dniach wsłuchiwania się w westchnienia morza.

Kiedy zeszła z łodzi, jej nastrój poprawił się jeszcze bardziej, ponieważ okazało się, że Jassem nie gniewa się, że zabrudziła mu diszdaszę kilka dni temu. Nie wydął na jej widok nozdrzy, nie skarcił. Był wesoły i nalegał, żeby kobiety towarzyszyły jemu i Hamadowi na targu w Limie, zanim ruszą w dalszą podróż do domu.

Był szczęśliwy jak dziecko z kieszeniami pełnymi słodyczy. Jego gitra obijała mu się o ramiona, kiedy szedł przodem, przed Hamadem i kobietami zamykającymi orszak. Minęli szemrzący rząd kobiet siedzących ze skrzyżowanymi nogami, z towarem rozłożonym na kawałkach materiału. Sprzedawały mydło i powidło: butelki, puszki, kawałki sznura i nici, małe paczuszki ziół, igły i guziki. Noora chłonęła to wszystko. Oczy Hamada przestały ją interesować. Rozpłynęły się w powietrzu wypełnionym wołaniem mężczyzn, którzy wypowiadali niezrozumiałe dla niej słowa. Języki perskie, hinduskie i afrykańskie mieszały się z arabskim oraz z beczeniem kóz na sprzedaż, które ich właściciele trzymali blisko siebie. Nawet Latifa była podekscytowana, trzymając Noorę mocno za ramię, zapominając na chwilę o swoich kruchych kościach. Ciągnęła dziewczynę za sobą z zaskakującą siłą, umykając przed machnięciem oślego ogona, przechodząc na drugą stronę ulicy, żeby przepuścić ciągnięty przez niego wóz wyładowany workami ryżu.

– Ryż, zielone limety, cebule, soczewica i rzodkiew – wyrecytowała głosem na tyle donośnym, żeby mieć pewność, iż Jassem ją usłyszał. Kiedy nie zareagował, dodała: – Oraz kilka wyjątkowych produktów.

Jassem zatrzymał się i odwrócił, żeby na nią spojrzeć.

– Wiesz, o czym mówię, mężu. O takich rzeczach jak granaty i banany.

– Granaty? Teraz nie sezon na nie – powiedział Jassem.

– Teraz jest na nie sezon. Zawsze przywożą je z Persji o tej porze.

Jassem niecierpliwie machnął ręką.

– Po co ci granaty, kobieto?

– No wiesz, dla ciebie i twojej nowej żony, jako miły gest – rzekła niepewnie.

– Miły gest? Nie, nie, nie, nie. To zbyt kłopotliwe. Jeśli pochlapie się ubranie ich czerwonym sokiem, nie można go doprać.

– Może więc banany?

– Żadnych bananów. Drogo kosztują, a szybko się kończą. Ugryziesz dwa kęsy i po bananie. – Zarechotał. – Tak szybko, że nie pamiętasz, jak smakowały. – Postukał się palcem w skroń, jakby był głęboko zamyślony i dodał: – Uważam, że powinniśmy kupić mango, czyste i słodkie.

Takimi słodyczami można sobie dogodzić. – Wykonał szeroki gest ręką. – Tak, mango. Tyle mango, ile zdołamy znaleźć. Tylko Noora usłyszała, jak Latifa wzdycha i szepcze:

– Przecież to nie sezon na mango.

Kiedy zagłębili się w półmrok wąskich uliczek, w nos uderzył ją ostry zapach przypraw i zaszczypały oczy. Gryząca mieszanka pieprzu, imbiru, goździków i kminku wycisnęła łzy, które osuszył łagodzący aromat kardamonu, cynamonu, kolendry i anyżu. Dopiero wtedy zauważyła snopy płowego światła, przebijające się przez zadaszenie z liści palmowych. Padały na ziemię, oświetlając szurające po niej stopy, ciasno zapełniające piaszczyste uliczki. W jaskrawych promieniach unosił się kurz.

Jako że, zdaniem Jassema, kupowanie przypraw jest marnotrawieniem pieniędzy, szybko przeszli uliczką, na której je sprzedawano, i skręcili w zaułek wypełniony rozpalonymi do czerwoności kowadłami. W powietrzu unosił się żar i donośny stukot młotków uderzających o metal. Było tu głośniej, ale mniej tłoczno. Uliczka rozwidlała się, a oni wybrali tę po prawej, gdzie Noora usłyszała odgłos piły tnącej drewno. Kichnęła, czując zapach świeżego drewna unoszący się w powietrzu wraz z drobnymi wiórami.

Potem uliczka krawców: spokojniejsza, przerywana tylko szumem uruchamianych i zatrzymywanych maszyn do szycia. Z półmroku trzeciego z rzędu sklepu wyłonił się mężczyzna z taką ilością kokosowego oleju na włosach, że zapach unosił się wokół otwartego stoiska. Pomachał do Jassema. „*Arbab*, panie, wróciłeś? Dobrze słyszałem? *Masha' Allah*, ożeniłeś się?". Wyglądało na to, że ogranicza się do używania tylko istotnych słów, a reszta tonie w mlaskaniu, jakie wydawał, zwijając czubek języka.

– Ach, Kumar! *Salam Alaikum!* – Jassem machnięciem ręki zbył jego powitanie i szedł dalej.

– Dlaczego biec tak szybko? Wejść napić się dobrej herbaty, dobrej, mocnej hinduskiej herbaty. Ty żonaty teraz, zatrzymaj się! Kup coś dla nowej żony. Dlaczego nie kupić upominków w moim sklepie? Najlepsiejsze tkaniny z Bombaju. Jakość pierwsza klasa, trzeba kupić!

Jassem roześmiał się i zatrzymał ze słowami:

– Wy, Hindusi, ciągle chcecie zarobić więcej pieniędzy. – Odwrócił się i zrobił kilka kroków, po czym uniósł brwi, rozpoznając drobnego mężczyznę z siwą kozią bródką, idącego w ich stronę.

– Ach, *Salam Alaikum* – odezwał się Jassem. – Jumo bin--Humaidzie, co robisz w samym środku targowiska? – Jassem powitał starszego mężczyznę, dotykając nosem jego nosa, a Hamad pocałował go w rękę.

– Odwiedzam tu kogoś. – Juma wskazał ręką przed siebie. – Bóg wie, że nie powinienem oddalać się tak bardzo od mojego sklepu. Ta wilgoć wdziera mi się pod skórę i łamie mnie od niej w kościach.

Jassem zachichotał.

– Wilgoć? Wilgoć jest wszędzie, mój przyjacielu. Osiada na dachach, przenika przez nasze ubrania, moczy ubity piasek, na którym stoisz. Morze, mój przyjacielu, kiedy mieszkasz nad morzem, wilgoć wciska się wszędzie. – Zarechotał, a jego przyjaciel podniósł rękę w geście powitania i zapytał Latifę o zdrowie. To wystarczyło: zdawkowe pytanie o zdrowie i Juma wraz z Latifą zaczęli recytować listę dolegliwości, na które cierpieli i cierpią. Były na niej bóle pleców i migreny, walenie serca i niestrawność, swędzenie i zawroty głowy. Wydawało się, że ich problemom nie ma końca, a Noora przestępowała z nogi na nogę, niecierpliwiąc się, zazdroszcząc Hamadowi, który uciekł na drugi koniec ulicy. Ona nie może tego zrobić. Musi zostać tam, gdzie stoi.

W pewnym momencie Jassem zakaszlał – poważnym kaszlem, który uciął ożywioną rozmowę Jumy i Latify.

– Ta druga kobieta to moja nowa żona! – oznajmił.

– Masz szczęście, Jassemie – powiedział Juma, a jego broda rozeszła się lekko na boki w uśmiechu, który zdaniem Noory wyglądał bardziej nerwowo, niż powinien. W drżących kościstych rękach trzymał laskę sprawiającą wrażenie, jakby była nie na swoim miejscu. Laska należała do silnego mężczyzny, a Juma bin-Humaid na pewno się do takich nie zaliczał.

– Musisz wiedzieć – szepnęła Latifa do Noory – że Juma bin-Humaid jest ojcem Szamsy, kupcem równie bogatym jak nasz mąż.

Druga żona, pomyślała Noora. To wyjaśnia jego zdenerwowanie. Musi mnie nienawidzić! Przyglądała się, jak starszy mężczyzna zaciska pięść na lasce, ale nie wzmocniło to chwytu, a tylko wprawiło dłoń w jeszcze większe drżenie.

Skrzyżował więc ręce wysoko na piersiach i zaczął przeczesywać palcami brodę. Były ziemiste i szorstkie, Noorze przywodziły na myśl więdnące gałązki, które często widywała w górach, czepiające się macierzystych drzew. Uśmiech zniknął z twarzy Jumy i wyglądało na to, że chce coś powiedzieć.

Jassem otoczył ręką jego kruche ramiona.

– *Masha' Allah*, ile zarobiłeś podczas mojej nieobecności? – zapytał.

– Tyle co zwykle. Ani więcej, ani mniej.

– To dobrze. Cóż, będziemy się zbierali. Musimy zrobić zakupy, zanim ruszymy w drogę do domu. – Mrugnął do Jumy. – Muszę rozdać trochę jedzenia w Wadimie, żeby uczcić przybycie mojej nowej żony. Przez cały dzień będą jedli mięso z ryżem.

– Poczekaj! – krzyknął Juma. – Zanim odejdziesz, musisz o czymś wiedzieć.

Brwi Jassema powędrowały nad okulary, jego nozdrza znieruchomiały, kiedy czekał na nowiny.

Jednak Juma się wahał, przyciskając laskę do piersi. Był tak kruchy, że Noora obawiała się, iż laska odciśnie się na skórze, zostawiając paskudnego siniaka.

– Wydaje mi się, że dzisiaj powietrze było bardziej wilgotne – wymamrotał Juma. – Jakby chciało mi się wgryźć w kości. Czujesz to?

Jassem rozejrzał się, jakby patrzył na niewidzialne powietrze.

– Myślę, że dzisiaj jesteś w niezbyt dobrej formie, Jumo. Może trochę odpoczniesz? Wróć do domu i połóż się.

Juma rozłożył ręce.

– Do domu, otóż to. Właśnie o domu chciałem z tobą porozmawiać. – Zakaszlał słabym kaszlem, który pasował do jego wyglądu. – Bardzo się cieszę z twojego małżeństwa, ale martwię się przez wzgląd na moją córkę.

Jassem chrząknął.

– Nie martw się, przywyknie.

Kiedy Noora zaczęła się zastanawiać, czy one, jako kobiety, powinny przysłuchiwać się rozmowie na tak delikatny temat, Latifa pociągnęła ją za abaję i odeszły kilka kroków dalej, do stoiska Kumara. Wzięła kupon materiału i spytała:

– Co myślisz o tym, Nooro? Zobacz, jakie miękkie płótno.

Kumar przyskoczył do frontu swojego stoiska.

– Nie, nie, nie, *ommi* Latifa – powiedział, wykrzywiając usta z niezadowolenia. – Dla nowej żony tylko jedwab. – Odwrócił się do Noory i rozłożył kupon jedwabiu połyskującego paskami w kolorach szafranu i koralu. – Widzisz? To najnowszy styl. Nazywa się *bu-glaim*.

Noora przyjrzała się tkaninie, ale wciąż podsłuchiwała, co mówi Juma.

– Nie wiem, czy przywyknie. Zupełnie, jakby ta moja córka zrodziła się z ognia. Jest bardzo rozgniewana.

– Jak to? Chcesz powiedzieć, że ci o tym powiedziała? – Jassem wydawał się zaskoczony. – Skąd wie?

– Niedobrze, niedobrze – szeptała Latifa. Skuliła się i przesunęła w głąb sklepu.

Kumar rozwinął trzy kolejne bele materiału, każdy gęsto tkany i gładki.

– *Bu-glaim* się nie podoba? Tutaj więcej tkanin pierwsza klasa: zielony, czerwony, fioletowy. Podoba się, podoba? Przy drugim „podoba?" Noora odwróciła wzrok, patrząc przez ramię na obydwu mężczyzn.

– Nie złość się – mówił Juma do Jassema. – Myślę, że to Latifa jej powiedziała, zanim wyjechałeś, no, wiesz, żeby ją przygotować.

Noora dostrzegła błysk w oczach Jassema, który wpatrywał się w starszą żonę.

– Co jeszcze powiedziała ci córka, kiedy pojechałeś do Wadimy, żeby się z nią zobaczyć? – spytał spokojnie.

– Och, nie, nie pojechałem do Wadimy. Ona przyjechała do mnie.

– Co? – warknął Jassem, a Noora odwróciła się pospiesznie, zderzając się głową z Kumarem, który właśnie wyszedł ze sklepu.

– Oho – wyszeptał – tylko więcej kłopotów, kiedy sprawić sobie kolejną kobietę.

– Tak, przyjechała, gdy tylko wyjechałeś, kilka tygodni temu – wyjaśnił Juma. – Teraz jest w moim domu.

– A co jej powiedziałeś, kiedy przyjechała w odwiedziny? – Jassem zniżył głos, ale gniewny pomruk pozostał.

– A co ja jej mogłem powiedzieć? Oznajmiłem, że może zostać do twojego powrotu, ale potem musi wracać do Wadimy. W końcu już do mnie nie należy. Jest twoja.

Jassem chrząknął.

– Jesteś dobrym przyjacielem i dobrym ojcem – powiedział. – Ale pora, żebym wreszcie uporządkował ten bałagan. Chodźmy po nią.

Ręka Jassema spoczywała ciężko na kruchych ramionach Jumy, gdy wyprowadzał go z alejki krawców w tempie, które wydawało się za szybkie dla starszego pana. Noora była zaniepokojona. Juma szedł, powłócząc nogami, z wyciągniętą szyją. Dwa razy się potknął, lecz ostre szarpnięcie Jassema stawiało go na nogi. Jak długo wytrzyma w uścisku jej przysadzistego męża? Wcześniejszy radosny nastrój zniknął bez śladu, a jego miejsce zajął pośpiech Jassema, pragnącego doprowadzić wszystko do porządku.

Noora i Latifa ruszyły za mężczyznami, którzy skręcili w uliczkę garncarzy i szli nią aż do samego końca, gdzie otwierała się na duży plac otoczony ścianami domów. Na placu czekał na nich Hamad, a kiedy Jassem się zatrzymał, Juma skorzystał z okazji i wywinął się z jego uścisku.

Plac Al-Barza. Był na nim taki tłum, że po ciszy małych uliczek Noora aż podskoczyła. Skierowała spojrzenie tam, gdzie introligator rozłożył na skrzynce swoje narzędzia. Na jego twarzy osiadł kurz z dalekich miejsc. Popołudniowe słońce rzucało miękkie światło na jego ogoloną głowę, kiedy przekładał pożółkłe strony starego Koranu, cierpliwie formując z nich schludny stosik. Obok niego na drewnianym stołku siedział mężczyzna o długiej szyi, a fryzjer stojący przed nim zajęty był przystrzyganiem mu brody.

– Panuje tu coraz większy bałagan – stwierdził Jassem, unosząc głowę tak wysoko, że jego nos wyglądał jak dziób wielkiego ptaka. Przesunął ręką po czole, wycierając krople potu, i odwrócił się do kobiet. – Trzymajcie się teraz blisko – powiedział, lawirując, żeby zejść z placu. – Nie chcę, żebyście się zgubiły. – Uchylił się przed metalową puszką kołyszącą się na drągu opartym na barkach sprzedawcy wody i dodał: – Albo zrobiły sobie krzywdę.

Hamad przytrzymywał ramię Jumy, a Latifa mocniej ścisnęła rękę Noory. Ruszyli za Jassemem, przeciskając się skrajem placu, przy akompaniamencie nawoływania tragarzy.

– Dwie *anas* i zaniosę zakupy, jeśli zechcesz!

Wyglądali jak sępy, balansując na jednokołowych wózkach w oczekiwaniu na zlecenie.

Obok nich, na zgrabnie skrzyżowanych nogach, siedzieli Beduini z wielbłądami i węglem na sprzedaż. Gapili się na tłum, a ich twarze miały rysy wyostrzone przez surowość pustyni. Noora zobaczyła starszego chłopca zagryzającego wargę, podczas gdy nastawiacz kości wciskał na miejsce jego złamany kciuk. Przez zgiełk doszedł do niej trzask kości i aż się skuliła. Targ tracił swój urok szybciej, niż się spodziewała. Czuła się bezbronna jak robak pełznący otwartą doliną. Wszystko może na nią spaść. Każdy może ją kopnąć lub nadepnąć.

Kurz wzbijany z ziemi tworzył tuman niosący smród potu i moczu. Dostrzegła dzieci i żebraków, ślepców i kaleki – i nieodmiennie jednego lub dwóch szaleńców.

– Ha! – parsknęła Latifa w swoją burkę. – Nikt nie wie, co z nimi zrobić, więc wałęsają się po ulicach jak bezpańskie psy. – Machnęła ręką w stronę szaleńca, który zbliżał się do nich tanecznym krokiem. – Wynocha! Odejdź!

Szaleniec rozłożył ramiona w głębokim ukłonie i puścił oko.

– Rzuć ardee na zbożny cel. Jestem zbożnym celem.

Blizna tuż nad lewą brwią zdradzała, że kiedyś wdał się w bijatykę, a jego łysą głowę pokrywały rany.

Wreszcie dotarli do przeciwnego końca placu i skręcili w pustą uliczkę. Kiedy Noora złapała haust czystszego powietrza, zauważyła, że szaleniec wciąż za nimi idzie, obracając się i żebrząc o *ardee*.

Jassem odezwał się do niego ostro:

– Odejdź!

Odwrócił się do Hamada i kazał mu pozbyć się głupca.

Hamad złapał mężczyznę za rękę i próbował go odciągnąć.

– Chodź, bądź rozsądny. Przestań nam przeszkadzać i odejdź.

Jednak szaleniec nie zamierzał być rozsądny.

– Co cię kosztuje wspomóc mnie? Nie proszę o błyszczącą rupię, tylko o ardee – maleńkie, zniszczone, zardzewiałe ardee.

– Nie mamy dla ciebie żadnych pieniędzy, więc odejdź.

– Hamad, szturchnął go w pierś.

Szaleniec zwiesił głowę i wywinął dolną wargę.

– Tylko ardee – zapiszczał. – Tylko jedno ardee. – Teraz mówił dziecinnym głosem, przyjmując nową strategię.

Zanim Hamad zdążył go odepchnąć, do akcji wkroczył Jassem. Miał twarz koloru granatu, którego odmówił Latifie. Na tę myśl Noora chciała zachichotać, ale dobrze wiedziała, że nie powinna.

– Są sposoby radzenia sobie z takimi ludźmi jak ten – powiedział do Hamada. – Pokażę ci.

Szaleniec podniósł ręce do uszu i pokazał żółte zęby, co ciekawe, wszystkie na swoim miejscu. Był to głupawy uśmiech dziecka, które ma za chwilę dostać prezent.

– Mówisz im raz czy drugi, żeby sobie poszli, ale nie słuchają – utyskiwał Jassem.

Szaleniec zakołysał się i oderwał dłonie od głowy.

– Nie trzeba. Dam sobie z nim radę – zapewnił Hamad.

– Jakoś się do tego nie kwapisz. – Jassem wyrwał Jumie laskę i uderzył szaleńca w ręce – cztery razy, szybko i mocno.

Żebrak gwałtownie wciągnął powietrze i osunął się na kolana. Spojrzał na handlarza pereł z twarzą zastygłą w szoku.

– Pluję na ciebie i ludzi, którzy sprowadzili cię na świat! – Jassem uniósł wysoko rękę i wymierzył kolejny cios. Noora poczuła, jak powietrze wibruje od siły laski, po raz kolejny lądującej na rękach mężczyzny.

Tym razem wrzasnął i włożył ręce pod pachy. Głowa opadła mu na piersi, zwinął się w kłębek.

Noora oddychała ciężko, a materiał burki wydymał się przy ustach. Chciała coś zrobić, lecz co? Czy może rzucić się między nich, spróbować powstrzymać Jassema, przyjąć na siebie jego razy? Znowu wciągnęła powietrze i burka przykleiła jej się do języka, poczuła szorstki splot w suchych ustach. Na myśl o zbliżeniu się do żebraka aż się skuliła.

Wszyscy patrzyli bezradnie. Znajdowali się na opustoszałej uliczce, dwie kobiety i dwaj mężczyźni, wiedzieli, że nie powinni się wtrącać. Juma wcisnął się między Noorę i Latifę, a przy każdym ciosie jego twarz drgała. Stojąca obok niego Latifa trzymała głowę wysoko, jakby unosiła się nad nimi. A ten chłopak, Hamad! Dlaczego stoi z boku, do niczego nieprzydatny? Noora przyjrzała się jego rękom, co najmniej dziesięć razy silniejszym niż ręce Jassema. Jedno smagnięcie – to by wystarczyło, żeby Jassem stracił równowagę. Hamad zaciskał i otwierał pięści, jakby pompował w nie siłę. Noora poczuła iskierkę nadziei. Znów spojrzała na jego ręce, czekając, aż wykorzysta ich moc. One jednak zwisały bezwładne.

Jassem znów uniósł rękę. Wziął głęboki oddech i uderzył szaleńca w plecy jeszcze dwa razy. Tym razem nie usłyszeli krzyku, lecz zduszony szloch.

Wreszcie czerwień zniknęła z twarzy Jassema.

– To cię nauczy moresu – wysapał. Lekcja udzielona przez Jassema była na tyle krótka, że nie zdążył zgromadzić się tłum. Z drugiego końca obserwowało ją tylko dwóch mężczyzn. – Na co się gapicie?! – krzyknął do nich Jassem. – Musi wiedzieć, że ma słuchać, kiedy się go grzecznie prosi.

– Przecież to szaleniec – zwrócił mu uwagę jeden z mężczyzn.

Jassem oddał laskę Jumie.

– Nawet szaleniec czuje ból.

– Ale szaleniec nie rozumie – powiedział drugi.

– Nie mam czasu sprzeczać się, czy szaleniec rozumie czy nie. – Jassem odwrócił głowę tak gwałtownie, że aż chrupnęło mu w szyi. – No dobrze, idziemy.

Zostawili za sobą skomlenie szaleńca, który trwał w tej samej pozycji – jak żółw z kończynami schowanymi pod skorupą. Juma, którego Jassem nie ciągnął już za sobą, zostawał w tyle i Noora słyszała jego urywany oddech.

– Będziesz dla niej dobry?! – krzyknął do Jassema. – To znaczy, nie będziesz jej miał za złe, że do nas przyszła? – Teraz było to błaganie. – To znaczy, to jest też jej dom, powinna mieć prawo widywać się z rodziną. W końcu jestem jej ojcem.

– Oczywiście, że będę dla niej dobry! – odkrzyknął Jassem, jakby był zirytowany, że musi spojrzeć przez ramię i odpowiedzieć. Po kilku kolejnych krokach zatrzymał się gwałtownie, spojrzał w niebo i powoli się odwrócił.

Kto następny dostanie laską? – zastanawiała się Noora. Jednak Jassem niczego takiego nie zrobił. Podszedł do nich zamaszystym krokiem i zwrócił się do Jumy, który przeczesywał palcami niesforną brodę:

– Posłuchaj – zaczął – nie chcę, żebyś się przejmował. Czy nie jestem dobrym muzułmaninem? Czy nie jest moją żoną?

A czy islam nie wymaga od nas, żebyśmy wszystkie żony traktowali jednakowo pod każdym względem?

Starszy mężczyzna pokiwał głową, choć nie miał pewności, czy powinien się uśmiechnąć. Kiedy spróbował westchnąć, udało mu się to połowicznie, jakby nagle przestał wydychać powietrze z płuc.

– Dobrze traktuję moje żony. Każda ma własną sypialnię. Dla mnie wszystkie znaczą tyle samo. Po prostu jedne są nowe, a inne nie.

Wreszcie Juma odetchnął głęboko.

– Tak... to znaczy... co takiego Szamsa właściwie zrobiła? Nic zdrożnego, nic niezgodnego z prawem. Odwiedziła tylko rodzinę pod nieobecność męża.

– Muszę natychmiast zabrać wszystkie kobiety do domu – powiedział wolno Jassem i Noora uniosła brwi, słysząc łagodność w jego głosie, ton przyjemny niczym szemrzący potok. Kiedy jednak zwrócił się do Hamada, mruczący potok, który obmywał jego gardło, znów wysechł.

– A ty na co tak patrzysz? Nie masz nic do roboty?

– Myślałem, że pan chce, żebym z panem poszedł.

– Po co? Rusz się i przynieś zapasy. Ja zabiorę kobiety do domu.

Hamad się zawahał.

– A co mam kupić?

– Nie potrafisz myśleć samodzielnie? Nie potrafisz wykonać najprostszego zadania? Wiesz, czego potrzebujemy. Rusz się!

– Nie mam pojęcia, dlaczego ten chłopak, bin-Surour, próbuje go jeszcze bardziej rozzłościć – wyszeptała Latifa do Noory. – Wie, co jemy w naszym domu: ryż, zielone limety, cebulę, soczewicę i rzodkiew.

21

Wciąż mając w pamięci atak Jassema na szaleńca, Noora była cicha jak myszka. Lepiej nie wtrącać się w sprawy takiego człowieka jak jej mąż. Postanowiła, że nie będzie się odzywała, dopóki nie dotrą do domu.

Zabrali Szamsę i wjechali na osłach do Wadimy, akurat gdy słońce schowało się za horyzontem, rozjaśniając niebo resztkami blasku. Noora powędrowała wzrokiem wzdłuż tego blasku nad morze, patrzyła, jak rozlewa się po wybrzeżu i maluje różową poświatą białe wydmy wznoszące się po drugiej stronie.

Pomiędzy wydmami a morzem rozciągała się Wadima, której owalny kształt zaczynał się od meczetu i małego sklepu, a kończył dużym domem. Wciśnięte pomiędzy te charakterystyczne punkty były chaty, *barasti*, ich ściany z liści palm wyznaczały bieg wijących się uliczek.

Minęli poławiaczy pereł i rybaków, którzy stali przy drodze i witali Jassema uniesieniem ręki. Z chat wyglądały kobiety i dzieci, próbując ją wypatrzyć. W końcu jest nową żoną przybyłą z daleka.

Noora usłyszała też ich słowa: „Która to ta młoda żona?".
Wiedziała, że trudno to odgadnąć. Wygląda tak samo jak
Latifa i Szamsa, spowite od stóp do głów w abaje, z twa-
rzami zasłoniętymi burkami i z nogami zwisającymi po
obu stronach oślich grzbietów.

Wiedziała też, że jest młodą żoną, która nie przybyła tak
uroczyście, jak powinna. Nie ma przy niej rodziny, która by
ją przywiozła, i żadnych oznak świętowania. Jednak nie
dbała o to. Chciała tylko zostać sama, żeby zastanowić się
nad kształtem swojego nowego życia.

Szamsa była panną młodą, której niczego nie brakowało.
Podczas podróży na dziobie łodzi Latifa opowiedziała Noorze ze szczegółami, jak zadbano o Szamsę, kiedy wychodziła
za Jassema trzy lata temu. Czterdzieści dni poprzedzających
ślub Szamsa spędziła samotnie w specjalnym pokoju
w swoim domu, gdzie jej rodzina przygotowywała ją do nowego życia. Postarali się, żeby przybrała na wadze dzięki co-
dziennej diecie składającej się z mleka i jajek, a jej skórę po-
krywano barwnikiem indygo i *warss*, mieszanką roślinną
o jaskrawozielonym kolorze, która wybielała cerę. Włosy
ułożono w skomplikowaną fryzurę, używając odżywczych
liści *yas*. A potem, jakby tego było mało, postarano się, żeby
pięknie pachniała. Użyto słodko pachnącego pudru z płatków
róży, szafranu i muszkatołowca. Cały ten proces upiększania
odbywał się za zamkniętymi drzwiami, kiedy mieszkańcy
wsi zajmowali się niezbędnymi przygotowaniami.

Noora zastanawiała się, czy teraz mieszkańcy wioski
czują się rozczarowani jej przyjazdem, pozbawieni należnego

im świętowania. Kiedy Jassem żenił się z Szamsą, miasto obchodziło to wydarzenie w atmosferze powszechnej radości, która trwała cały tydzień. Teraz ona jest panną młodą i wchodzi do domu najbogatszego człowieka w Wadimie cicho jak myszka.

Latifa, zupełnie jakby czytała jej w myślach, powiedziała:

– Tym razem jest zupełnie inaczej. Tym razem w pamięci nie pozostanie wyjątkowa suknia ślubna. – Jej głos trząsł się od coraz szybszego truchtu osła, na którym jechała obok Noory. – Ach, ślubna tobe Szamsy – ciągnęła. – Co to była za feeria barw: pasy we wszystkich kolorach tęczy bogato haftowane grubą srebrną nicią. A jakby tego było mało, miała na sobie tyle złota! Tak dużo, że z trudem utrzymywała proste plecy! – Zachichotała. – Wszystkie kobiety w Wadimie przyłączyły się do szycia tego stroju, *masha' Allah*. Przez cały tydzień bez zapłaty, tylko w zamian za obiad.

Noora otworzyła szeroko oczy ze zdziwienia. Czy wolno jej się odezwać? Latifa nie zwracała uwagi na dąsy Jassema, które unosiły się nad nimi niczym gęsta mgła, od kiedy dowiedział się, że Szamsa opuściła dom bez jego zgody. Jak postąpi ze swoją pierwszą, starszą żoną? Czy też zbije ją laską?

Wyglądało na to, że Latifa w ogóle się tym nie przejmuje. Jej radosny nastrój niemal wyprzedzał wolno dreptającego osła, a ona mówiła dalej: – A włosy: dwa grube warkocze, *masha' Allah*, opadające przy policzkach, z pobrzękującymi złotymi ozdobami. No i cała reszta. Głowa w warkoczykach – było ich dwadzieścia, trzydzieści, a może więcej – wszystkie nabłyszczone tak, że połyskiwały. A kiedy się ruszała, och... – Pokręciła głową na to wspomnienie. – Wtedy warkocze kołysały się w ten sposób, aj... aj...

Latifa czekała na reakcję Noory, ale ta postanowiła trzymać język za zębami, tak jak obiecała. Powietrze nagle znieruchomiało i poczuła się przytłoczona spowijającymi ją warstwami materiału. Czy to lepki dotyk morza?

Latifa mówiła coraz głośniej:

– Potem trzeba było zarżnąć kozy, oczyścić ryż, zemleć ziarno. Wszystko zostało przygotowane w wiosce. Ach, te ich rytmiczne śpiewy przerywane głuchymi uderzeniami mieszadeł, miażdżenie ziarna w wielkich pojemnikach. Potem gotowanie harissy. I znów, zauważ, bez żadnej zapłaty dla tych mężczyzn i kobiet, tylko w zamian za jedzenie.

Wydawało się, że Jassemowi jednak nie przeszkadza gadatliwość Latify. Nawet na nią nie spojrzał. Noora patrzyła, jak powoli jedzie na ośle, cichy niczym worek ryżu. Tym lepiej, pomyślała. Nie była gotowa na następne nieprzyjemne zdarzenia.

– Wszędzie unosił się zapach kadzidła. Wszyscy śpiewali i tańczyli – ciągnęła Latifa. – Było wspaniale i gwarno.

Mała dziewczynka wskazała Noorę ręką i wykrzyknęła:

– Panna młoda! To ta druga.

Noora była zaskoczona. Skąd może to wiedzieć? Dopiero gdy podążyła wzrokiem za palcem dziewczynki, zdała sobie sprawę, że chodzi o hennę, która zbladła już do koloru jasnego brązu, ale wciąż jest widoczna na podeszwach jej stóp. To henna ją zdradziła.

– Jesteście! – Zza ciężkich tekowych drzwi prowadzących do domu Jassema dobiegł piskliwy krzyk dziecka. Noora znieruchomiała. Była pewna, że w domu jej męża nie ma dzieci.

Małe łukowate drzwi, otoczone ciężkimi głównymi drzwiami, otworzyły się ze skrzypnięciem i na eleganckim ganku pojawiła się dziewczyna, która mogła być rok młodsza od Noory, o skórze bardziej błękitnej niż czarnej w migoczącym świetle lampy, którą trzymała w ręku. Burza kręconych włosów pod jej chustą była ujarzmiona za pomocą dwóch ciasno splecionych warkoczy. Dziewczyna uśmiechała się przesadnie szeroko, powtarzając:

– Chwała Bogu, jesteście. Wreszcie dotarliście.

– Tak, Jaqooto, jesteśmy na miejscu. Wszyscy razem i ktoś nowy. – Latifa mówiła cichym i spokojnym głosem. Noora domyśliła się, że stara się uspokoić tę podekscytowaną osóbkę, ale Jaqoota nie rozumiała (albo nie chciała rozumieć). Jej zęby połyskiwały, kiedy wydawała trel na cześć panny młodej.

W tym momencie odezwała się Szamsa:

– Ty głupia niewolnico, nie widzisz, że jesteśmy zmęczone? Zejdź mi z drogi!

Zsunęła się z osła i przepchnęła obok dziewczynę, niemal wbiegając do domu i wbijając grubą bransoletę w jej żebra.

– Au! – Jaqoota zgięła się w pół, nieco przesadnie, ale prawie natychmiast się wyprostowała. I wtedy pokazała w całej krasie białka wytrzeszczonych oczu. – Mam pójść i sprawdzić, czy wszystko z nią w porządku, *arbab*?

– Nie, zostaw ją – mruknął Jassem.

Latifa prychnęła z irytacją i wymamrotała:

– Mniejsza o nią. Chodź i pomóż mi zejść z tego głupiego osła.

Jaqoota wyciągnęła do niej rękę i pomogła zsunąć się na ziemię przy akompaniamencie nawoływania muezina. Nadeszła pora modlitwy o zachodzie słońca.

– Idę do meczetu – oznajmił Jassem. – Zrób ze wszystkim porządek, zanim wrócę.

– Słyszałaś, co powiedział – odezwała się Latifa, kiwając głową w stronę Noory. – Zabierz nową do jej pokoju. Niech się umyje i pomodli.

– Dobrze, *ommi* Latifa – powiedziała Jaqoota.

– Pokaż jej nasze zwyczaje. Wszystkie. Ona nie wie, jak my się tutaj zachowujemy, w prawdziwym domu.

– Dobrze, *ommi* Latifa.

– A potem rozmasujesz mi kark. – Latifa ciężkim krokiem ruszyła do swojego pokoju. – Jestem bez sił. Nie wiem, czy kiedykolwiek uda mi się wyprostować.

– Zrób to, zrób tamto – mamrotała Jaqoota, kiedy Latifa je zostawiła. – Takie masz życie, gdy jesteś niewolnicą.

Dała Noorze znak, żeby poszła za nią, i weszły na kwadratowy piaszczysty plac, który pełnił funkcję dziedzińca. Usłyszały dźwięk przypominający śmiech i zatrzymały się, żeby spojrzeć w górę na głożynę, rosnącą pośrodku. Na gałęzi siedział szpak. Ostatnie promienie słońca ukazywały jedynie połysk jego pomarańczowego dzioba i błyszczącego czarnego ogona.

– Dziwne – mruknęła Jaqoota. – Co on tu robi tak późno? Szpaki nigdy nie pojawiają się o tej porze.

Ptak zachichotał jeszcze raz i odleciał. Jaqoota wzruszyła ramionami i machnęła lampą w stronę odległego rogu domu i drzwi pod arkadą w kształcie litery L.

– To główny *majlis** domu, salon, w którym spędzamy czas latem – wyjaśniła z powagą. Wskazała prostokątną wieżę wznoszącą się nad nimi. – Widzisz ją? To wieża wiatrowa. Zasysa powietrze i wpuszcza je do pomieszczenia. – Twarz służącej lśniła w nieruchomym powietrzu. – Oczywiście teraz nie pracuje, bo *arbab* zatkał ją na zimę, żeby nie zniszczył jej deszcz i kurz. – Machnęła ręką w powietrzu przed sobą. – Zauważ, że dzisiaj pogoda jest letnia. – Machnęła lampą w drugą stronę domu. – Zobacz, tam jest druga. Ta wprowadza powietrze do *majlis* dla mężczyzn.

Noora obracała głowę to w stronę jednej wieży wiatrowej, to drugiej, jakby chciała, żeby wypuściły podmuch powietrza. Kleista wilgoć oblepiała je jak druga skóra.

– No dobrze, przygotujmy cię. – Jaqoota odwróciła się i ruszyła do wejścia, machając ręką w stronę dwóch pokojów po drugiej stronie domu, pomiędzy wieżami wiatrowymi. – Pokój *arbaba*, pokój *ommi* Latify. Pokój Szamsy.

---

* *Majlis* (arab.) – dosl. „miejsce do siedzenia".

Przez główne drzwi weszły do pokoju Noory miesz-
czącego się obok pokoju drugiej żony. Na przeciwległej
ścianie były drzwi prowadzące do mniejszego pokoju. W kąt
wciśnięte było łóżko z baldachimem, a obok niego na drewnianej skrzyni stała lampa, jednak wszystko tonęło w ciemnościach.

– Co ty widzisz przez te wszystkie warstwy, które cię za-
krywają? – spytała Jaqoota. – Nie musisz nosić tych ubrań,
kiedy jesteś w domu. Zdejmij je.

Noora zupełnie zapomniała, że wciąż jest zasłonięta.
Wyplątała się z abaji, i zdjęła burkę, pozwoliła, by shayla
osunęła jej się na ramiona.

Jaqoota gwałtownie wciągnęła powietrze i ujęła Noorę
pod brodę.

– Jaka ładna, *masha' Allah*. Masz twarz jak księżniczka.
Powiedz mi więc, księżniczko, jak się nazywasz?

– Noora al-Salmi.

Jaqoota zapiszczała.

– A to co za akcent?

Co za zuchwałość! – pomyślała Noora.

– Powiedz mi, Nooro al-Salmi, czy tam, skąd pocho-
dzisz, wszyscy tak mówią? – zapytała z uśmiechem służąca.

– To znaczy jak? – To spoufalanie się sprawiało, że Noora
czuła się nieswojo. Nie była pewna, jak odnosić się do tej
ni to dziewczyny, ni to kobiety, tryskającej dziecinną radością.

– Powiedz coś, proszę – nalegała Jaqoota. – Proszę, proszę, proszę!

– O co ci chodzi? Rozumiesz, co mówię, prawda?

Dziewczyna osunęła się na kolana i zgięła w pół, trzęsąc się ze śmiechu.

Nagle usłyszały walenie w ścianę i głos Szamsy, warkliwy ze złości. – Dosyć tego! Nie wiesz, że potrzebny nam odpoczynek?

– Cii. – Jaqoota podniosła rękę do ust, żeby zdusić śmiech. – Nie hałasuj.

– To nie ja hałasuję.

Jaqoota nadal chichotała.

– Chciałabym się roześmiać na głos, ale nie mogę. W tym domu jest teraz zbyt dużo gniewu.

Co za dziwne powitanie! Noora czekała na kolejny wybuch wesołości Jaqooty, ta jednak opanowała się i rzekła:

– Chodzi o to, że masz taki śmieszny akcent. – Wstała i wymieniła pozostałe części domu, wymachując rękami. – Wygódka jest w domu po drugiej stronie dziedzińca, daleko za *majlis* dla mężczyzn!

– W domu?

– Tak, to jedyny dom z wygódką. Pozostali mieszkańcy Wadimy załatwiają się nad morzem albo na wydmach.

Zanim Noora miała okazję zadać więcej pytań, Jaqoota opisała przybytek: cementowe podwyższenie z dziurą do ziemi. – Dziura jest przykryta płytą z drewna, żebyś nie wpadła do środka. Uwierz mi, nie chciałabyś tam wpaść. – I znów parsknęła śmiechem. Noorę zdumiewało, ile w tej dziewczynie jest radości.

Jaqoota otarła załzawione oczy i mówiła dalej:

– Oczywiście, żeby się umyć albo wykąpać, idziesz tam.
– Pokazała małe pomieszczenie obok. Noora zajrzała do środka. Była to łazienka z niskim sufitem. Na cementowej podłodze, która była pochylona w jedną stronę, dzięki czemu woda spływała do otworu w rogu, stał duży gliniany dzban.

– Gdzie wychodzi ta dziura?

– Na ulicę. Ten dom jest wyjątkowy. Ułatwia życie. Wodę do kąpieli bierze się ze studni.

– Powinnam codziennie przynosić wodę do domu?

– Przynosić wodę? *Masha' Allah*, ten dom ma własną studnię. – Jaqoota nie kryła dumy. – Na zewnątrz, przy kuchni.

I mają studnię w domu! Ci ludzie nie muszą pracować – pomyślała Noora.

– Ale woda z przydomowej studni ma gorzki posmak i pachnie stęchlizną. Dlatego pijemy wodę ze studni we wsi.

– Mam ją przynosić?

– Nie. – Na gładkim czole Jaqooty pojawiła się zmarszczka zdziwienia. – Tym zajmuje się sprzedawca wody, Jusef.

– Więc na czym polegają moje obowiązki?

Tym razem Jaqoota się nie roześmiała, tylko spojrzała Noorze w oczy.

– Nie wiesz? Twoim obowiązkiem jest urodzić dziecko.

Noora uklękła przy jedynym oknie w swoim pokoju i otworzyła okiennice. Widoki na dziedziniec zasłaniały grube pręty, a ona zastanawiała się nad logiką takiego rozwiązania. Jeśli pręty mają chronić przed włamywaczami, to czy nie powinny znajdować się na zewnętrznej ścianie? A jeśli ich zadaniem jest powstrzymanie jej przed ucieczką, to dokąd właściwie miałaby uciec?

Gdzieś z zewnątrz dobiegły wrzaski kocurów walczących o dominację. Jęknęła i powędrowała wzrokiem po głożynie, aż dosięgła pozbawionego życia nieba: ciemnografitowa plama uwięziona na kwadratowym dziedzińcu, którą słabo oświetlało migotliwe światło gwiazd. Objęła się rękami, czując miękkość własnych piersi i przypomniała sobie Raszida, który przytulił ją tamtego dnia w grocie. Wyrzekł się jej, decydując się słuchać matki, a Noora, zamiast o niego walczyć, uniosła się dumą. Co mogła powiedzieć? Jakie słowa coś by zmieniły? Westchnęła. Czy warto teraz się nad tym zastanawiać? Za późno, należy już do innego mężczyzny.

W domu panowała cisza. Jedyne dźwięki dochodziły z kuchni, gdzie Jaqoota przygotowywała kolację. Zapachy wpadały przez okno – ryba i może coś jeszcze, ale ostra woń ryby zawsze zwyciężał, tłumiąc wszystkie pozostałe.

Wstała, lecz poczuła zmęczenie. Usiadła na łóżku i opuściła głowę. Nie była głodna. Miała wrażenie, że nowe życie spoczywa na jej barkach jak ciężar.

Z kuchni doleciał zapach cebuli. W jej górach zaraz by się rozpłynął, sprawiając, że do ust napłynęłaby jej ślina. Woń cebuli byłaby sygnałem, że zbliża się smaczny posiłek. Tutaj łączył się z rybą i zastygał w powietrzu w postaci nieprzyjemnego zapachu, który długo nie chciał zniknąć.

Po drugiej stronie krat przemknęła Latifa, cicha jak duch, ciągnąc za sobą smugę dymu. Weszła do pokoju, a Noora miała zamiar zerwać się z łóżka, by okazać szacunek starszej kobiecie, lecz Latifa uniosła rękę.

– Nie wstawaj. Siedź, siedź. – Postawiła na skrzyni podstawkę do kadzidełek i miseczkę wypełnioną czymś, co wyglądało jak żółte błoto. – Urządziłaś się już, moja droga? – zapytała.

Noora pokiwała głową i skuliła się, słysząc coraz głośniejsze miauczenie dochodzące z zewnątrz.

– Te koty! – prychnęła Latifa. – Przez całą zimę co noc walczą ze sobą i miauczą. Nawet bez tych hałasów trudno zasnąć. – Chrząknęła. – Nieważne, dzięki Allahowi jesteśmy bezpieczni w domu. Postaramy się teraz, żebyś ładnie pachniała.

Noora zesztywniała, kiedy Latifa uniosła jej warkocze i wsunęła pod nie podstawkę z kadzidłem. Dym pachniał ambrą, wił się jak wąż do sufitu i na chwilę zdusił nieświeży zapach ryby i cebuli.

– Tak lepiej – uznała Latifa, odstawiając kadzidło na skrzynię. Zanurzyła trzy palce w żółtym błocie i przeciągnęła wzdłuż przedziałka Noory. – To szafran, żebyś ładnie pachniała i była pociągająca. – Znów zamoczyła palce w papce i narysowała linię na każdym policzku Noory. – Wiem, że swatki dobrze cię przygotowały, ale nie musisz trzymać się dokładnie wszystkiego, co ci powiedziały, kiedy on przyjdzie do ciebie dzisiaj wieczorem. – W jej głosie brzmiała troska, przemawiała niemal jak matka.

A więc to ma się stać dziś wieczorem. Stopy Noory drżały jak ryba wyrzucona na brzeg. Koniec czekania. Przywołała w myśli listę instrukcji, które Sakina i Gulsom poleciły jej zapamiętać.

– Którą część powinnam zlekceważyć?

– Wszystko, co ci powiedziały, jest przydatne – powiedziała Latifa, marszcząc z powagą brwi. – Nie musisz jednak przestrzegać nakazu, żeby się opierać.

Tę kwestię Gulsom wyraźnie podkreślała. Opierając się jak najdłużej pierwszej nocy, panna młoda podkreśla, że ma honor i poczucie własnej wartości. Udowadnia, że nie można posiąść jej zbyt łatwo, i to, czy będzie uległa, wcale nie jest takie pewne.

– Jak powinnam się zachować?

– Ach, to proste. Po prostu leż i nic nie rób.

Któryś z kotów na zewnątrz zwyciężył, ponieważ wrzaski nagle ustały. Noora splotła palce. Chciała skurczyć się jak suchy liść, który rozsypałby się przy pierwszym dotyku tego mężczyzny, tego nieznajomego, jej męża, który ma do niej przyjść, gdy tylko niebo z ciemnografitowego stanie się czarne.

22

Noora stała przed drzwiami do pokoju Jassema. W cieniu arkady do jej uszu dotarły pierwsze dźwięki melodii, którą znała aż za dobrze. Słyszała ją prawie co noc przez ostatnie dwa miesiące. Zaczynała się łagodnie, przerywanym nuceniem, które zapowiadało prawdziwą piosenkę. Potem jednak melodia podstępnie biegła w innym kierunku i nuty, jedna po drugiej, ustępowały miejsca długiej serii pomruków – kota mruczącego z zadowolenia. Te proste, komponowane na poczekaniu utwory, były jego melodiami pożądania, zakłócającymi ciszę za każdym razem, gdy jej pragnął.

Przyjdzie do mnie dzisiaj w nocy, pomyślała. Z tym wystającym okrągłym brzuchem. Przyjdzie do mojego pokoju po chwile intymności. Żołądek podszedł jej do gardła i poczuła drażniący kwaśny smak. Z trudem przełknęła. Mdliło ją. Przełykała raz za razem i nudności na chwilę ustąpiły. Tak samo nauczyła się tłumić większość uczuć towarzyszących jej w życiu nad morzem.

Oparła się o ścianę, zamknęła oczy i wyszeptała:

– Muszę być wdzięczna. Muszę być wdzięczna, że za niego wyszłam.

„Wdzięczna" to osobliwe słowo, które coraz częściej powtarzała, desperacko pragnąc, żeby wypełniło jej myśli i znieczuliło ciało, żeby nie czuła go, kiedy do niej przyjdzie. To się nigdy nie udawało. Słowo utrzymywało się przez krótki moment i przemykało jej przez głowę jak powiew wiatru. Czy należy być wdzięcznym za to, że są zaspokajane podstawowe potrzeby fizyczne i emocjonalne? Tej zagadki jej młody umysł nie potrafił rozwiązać.

Zakaszlała i krzyknęła do Jassema:

– Kolacja gotowa!

Melodia ucichła, a on chrząknął, co pozwoliło jej się domyślić, że zaraz do nich dołączy.

Noora szła w cieniu arkady i przecięła dziedziniec, żeby dołączyć do pozostałych żon. Siedziały na podłodze przy kuchni, z wyciągniętymi nogami, a ciężar ciała opierały na łokciach wbitych w twarde poduszki. Przed nimi leżała mata obiadowa z liści palmowych, na niej stała mała miska z daktylami, a po drugiej stronie półmisek z rzodkiewką i cebulą. Gorące potrawy wciąż były w kuchni, w garnku, żeby nie wystygły, zanim dołączy do nich *arbab* domu.

– No i gdzie on jest? Zawołałaś go? – dopytywała się Latifa. Jej burka przesuwała się, kiedy pogryzała rzodkiewkę. W przeciwieństwie do Noory i Szamsy Latifa nosiła burkę również w domu.

Noora usiadła i wyprostowała nogi.

– Idzie – powiedziała i spojrzała na twarz Szamsy, kremową jak mleko, nieskazitelną i pozbawioną blizn. Skóra Noory nie miała nic z wypielęgnowanej delikatności cery Szamsy, gładkości, jaką zapewnia wygodne życie. Nie potrafiła nie zachwycać się jej bielą, błyszczącą niczym księżyc nawet w słabym świetle lampy. Brwi stykały się nad zgrabnym nosem Szamsy. Teraz uniosła jedną, a druga poszła w jej ślady.

– Na co patrzysz? – prychnęła druga żona. – Gdybyś zrobiła, co trzeba, przestałby nas tak ignorować.

Noora czekała na dalszy ciąg. To była codzienna porcja pogardy Szamsy. Miała nadzieję, że pewnego dnia będzie potrafiła lekceważyć gniew tej kobiety, nie zwracać na niego uwagi, nie pozwalać, żeby przypominał jej, iż jej zadaniem w tym domu jest zajść w ciążę.

– To od ciebie zależy, czy dasz mu dziecko – mówiła Szamsa. – Ale nawet tego nie potrafisz. Myślisz, że po co cię tu sprowadził?

Noora chciała coś powiedzieć, rzucić jakieś oskarżenie. Dlaczego Szamsa nie spełniła swojego obowiązku? Przecież towarzyszy mu w łóżku od trzech lat.

– Czekaj tylko, ty górska dziewczyno! Brak dziecka oznacza – pokazała kciukiem drzwi – że w końcu trafisz na ulicę!

Latifa pochyliła się do przodu:

– Cicho bądź. On zaraz tu będzie, a wiesz, jak nie lubi kłótni.

Szamsa spojrzała na Noorę kątem oka i poprawiła grzywkę, chociaż nie było to potrzebne. Podobnie jak

Noora, miała krótką grzywkę, która nigdy się nie mierzwiła. Taka fryzura miała podkreślić piękno jej twarzy i cery. Nie! Znów się popisuje.

Po jej delikatnym nadgarstku zsunęła się gruba złota bransoleta. To był kolejny pokaz, w jakim luksusie się urodziła. Za każdym razem udawało się jej sprawić, że Noora czuła się nieważna. Za każdym razem podkopywała resztki jej pewności siebie. Noora dotknęła trzech cienkich pierścionków na środkowym palcu i schowała dłonie między udami.

– Nie wiem, co on w niej widzi – gderała Szamsa. – Popatrz tylko na jej stopy, skóra grubsza niż u zwierzęcia. Całe życie biegała na bosaka po górach, w końcu pewnie twardnieją jak kopyta, i chyba nie bez powodu. – Westchnęła. – Przecież jest tylko kozą z gór.

– Kiedy mówię „dosyć", nie żartuję – Latifa szturchnęła ją w kolano. – Ile razy mam tracić na ciebie głos? Jesteś taka niewdzięczna. Kiedy byłam w twoim wieku, musiałam się pogodzić z przyjściem dwóch innych młodych żon. – Zrobiła przerwę, żeby podkreślić wyjątkową mądrość, jaką nabyła podczas swojego długiego pożycia małżeńskiego. – Nie wykłócałam się jak ty. Kiedy te biedne dziewczęta zmarły, niech Bóg ma ich dusze w opiece, starałam się ulżyć mężowi, najlepiej jak umiałam. Nie męczyłam go ani nie zawracałam mu głowy drobnostkami. – Zamknęła oczy i czekała na reakcję.

– Tak, *ommi* Latifa, miałaś ciężkie życie – wymamrotała Noora, starając się zignorować uśmieszek Szamsy, gdy usiadła po turecku, żeby ukryć stopy.

Powieki Latify zadrżały i otworzyła oczy, w których błyszczały łzy.

– Nie wiecie, jakie macie szczęście. Wasze zmartwienia dotyczą drobnostek. Kiedy ja byłam jedyną żoną, prowadziłam całe gospodarstwo, nie zwracając uwagi na bóle pleców, kolan i wszystkie inne. – Jej głos stał się mocniejszy. – Nie narzekałam. Gotowałam, sprzątałam, prałam. Do pomocy miałam tylko matkę Jaqooty, niech Bóg ma jej duszę w opiece, ale była słaba, więc to ja wykonywałam większość prac. Teraz przynajmniej macie Jaqootę do pomocy, młodą i silną. Zresztą, nie ciąży na was zbyt wiele poważnych obowiązków.

Noora usłyszała brzęk garnków w kuchni. Dlaczego nie ma z nimi Jaqooty, żeby mogła coś powiedzieć (prawdę!), zdradzić, że jedyne, co robiła Latifa, to wydawanie poleceń jej matce, i że to matka Jaqooty sprzątała, prała i gotowała przez całe lata. Może Jaqoota usłyszałaby też myśli Noory i cisnęła nimi w Szamsę. Z jakiegoś powodu ta służąca mogła mówić, co chciała, i chociaż Latifa i Szamsa na nią krzyczały, nigdy nie uważały ją za wystarczająco ważną, żeby się z nią spierać. W końcu jest niewolnicą rodziny, jak jej rodzice i dziadkowie, własnością, którą należy obarczać pracą, a nie prowadzić z nią kłótnie. „Jej umysł jest inny niż ludzi wolnych! – mawiała Latifa. – Dlatego trzeba wziąć poprawkę na jej głupotę".

Noora zobaczyła, jak na dźwięk skrzypnięcia drzwi pokoju Jassema na jasnych policzkach Szamsy pojawia się rumieniec. Od ich przyjazdu do Wadimy nie szczędził jej surowych spojrzeń. Jassem ignorował ją i nie przychodził do jej sypialni. Wyglądało na to, że nie wybaczył jej tego, że pod jego nieobecność schroniła się w domu ojca. Szamsa oparła dłonie o podłogę, podniosła się i sapiąc z oburzenia, pomaszerowała do swojego pokoju.

Latifa pokręciła głową i mlasnęła.

– Znowu? Dlaczego ona to sobie robi? – Jeszcze raz, jak każdego wieczoru, Latifa pozwoli jej wylać trochę łez, po czym pośle kolację do jej pokoju. Głośno klaszcząc, powiedziała: – Ale tak to teraz wygląda i będzie musiała pogodzić się z sytuacją.

Kiedy patrzyły, jak Jassem przecina piaszczysty dziedziniec, Latifa nachyliła się do Noory i wyszeptała uroczystym tonem:

– Posłuchaj mnie, młoda Nooro. Kiedy dzisiejszej nocy cię odwiedzi, leż nieruchomo. – Przerwała i utkwiła wzrok w oczach dziewczyny, jakby dyktowała jej tajemny przepis, po czym podjęła: – W ten sposób nasienie zagnieździ się w twoim brzuchu i tylko wtedy rozwinie się z niego dziecko, którego wszyscy pragniemy.

Tej nocy Noora czekała na znajomy dźwięk kroków Jassema. Pragnęła jak najszybciej zajść w ciążę, bo dopiero wtedy będzie jej poświęcał mniej uwagi.

Siedziała zgarbiona z nogami zwisającymi z krawędzi łóżka, czekając na jego przybycie. Usłyszała pociągnięcie nosem dochodzące z drugiego pokoju: szlochanie Szamsy, powodowane nie tyle miłością, ile poczuciem, że jej się nie udało. Nie dała mu dziecka, a teraz może utracić swoją pozycję na rzecz nowej, uprzywilejowanej żony.

Jak szybko się rumieni – pomyślała Noora. Rankiem pojawiała się ze spuchniętymi oczami i czerwonym nosem, a Noora zastanawiała się, ile łez kryją te oczy. Czasem żałowała, że nie potrafi tak płakać. Jednak jej oczy wyschły dawno temu, kiedy Sager ją odesłał, odkąd zaczęła nowe życie w tym domu o kredowych ścianach. Teraz kłuł je tylko ostry ból upokorzenia.

I oto są: ciche kroki pożądania zatrzymujące się przed jej drzwiami. Usłyszała skrzypnięcie, a Jassem zakaszlał i wszedł do środka. Nie potrafiła zrozumieć, dlaczego ciągle chrząka, zanim do niej przyjdzie. Myśli, że ona go nie słyszy? Spuściła głowę, czekając, aż on ją uniesie. Czy nie taka powinna być żona? Cierpliwa, uległa, tak jak tłumaczyły jej to Gulsom i Sakina. Podążyła wzrokiem za jego cieniem wędrującym po ścianie. Wstrzymała oddech.

Poczuła na brodzie jego pulchną dłoń unoszącą jej głowę, aż ich spojrzenia się spotkały. Po oprawce jego okularów (których nigdy nie zdejmował) przemknął błysk światła, a spoglądające zza nich oczy były poważne, jakby to było najważniejsze wydarzenie dnia. Jego dłonie zsunęły się na jej ramiona w mocnym uścisku, dając sygnał, żeby się położyła.

Głośno odkaszlnął, po czym zabrał się do rzeczy. Rozsunął jej nogi i podciągnął do góry diszdaszę, wkładając sobie jej rąbek do ust. Potem uniósł jej sukienkę i zwalił się na nią.

Noora wbiła wzrok w sufit i podtrzymujące go drewniane krokwie. Jak dobrze zna te brązowe kłody. Kamienny sufit się kruszy. Patrzyła, jak z góry spadają drobinki kurzu. Pokrywały tył głowy Jassema i wpadały jej do oczu. Poczuła, że łzawią i powstrzymała odruch mrugnięcia, chcąc zamazać tę chwilę osobistego upokorzenia.

Pojawił się jej nocny towarzysz: spod drewnianych belek wymknęła się mała jaszczurka. Znieruchomiała i skręciła łepek tak, że przez chwilę się w nią wpatrywała. Potem szybko wysunęła język, zabijając owada, którego Noora nie widziała.

Lampa stojąca na skrzyni przy łóżku rzucała poblask, a ich cienie odbijały się na ścianie. Widziała głowę Jessema, kształt nosa...

Usłyszała, jak ćmy uderzają w szklany klosz lampy, akompaniując pośpiesznym łopotem skrzydeł pomrukiwaniom męża. Potem słychać było syk i zapach ich spalonych skrzydeł, kiedy nurkowały w płomień niosący śmierć.

Może tym razem się uda, pomyślała, czując, że Jassem przyspiesza. Dziecko nie tylko przerwie te nocne wizyty, ale zapełni też puste godziny. Zamknęła oczy i skupiła się na swoim brzuchu, podczas gdy on jęczał i trząsł się, kończąc akt.

23

Jeśli będzie stała zupełnie nieruchomo, może uchwyci podmuch powietrza. Noora przykucnęła pod wieżą wiatrową w pokoju dziennym, jednak nie przedostało się tamtędy żadne powietrze. Chłodniejsze dni dawno się skończyły i lato ogłaszało swoje skwarne nadejście.

Noora przeszła szybko po palącym piasku i minęła dziedziniec, kierując się do wewnętrznych drzwi *majlis* dla mężczyzn, pomieszczenia, przez które wchodziło się do domu. Wciąż jest wczesne popołudnie i nie będzie tam jeszcze gości, którzy codziennie odwiedzają Jassema. Pomieszczenie było wysokie, a duże okna sięgały podłogi. Dzięki wieży wiatrowej było tam trochę chłodniej.

Drzwi były otwarte i zdziwiona Noora usłyszała głosy dobiegające ze środka. Zajrzała i zobaczyła Hamada trzymającego w jednej ręce dzbanek z kawą, a w drugiej kubki. Stał między siedzącym Jassemem i kapitanem Hilalem sterującym łodzią, którą Noora przypłynęła do Limy.

Przedstawiał całą listę palących problemów związanych ze zbliżającym się Wielkim Połowem.

– No i ludzie potrzebują pieniędzy, zaliczek, żeby ich rodziny miały się z czego utrzymać, zanim wrócą z morza – mówił.

– Oczywiście, że potrzebują – powiedział gderliwie Jassem. – Jak co roku.

Pieniądze! Miały moc wykrzywiania jego twarzy. Noora dostrzegła, jak kąciki ust męża się unoszą. Oczy miał ukryte za okularami, lekko zaparowanymi, gdyż powietrze było gorące i wilgotne.

Hamad nalał kawę do kubka i podał go kapitanowi. Kiedy czekał, żeby napełnić go ponownie, zaczął pochylać się w stronę wieży. Wydawało się, że on również szuka nieuchwytnego powiewu.

– Ilu ludzi tym razem potrzebuje pieniędzy? – zapytał.

– Wszyscy – odpowiedział kapitan i machnął pustym kubkiem w stronę Hamada.

– Co takiego? – Jassem zdjął okulary i wytarł je o koszulę. Teraz Noora widziała grymas i zdziwienie w jego oczach. – Wiedziałem, że część z nich będzie potrzebowała pieniędzy, ale żeby wszyscy? Ilu jest ich? Dwudziestu nurków i kolejnych dwudziestu holujących? Większość z nich nie odpracowała jeszcze zeszłorocznych zaliczek. Co oni sobie myślą? Że łatwo zarabiać pieniądze? – Jęknął i mrużąc oczy, spojrzał na drzwi wyjściowe prowadzące nad morze, jakby nie mógł się doczekać wizyty codziennych gości, jakby chciał, żeby weszli do środka i rozmawiali na inny temat. Jednak było jeszcze zbyt wcześnie.

Noukhada spróbował ponownie:

– Widzisz, *arbab*, ostatnio nam się nie wiedzie. Coraz trudniej znaleźć perły. Naprawdę nie wiem, co się dzieje.

– A co ja mam zrobić? Wkładać do ostryg własne perły? Tracisz kontrolę nad swoimi ludźmi. – Jego głos stał się ostrzejszy. – Powinieneś być dla nich bardziej surowy. Ustal normy. Niech pracują ciężej, żeby mogli więcej znaleźć. Jeśli nie zmusisz ich do pracy na pełnych obrotach, osłabną jak stare kobiety. Niech dłużej zostają pod wodą, żeby następnym razem mogli dłużej wytrzymać bez powietrza. Dopiero wtedy będą mogli znajdować więcej ostryg.

Hilal westchnął.

– Tak, rozumiem, co mówisz, ale jeśli będę ich zmuszał, żeby nurkowali częściej niż siedemdziesiąt czy osiemdziesiąt razy dziennie, jeszcze bardziej się pochorują.

– Nie jesteśmy od tego, żeby ich niańczyć!

– Już i tak morze surowo się z nimi obchodzi: mają osłabiony wzrok i słuch, chore płuca, a szaleństwo, kiedy wchodzi w nich ten zły duch...

– Tak, tak, tak – przerwał mu Jassem – rozumiem. – Chrząknął i założył okulary. – Tylko że ja muszę zadbać o zapasy na łodzi i wyżywienie. A potem, pod koniec rejsu, dostaję puste ostrygi. Uważasz, że to w porządku?

– Nie – odpowiedział kapitan. – Ale wiem, *insha' Allah*, że tym razem będzie inaczej. Zamierzam poszukać nowych raf.

– Nowych raf? Czy w ogóle istnieją? – Jassem załopotał tylną częścią koszuli, próbując nieco się ochłodzić. – Od stuleci poławiamy perły w całej zatoce. Nie sądzę, żeby w tych wodach kryły się jakieś tajemne rafy.

Noora patrzyła, jak kapitan kiwa głową, i miała nadzieję, że to koniec rozmowy. Chciała, żeby sobie poszli. Słaby podmuch poruszał zwisającym rąbkiem gitry Hamada zawiniętej na kształt turbanu. Usłyszała, jak żołądek Jassema wydaje długi jęk. Wiedziała już, że odzywa się jego niestrawność. Jeśli rozmowa nadal będzie się toczyła tym torem, zacznie mu się też odbijać. Dojdą też inne objawy, które zna aż za dobrze. Zawsze, kiedy Jassem musiał za coś zapłacić, robił się nerwowy, tracił cierpliwość w najdrobniejszych kwestiach i chodził z ponurą miną.

– Jest jeszcze kwestia łodzi do poławiania pereł – powiedział Hilal głosem niewiele głośniejszym od szeptu.

– Co z nią nie tak?

– Wspominałem już o tym. Trzeba ją naprawić w kilku miejscach.

– Tak, tak, tak. Czy to poważne naprawy?

– Chodzi o ogólną konserwację, a poza tym w kadłubie jest niewielka dziura, ale czułbym się bezpieczniej, gdybym naprawił ją, zanim wyruszymy. – Wypowiedział te słowa tak szybko, jakby miał nadzieję, że w ten sposób złagodzi rozdrażnienie Jassema.

– Wszyscy chcą dobrać się do mojej kieszeni, wykorzystać moją hojność – narzekał Jassem.

– *Masha' Allah*, bardzo dobry z pana człowiek.

Jassem beknął.

– Posłuchaj – powiedział – będę musiał sprawdzić, ile mogę wydać, zajrzeć do mojej księgi rachunkowej. Widzisz, nie jestem aż taki bogaty. A poza tym, wybieram się do Indii. A to też kosztuje.

Noora otworzyła usta. Jej mąż wybiera się w podróż! To najlepsze nowiny od czasu przyjazdu do Wadimy. Wreszcie zostawi ją w spokoju.

24

Przez wiele dni Noora czuła niezwykły przypływ energii. Zamiatała dziedziniec, wyrównując piasek, wycierała kurze w pokojach, doiła kozy i parzyła herbatę, wyrabiała ciasto i rozpalała ogień, by zagotować wodę. Chociaż Jassem jeszcze tego nie ogłosił, wyczekiwała dnia jego wyjazdu.

Pewnego dnia późnym popołudniem rozwinęła kupon różowego płótna, przyniesiony przez jedną z kobiet z wioski. Dzięki Latifie, która rozgłosiła wieści na temat tego, co nazywała „zaletami nowego członka rodziny, naszej trzeciej żony, pani domu", cała wieś szybko dowiedziała się o talencie Noory. Latifa opisała ją jako znakomitą szwaczkę. Tę umiejętność dodała do dwóch pozostałych „najważniejszych umiejętności", które powinna mieć każda żona: bioder w odpowiednim kształcie do rodzenia dzieci oraz długich miękkich włosów.

Na dziedzińcu panowała cisza. Jassem jeszcze nie wrócił ze swojego sklepu w Limie, a Szamsa i Latifa poszły z wizytą. Noora zabierała się do krojenia materiału, kiedy usłyszała znajome beczenie kóz przy wejściu do domu. Zawsze wracały o tej porze dnia po całodziennej wędrówce po wsi. Wolnym krokiem podeszła do drzwi i wpuściła je do środka, przeganiając w stronę zagrody ogrodzonej drutem, przy *majlis* dla mężczyzn. Tam spały razem z kurczakami.

– Macie jedzenie – powiedziała, zdziwiona melodyjnością, jaka pobrzmiewała w jej głosie. Nalała im do koryta wodę z ugotowanego na obiad ryżu i dodała trochę trawy.

– Chodź zobaczyć!

Noora zapomniała o Jaqoocie.

– O co chodzi? – spytała ostro, natychmiast żałując swojego zniecierpliwienia wywołanego zbyt śmiałym zachowaniem służącej. Jaqoota brała jej stronę, gdy tylko mogła. Mimo niewyparzonego języka i nieprzewidywalności Noora lubiła o niej myśleć jak o swego rodzaju przyjaciółce w tym pełnym cierpienia domu. – O co chodzi? – zapytała łagodniej.

Jaqoota złapała Noorę za rękę i pociągnęła w stronę pokoju Jassema. Pchnęła z jednej strony półotwarte drzwi i przyłożyła palec do ust.

– Ciii...

Noora zdziwiła się, że nie usłyszała, jak mąż wraca. Był odwrócony do nich tyłem, siedział ze skrzyżowanymi nogami przed szafką z palisandru. Jak dobrze Noora znała tę szeroką szafkę z trzema skrzydłami drzwi. Oglądała dokładnie wszystkie jej szczegóły zawsze, gdy ją odkurzała. Delikatne kwiatowe wzory pokrywały wnętrze i boki dwóch bogato rzeźbionych urn na szczycie. Tam chował do niej klucze.

Patrzyła, jak Jassem przesuwa palcami po krawędziach szafki, wzdłuż subtelnych wzorów, przedstawiających cienkie pnącza splatające się ze sobą, a także kwiaty – róże, chryzantemy, jaśmin. Wyglądało na to, że jego również pochłania ich uroda, aż dostrzegł własne odbicie w głębokim brązowym połysku. Odchylił się i poprawił rzednące włosy. Potem poskubał krótki zarost na brodzie i położył dłonie na udach.

– Kupił ją w Bombaju i o mało nie zginął, ratując ją podczas sztormu na łodzi – szepnęła Jaqoota.

Noora zasłoniła jej usta, zanim ta zaczęła chichotać.

Jassem dotknął wielofasetowego kryształowego uchwytu, przekręcił go i otworzył środkowe drzwiczki. Stał tam metalowy sejf, który otworzył się z kliknięciem.

– Chodźmy stąd – syknęła Noora.

– Nie, zostańmy. Chcę, żebyś zobaczyła, co jest w środku.

– Jaqoota spojrzała na nią porozumiewawczo.

Jassem wsunął rękę do sejfu, wyciągnął dwa zawiniątka z materiału i położył je na podłodze. Odetchnął głęboko i przez chwilę przebierał palcami, jakby miał dotknąć gorącego garnka, po czym rozwiązał większe zawiniątko. Węzeł ustąpił i na podłogę wysypały się perły.

Światło i cień tańczyły na perłach wielkości grochu staczających się z jego palców. Potem rozwiązał drugie zawiniątko i wysypał kolejną porcję cennych pereł: dziesięć dużych *dana*, które leżały niczym wytworne królowe, górując nad mniejszymi perłami.

– Trzy *dana* należały do jego dziadka i przekazał je w spadku jego ojcu – wyjaśniła Jaqoota. – Potem przypadły w udziale jemu, temu tłustemu szczęściarzowi. Resztę sam zgromadził.

Jassem wziął do ręki perłę *dana* i podniósł ją do góry. Kiedy padło na nią światło sączące się przez okno, nabrała lekko różowego blasku. Noora otworzyła usta. Nie mogła oderwać wzroku od mnogości połyskliwych kształtów. Tak ją to pochłonęło, że nie usłyszała skrzypnięcia drzwi, poczuła tylko, że Jaqoota ciągnie ją za rękę i wpycha do pokoju Latify. Ktoś nadchodził.

Noora wytarła strużkę śliny, która zebrała się w kąciku jej ust, kiedy patrzyły, jak Hamad przecina dziedziniec i wchodzi do pokoju Jassema.

– Zauroczona perłami, co? – uśmiechnęła się Jaqoota.

– Co za głupota – mruknęła Noora, zawstydzona, że tak się w nie wpatrywała. – To tylko perły, perły, które ludzie łowią w morskich głębinach z narażeniem życia, żeby ktoś taki jak Jassem się bogacił. – Zastanawiała się, ile warta jest ta *dana*. Czy mogłaby ją ukraść i kupić sobie nowe życie?

– Nie myśl, że możesz je tknąć. – Złowrogie słowa Jaqooty zabrzmiały jak pomruk burzy. – Kradzież jest *haram*, niedozwolona.

Noora rzuciła jej ostre spojrzenie.

– Ukraść? Nazywasz mnie złodziejką?

To były tylko myśli, takie same jak inne chodzące jej po głowie. Jak ta dziewczyna śmie ją oskarżać?

Jaqoota puściła do niej oko i zakołysała znacząco biodrami.

Tylko do tego nadają się ci ludzie o ciemniejszej skórze: do poruszania się jak anioły i do mówienia jak diabły.

– Nie jestem złodziejką, słyszysz?

Jaqoota uniosła brew i jej szerokie czoło przecięły zmarszczki. A Noora nie wytrzymała i uśmiechnęła się. Jaqoota po prostu znów gadała bzdury.

Wrócił Hamad i stanął na środku dziedzińca, wpatrując się w drzewo.

– A czego on chce od tego drzewa? – zdziwiła się Jaqoota. – Żeby się pochyliło i podało mu kilka liści?

Noora miała właśnie zachichotać, kiedy Hamad wyrzucił pięść w powietrze i kopnął piasek. Nawet w słabnącym świetle widać było jego nabiegłe krwią policzki.

– Co mu się stało? – szepnęła służąca.

– Nie wiem – odpowiedziała Noora.

Następnego dnia rano Jassem ogłosił nowinę: wyjeżdża do Indii, a Hamad zostanie, żeby się nimi zająć.

Noora uśmiechnęła się pod nosem. Będzie miała spokój w nocy. Będzie mogła słuchać szumu morza w swoim zalanym księżycowym światłem pokoju. Wiedziała też, że będzie musiała radzić sobie z Szamsą. Ale te noce! Cóż to będą za cudowne noce. Zamknie oczy i głęboko zaśnie.

Po śniadaniu Szamsa i Latifa udały się do swoich pokojów (zawsze odpoczywały po posiłku), a Jassem poszedł do sklepu. Takie panowały tu zwyczaje, ale Noora miała własne. Szła do *majlis* dla mężczyzn i wpatrywała się przez okno w morze.

Kiedy przecinała dziedziniec, do domu wszedł Hamad, niosąc worek z ryżem. Zauważyła poszarpany brzeg jego diszdaszy i pomyślała, że bez trudu mogłaby ją naprawić. Trzeba rozpruć brzeg, podłożyć i przeszyć mocnym szwem. Wystarczy, że ją poprosi. Jednak Hamad na nią nie patrzył, tylko z zaciśniętymi ustami szedł prosto do kuchni. Uklękła przy oknie i patrzyła przez kraty. Chociaż było wcześnie rano, powietrze, które wdychała, było ciepłe i wilgotne, jakby je wielokrotnie gotowano, po czym zostawiono na małym ogniu. Przed sobą miała pozbawione życia letnie niebo, zbielałe od słońca, wyglądającego jak niewyraźna plama. Blask był tak silny, że musiała zmrużyć oczy, by popatrzeć na rybaków reperujących sieci i żeglarzy pochylonych nad kawałkami płótna rozłożonymi na piasku, które cięli, by uszyć żagle. W chacie, gdzie urządzono szkółkę koraniczną, siedziały dzieci i kiwały się w przód i w tył, recytując wersy świętej księgi.

Noora dołączyła do nich, szepcząc ten sam wers. Kiedy się zacinały, ona też przerywała, aż nauczyciel podpowiedział im kilka słów, żeby mogły podjąć recytację. Tak samo postępował ojciec, kiedy uczył ją i Sagera Świętego Koranu.

Poczuła dławienie w gardle. Ojciec był taki cierpliwy. Kiedy gubiła wątek, spoglądał na nią surowo i nalegał, żeby się bardziej skupiła. Jednak Sager Ibrahim traktował inaczej. Używał grubej gałęzi, żeby karać go smagnięciem w lewą dłoń. Kilka razy, kiedy Sager wyraził dziecięcy protest, Ibrahim dołożył drugie uderzenie w prawą rękę chłopca.

Choć była mała – miała sześć czy siedem lat – Noora czuła ból brata. Po lekcjach chodziła za nim wszędzie, lecz Sager zawsze ją odtrącał. Kończyło się na tym, że obserwowała go z pewnej odległości. Zawsze znajdował jakiś ciemny zakątek, żeby się w nim zaszyć. A Noora czekała, aż wyliże rany. „Jesteś kwiatem, który on podlewa, a ja chwastem, który wyrywa!". W głosie Sagera zawsze było tyle mściwości. Czy to możliwe, że ta mściwość została z nim na zawsze? Dlatego wyrósł na gniewnego i ponurego młodzieńca? Noora coraz częściej zastanawiała się nad tymi kwestiami, nad tym, czy żywił do niej tak głęboką urazę, że ją odesłał.

Westchnęła i powędrowała wzrokiem w stronę horyzontu. Gdzieś tam są jej góry, szczyty z innych czasów i innego życia. Zmrużyła oczy i udawała, że je widzi, wyobraziła sobie ich poszarpaną linię. Gdzie jest ojciec? Czy żyje? A bracia – jak sobie bez niej radzą?

Znów uciekała w góry, jak się jej to często zdarzało. Jaki to ma sens? Potrząsnęła głową, żeby odegnać to drugie życie i wrócić do wrzawy dziecięcych głosów, dźwięków dochodzących z Wadimy, szumu fal i miauczenia kotów. Poczuła, że ma coraz cięższe powieki, i ziewnęła. To będzie dzień jak każdy inny.

Tej nocy coś się wydarzyło. Jassem przerwał w połowie miłosny akt, żeby z nią porozmawiać.

Najpierw Noora pomyślała, że tylko jej się wydaje, iż szepcze coś do niej chrapliwie. Zdążyła zobojętnieć na ruchy leżącego na niej mężczyzny. Była gdzie indziej, zajęta akrobacjami jaszczurek (teraz były trzy), liczeniem spalających się z trzaskiem ciem (tej nocy bardziej skłonnych do samobójstw).

– Nic z tego. – Te właśnie słowa wyszeptał i przekręcił się ciężko na plecy. – Nie starasz się, jak trzeba.

Co to znaczy?

– Ależ staram się, staram się – zapewniła z przejęciem. Wyobraziła sobie, jak następnego dnia wczesnym rankiem stoi w drzwiach ze swoim skromnym dobytkiem, wyrzucona z domu za to, że nie potrafiła wypełnić obowiązków żony.

Jassem cmoknął.

– Mówiła, że widzi dziecko. Tak powiedziała.

Noora nie odpowiedziała, nie patrzyła, jak jego brzuch unosi się i opada, kiedy próbuje odzyskać oddech. Zamieniła się w drewno, ciężką belkę przytwierdzoną do łóżka. O kim on mówi? Powędrowała palcami do koszuli i obciągnęła ją do kolan. Lepiej się tak nie obnażać.

Jassem zsunął nogi z łóżka i opuścił diszdaszę.

– Czy mnie oszukała? Jak ona to ujęła? Nie trać nadziei? Co za głupota. – Wziął lampę i trzymał ją nad głową Noory, wpatrując się w jej oczy. – „Bądź cierpliwy, a twoje marzenie się spełni" – wymamrotał. – Tak powiedziała.

Noora się skuliła. Głowę miała tak ciężką, że bała się, iż przebije nią materac. Chciała, żeby po prostu sobie poszedł. Z trudem przełknęła i zdołała wydobyć z siebie głos.

– Kto?

– Ta paskudna wiedźma z twoich gór! Musiałem się tak poświęcać, wysłuchać i spełnić tyle jej poleceń. Siedziałem pod zasuszonymi roślinami zwisającymi nad głową i słuchałem jej w tej śmierdzącej chacie wypełnionej mnóstwem butelek z... nieżywymi rzeczami. – Wzdrygnął się. – I jaka mnie za to spotkała nagroda? Żadna.

– To wola boża. On...

Jednak Jassem nie dał jej skończyć. Położył mięsisty palec na jej ustach i zbliżył twarz do jej twarzy. Kiedy zamknęła oczy, kazał jej je otworzyć i nie ruszać się. Patrzyła prosto na niego, była zdezorientowana. Wreszcie się odezwał:

– Pragnę tego płomienia w twoich oczach, który przede mną ukrywasz.

Co on ma na myśli? O jakim płomieniu mówi? On nie powiedział, a ona nie spytała.

Zamiast tego co noc siadał naprzeciwko niej na łóżku i zwierzał się ze wszystkiego, co leży mu na sercu. Opowiadał, jak wyglądał jego dzień w sklepie: kto go odwiedził, kogo widział w Limie. Zadawał jej pytania, na której nie znała odpowiedzi. Dlaczego burczy mu w żołądku zawsze, gdy jest zdenerwowany? Dlaczego mieszkańcy wioski tak wiele od niego oczekują? Dlaczego znudziła go Szamsa? Dlaczego Latifa ciągle zawraca mu głowę?

Od tej strony Jassem pokazywał się tylko przed nią. Mówił cichym głosem, pewnie dlatego, żeby nie było go słychać przez ścianę. Kiedy już wyrzucił z siebie wszystko, co chciał, zakładał ręce za głowę, rozprostowywał kręgosłup i wzdychał z ulgą.

Z nocy na noc był coraz bardziej skłonny do rozmowy niż spełniania małżeńskiego obowiązku, co zdecydowanie Noorze odpowiadało. Kiwała więc głową i uśmiechała się, kiedy robił przerwy, opowiadając zabawne historie, a marszczyła czoło, gdy temat stawał się poważny. A nawet trzymała go za rękę, gdy był zmartwiony.

Którejś nocy przyniósł gruby czarny notes. Była to jego księga rachunkowa, w której zapisywał wszystkie szczegóły dotyczące wydatków. Znajdowały się w niej informacje na temat sprzedanych pereł i zadatki dla poławiaczy. Wyjaśnił Noorze znaczenie tych szczegółowych opisów, pokazał, jak zapisywać liczby, i tłumaczył, jak prowadzić rachunki.

Dodawanie i odejmowanie było proste. Jassem jednak powiedział jej, że z liczbami można robić inne rzeczy. Można je powiększać lub pomniejszać przy użyciu maleńkiego znaku.

Gdy reszta domu spała, on ją uczył. Nie minęło wiele czasu, a zaczęła pisać kredą na małej tabliczce, którą przynosił. Przez cały czas uważnie śledził jej postępy. Kiwał głową z aprobatą, kiedy coś dobrze obliczyła, burczał dobrotliwie, kiedy się pomyliła.

Tylko w ciemnościach nocy Noora poznawała lepsze strony swojego męża. Gdy tylko słońce zalewało dziedziniec, na twarz Jassema powracała surowość.

25

Co? Znowu masz tę przypadłość? – Latifa pokręciłą z niedowierzaniem głową.

Noora westchnęła i wzruszyła ramionami, wędrując wzrokiem do kąta pokoju, żeby spróbować pochwycić spojrzenie Jaqooty, która przestała na chwilę zamiatać podłogę. Tylko ona miała czelność mówić, co myśli, ale teraz była zbyt zajęta, przyglądając się armii mrówek zebranych wokół pęknięcia w podłodze.

– To niedobrze, to bardzo niedobrze – ciągnęła Latifa, unosząc głowę, żeby złapać podmuch powietrza. Siedziały pod wieżą wiatrową w rodzinnym *majlis*. – Dlaczego masz okres?

– Nie wiem – odparła Noora.

Jaqoota uniosła stopę, ustawiła piętę nad celem i jednym ruchem zgniotła mrówki. Dopiero wtedy spojrzała na nie przez ramię.

– Dlatego nazywają to „przypadłością", *ommi* Latifo – powiedziała. – Bo przypada raz w miesiącu.

Noora zdążyła już pokochać ten głos, wysokie tony, w których niewinność mieszała się z żywiołowością i uszczypliwym sarkazmem. Noora chciała ją zachęcić, dorzucić błyskotliwą uwagę, ale nie była dość szybka.

– Powstrzymaj język, zanim ci go odetnę! – krzyknęła Latifa, zdjęła z nogi pantofel i rzuciła nim w niewolnicę. Trafił Jaqootę w brodę i osunął się po ramieniu. Dziewczyna wrzasnęła z bólu. – A jeśli nadal będziesz się tak zachowywała – dodała Latifa – wyrzucę cię na ulice Limy. Zobaczymy, czy utrzymasz się przy życiu! Ktoś cię porwie i zaniesie na pustynię! Ciekawe, czy spodoba ci się rola niewolnicy kogoś obcego!

To była poważna groźba i największa obawa Jaqooty. Często opowiadała Noorze o beduinach, którzy przybywają z odległych zakątków pustyni, żeby kraść niewolników i ich sprzedawać. Jaqoota nie zamierzała się spierać. Pisnęła i uciekła z pokoju, wpadając w drzwiach na Szamsę.

– Co się dzieje z tą niemądrą dziewczyną? – syknęła Szamsa. – Bez przerwy piszczy tym swoim szczurzym głosem.

Latifa nie odpowiedziała. Worki pod jej oczami trzęsły się z wściekłości. Noora spuściła wzrok. To nie była zrzędliwa *ommi* Latifa, nie matka nadzieja, nie łagodna przewodniczka, za jaką chciała uchodzić. To był ktoś inny: wybuchowa *ommi* Latifa, która straciła cierpliwość. I jakby nie było dość ciepło, Noora poczuła nad górną wargą kropelki potu, kiedy opuściła kąciki ust, próbując wyglądać na zasmuconą swoją klęską, żeby Latifa mogła wrócić do swojego zrzędzenia.

– Powiem ci, dlaczego znów masz przypadłość – powiedziała Latifa do Noory. – Ponieważ nie jesteś w ciąży. – Ujęła ją pod brodę i utkwiła w oczach Noory wzrok, z którego biła powaga. – Jassem niedługo wyjeżdża. Musi zasiać nasienie, zanim wyruszy.

Obie z Szamsą czekały, wiedząc, że Latifa zawsze zamyka oczy, kiedy musi się nad czymś zastanowić. Gdy tylko poruszyła powiekami, Szamsa pochyliła się i objęła ją, żeby pokazać, że łączy się z nią w bólu.

– Uważam, że *ommi* Latifa słusznie się tobą przejmuje, Nooro – powiedziała. – Gdzie dziecko? Dlaczego tak długo to trwa?

Latifa westchnęła, jakby była wyczerpana, i zaczęła bawić się nitką, która się nadpruła i zwisała z mankietu spodni.

– Cóż – westchnęła Noora – starałam się, jak mogłam. Nigdy nie powiedziałam „nie".

– Starałaś się, jak mogłaś? – Szamsa uniosła rękę do piersi. Dzisiaj miała na sobie naszyjnik z grubych złotych korali nanizanych na czerwony sznurek. Zaczęła się nimi bawić, utkwiwszy w Noorze aroganckie spojrzenie. – Jakbyś miała wybór! – prychnęła. – Uśmiechała się, czekając, aż Noora spuści wzrok (zawsze tak się to kończyło).

Ile wiedzą? Zastanawiała się Noora, czując, że się poci. Miała ciężką głowę, jej powieki zaczęły opadać, przez co błyszczący naszyjnik był zamazany. Czy one wiedzą, że od ponad miesiąca Jassem więcej czasu spędza na rozmowie z nią i uczeniu jej rachunków niż na zasiewaniu swojego nasienia? Uważa, że jest tego warta. Jest dla niego cenna. Czy wiedzą, że te wizyty zaczynają mu się podobać? Nie! Nie spuści wzroku. Noora gwałtownie podniosła głowę i utkwiła spojrzenie w Szamsie, w jej oczach obwiedzionych kohlem. Nagle przestały jej się wydawać tak ładne jak przedtem. Przypominały oczy głupiego wielbłąda.

– Dlaczego zawsze mnie obwiniasz? – odezwała się Noora. – Te sprawy są w rękach Boga.

Nitka się urwała i Latifa podniosła wzrok.

– I dlaczego mi dokuczasz – ciągnęła Noora. – Też nie jesteś idealna. Nie urodziłaś mu dziecka.

– Mogłam – wyjąkała Szamsa – ale ze mną nie starał się tak bardzo jak z tobą. – Kąciki jej ust drgały i przez chwilę Noora myślała, że się rozpłacze. Czekała, aż kohl rozmaże się we łzach i splami biel jej skóry. Jednak Szamsa się nie rozpłakała. Prychnęła i uderzyła dłonią o podłogę. – Je z tobą i każe nam czekać. Musimy jeść, kiedy wam się już odbija po posiłku. Czy to sprawiedliwe? Czy tego naucza islam? Czy prorok nie powiedział, że każda z żon powinna być traktowana jednakowo? Jassem traktuje cię jak księżniczkę, a ty jesteś zwykłą nędzarką z gór o kocim spojrzeniu.

– To nieprawda. Pochodzę z plemienia al-Salmi – odrzekła Noora. Przypomniała sobie ojca, który był bardzo dumny z ich plemienia, zanim Ahmad al-Salmi sprowadził ich na złą drogę. – To było silne i szlachetne plemię. To, że nie mieszkaliśmy w domach takich jak ten, nie znaczy, że się nie liczyliśmy.

Szamsa wycelowała w Noorę drżący palec.

– Ty, ty... Siedzi u ciebie co noc i ignoruje nas, jakbyśmy przyszły z ulicy.

– Nigdy mu nie mówiłam, żeby was ignorował.

– Och? Czyżbyś miała jakiś wpływ na *arbaba*? – zakpiła Szamsa.

Noora patrzyła, jak kąciki jej ust wędrują na dół, a świetlista cera traci swoje piękno. Zamiast połyskliwej kości słoniowej Noora zobaczyła ziemistą niezdrową biel.

– Nie wpływ – wycedziła. – Wyczucie.

Szamsa zacisnęła usta i syknęła:

– Pozwól, że ci przypomnę, kim jestem. Jestem córką najbogatszego kupca w Limie, bogatszego niż nasz mąż. – Zrobiła zamaszysty ruch ręką. – Mieszkałam w domu dwa razy większym niż ten. W dzieciństwie karmiono mnie mlekiem, czystym mlekiem tłustych krów. Przez całe życie jadłam najlepsze daktyle z Basry. – Mlasnęła, udając, że smakuje słodycz daktyli z Basry.

– Daktyle to daktyle. – Wzruszyła ramionami Noora.

– Nieprawda.

– Prawda.

– Nigdy się nie dowiesz, jak smakowały daktyle, które jadłam w dzieciństwie – upierała się Szamsa. – Powiem ci tylko, że na pewno nie smakowały jak daktyle, którymi karmiono ciebie, oblepione piaskiem i brudem. – Pociągnęła nosem. – Wiesz, o jakich mówię, o tych, które przeżuwałaś, uganiając się za swoim wycieńczonym stadem.

Latifa zdecydowanym ruchem urwała drugą nitkę zwisającą z jej spodni i rzuciła obu kobietom ostre spojrzenie. Wykorzystując przywilej pierwszej żony, kazała im przestać.

– To nie moja wina, *ommi* Latifa – zaświergotała Szamsa. – Sama słyszysz. Teraz górska koza zaczęła mieć swoje zdanie. I zamierza z tego korzystać.

Noora zmrużyła oczy i miała właśnie powiedzieć, że Jassem uczy ją liczyć, lecz Latifa im przerwała.

– Nie teraz! Możecie się kłócić przez cały dzień, kiedy jesteście same. Ja chcę trochę ciszy i spokoju. – Powachlowała dłońmi przed twarzą, chcąc się ochłodzić. – Dlaczego nie zachowujecie się, jak należy, jak siostry?

Powinna była zachować milczenie i na tym zakończyć, ale Noora poczuła smak samozadowolenia. Wiatr z jej gór wspierał ją swoim powiewem. To Jassem ustala zasady. Trzyma w rękach klucze do ich losu. A teraz to ona jest jego ulubienicą. Skrzyżowała ramiona na piersiach i powiedziała:

– Szamsa powinna służyć mi mądrymi wskazówkami, a nie obrzucać obelgami. Jestem młodsza. To nie moja wina, że nasz mąż chce być ze mną. To on ustala zasady.

Szamsa ziewnęła i przeciągnęła się.

– Nic nie zostaje takie samo na zawsze. Ciesz się tym, co masz. – Lekko podciągnęła suknię i poruszyła palcami stóp. Miała na nich pierścionki, płaskie jak tarcze z cienkimi uchwytami. – Wyobraź sobie, co będzie, gdy się tobą znudzi – powiedziała szyderczo. – Co się wtedy stanie? Mogę się jedynie modlić, żeby cię nie wyrzucił. Bo gdzie byś się podziała?

– On się nigdy mną nie znudzi.

Szamsa nie rozumiała, jaka bliskość łączy Noorę z Jassemem. Nie słyszała, co się dzieje w ciemnościach nocy, nie wiedziała, że gdy tylko jest z mężem sam na sam, jego uczucia nabierają rozmiarów rozległego wadi. Szepcze jej do ucha o swoich zmartwieniach i niepewności. A mimo to do jej serca wkradło się uczucie niepokoju. A jeśli jednak się nią znudzi?

26

Nie minęły trzy dni, a przepowiednia Szamsy się sprawdziła. Jej ostrzeżenie jak gęsta mgła wpełzło do pokoju Noory i zagłuszyło poufałe szepty Jassema.

Tej nocy, kiedy cały dom spał, Jassem pojawił się w dobrym nastroju i opowiedział jej o swojej pierwszej wyprawie do Indii. Jego ojciec zabrał go tam brytyjskim parowcem.

– Trwało to dziesięć dni. Mieliśmy miejsca na pokładzie, które kosztowały dziewięć rupii. Jedzenie, garnki i pościel zabieraliśmy na pokład i tam spaliśmy. – Zachichotał. – Co rano budził nas marynarz sprzątający pokład i kazał nam się zabierać, żeby móc go umyć. Ach – westchnął – „British India, Steam Navigation", tak się nazywał.

– Britiszin stim naszan?

Zamiast ją poprawić, uśmiechnął się i pochylił w jej stronę. Teraz już wiedziała, że nie musi się go obawiać. Zachichotała i spytała:

– O co chodzi? I co to w ogóle za nazwa? Co poradzę, że ci *Inglesi* wybierają dla swoich łodzi głupie nazwy?

Jassem też się roześmiał.

– Kto jak kto, ale ty powinnaś to wymówić. W końcu, z całym tym wywijaniem językiem i kląskaniem, typowym dla was, ludzi z gór, powinniście umieć wymówić wszystko. – Rozpostarł ramiona i objął ją serdecznie. Czuła się taka bezpieczna! Była pewna, że nigdy nie obejmował w taki sposób ani Szamsy, ani Latify. Taki uścisk dawał jej pewność, że nigdy nie zostanie zmuszona do opuszczenia tego domu. Nikt nie może jej skrzywdzić.

Lecz on nie zwalniał uścisku. I opiekuńcze objęcia zaczynały ją coraz bardziej krępować. Na pewno tak się jej tylko wydaje. Próbowała się wywinąć. Kiedy jej się nie udało, zaczęła się wiercić, żeby zrozumiał, że może ją już puścić. Jednak Jassem tego nie zrobił. Wciąż trzymał ją w mocnym uścisku.

Zaczął drżeć. Nie było to drżenie spowodowane zimnem. To było ciche trzęsienie ziemi, ukryte gdzieś głęboko, które wydostawało się na zewnątrz dygoczącymi falami.

– Źle się czujesz? – zapytała Noora, ale nie odpowiedział, tylko ze świstem wciągnął powietrze. – Chcesz wody?

Poczuła na szyi jego gorący oddech. I wtedy puścił ją i odepchnął tak mocno, że uderzyła się łokciem o kolumnę łóżka.

– Co za słabość! – krzyknął i zerwał się z łóżka. – Igrasz z moją głową, próbujesz mnie zmiękczyć zawsze, gdy z tobą jestem.

Noora roztarła łokieć i spojrzała na męża. Wygładzał koszulę, przesuwając rękami z góry na dół. Co takiego powiedziała? Kiedy koszula nie mogła już wyglądać lepiej, zaczął chodzić po pokoju. Patrzyła, jak okulary zsuwają mu się z nosa z każdym kolejnym krokiem. Nozdrza, które tak długo były nieruchome, teraz poruszały się nerwowo.

– Kiedy ponosi cię uczucie, robisz niemądre rzeczy – powiedział Jassem. Wydawało się, że robiąc sześć kroków do ściany i z powrotem, mówi do siebie. – Rozmawiasz, mówisz rzeczy, których nie chcesz powiedzieć. – Zatrzymał się na środku pokoju i wycelował palec w Noorę. – Od tej chwili, kiedy na ciebie patrzę, masz zamykać oczy. Kryje się w nich mikstura tej wiedźmy.

– Ja...

Chciała powiedzieć, że to nieprawda. Zerwał z nosa okulary. Nigdy wcześniej tego nie robił (nawet kiedy wypełniał małżeński obowiązek). Patrzyła, jak mruży oczy i zbliża się do niej. W jego oczach musiała wyglądać jak niewyraźna plama, ale dla Noory jego twarz była przezroczysta niczym para unosząca się nad wrzącą wodą. Serdeczny nastrój tej nocy wyparował bez śladu.

– Wyciągnąłem cię z biedy. Nigdy o tym nie zapominaj – powiedział. – Ofiarowałem ci tak dużo, że powinnaś całować mnie po nogach, a nie nakłaniać do czczej gadaniny.

– To nieprawda. Ja...

– Ta wiedźma powiedziała, że będzie dziecko. A dziecka nie ma. Latifa miała rację. Co mi dałaś? Jaki z ciebie pożytek?

Koty znów miauczały, a Latifa zacisnęła oczy i gwałtownie wciągnęła powietrze, jakby chciała poczuć ich zapach. Potem zabrała stopę z ugniatających ją palców Noory.

– Jesteś bezużyteczna – mruknęła. – Nic nie czuję.

– Klepnęła się w dolną część łydki. – Ugnieć ją w tym miejscu.

Noora wbiła kciuk we wrażliwy punkt. Latifa krzyknęła z bólu.

– Co się z tobą dzieje?! Albo za delikatnie, albo za mocno. Nic nie potrafisz zrobić!

Ten głos! Wahał się pomiędzy basowym skomleniem zbitego psa a chrapliwym rykiem muła. Latifa stęknęła i wstała, żeby wyjść z pokoju Noory. Kiedy odwróciła się plecami, Noora pokazała jej język.

Sama jest sobie winna! Jej poczucie bezpieczeństwa zniknęło z powodu Latify. Mogła jej się odpłacić, jedynie denerwując ją i zmieniając jej ulubione masaże w torturę. Codziennie przez ostatni tydzień Noora udawała, że straciła umiejętność niesienia ulgi. Twarde miejsca muskała niczym skrzydłami motyla, a punkty, które jej zdaniem mogły być najbardziej podatne na ból, ugniatała z całej siły. A mimo to starsza kobieta wciąż do niej przychodziła.

Noora podreptała do przeciwległej ściany pokoju i zaczęła drapać ścianę, zdzierając duże kawałki gipsu, aż dotarła do muszli tkwiących w zaprawie z koralowca. Nie miała nic innego do roboty, od kiedy Jassem zabrał jej tabliczkę i kredę, więc zaatakowała wypukłą muszlę pokrytą wyblakłymi różowymi paskami przypominającymi kamienie, które jej brat kiedyś dla niej zbierał.

„Będziesz żyła jak księżniczka". Tak powiedział Sager. Jęknęła, drapiąc ścianę. Kolejne muszle, przypominające raczej stare paznokcie, spadły na podłogę, ale te muszle, na których jej zależało, nie poddawały się. Sager był przekonany, że lepiej jej będzie u handlarza pereł, z daleka od znoju i ubóstwa ich życia. Jak mało wiedział!

Jej uraza do Sagera ustąpiła miejsca zgorzknieniu i po chwili darła ścianę tak zapalczywie, że każde dźgnięcie i zadrapanie zamieniało się w atak na jej brata. Jak mógł ją sprzedać obcemu człowiekowi? W górach byli biedni, ale wszystkie ich zmartwienia dotyczyły namacalnych rzeczy: jedzenia, wody... Tutaj troski są inne i takie skomplikowane. Cały czas ma się na baczności. W tym domu, należącym do zamożnych ludzi, nigdy nie wiadomo, co przyniesie następny dzień. Zdarła dwa paznokcie. Krzyknęła z bólu i wepchnęła palce do ust.

– Jeśli nie przestaniesz, z tej ściany nic nie zostanie.

Głos Jaqooty ją zirytował. Odwróciła się od ściany.

– Zamierzam ich użyć, żeby ćwiczyć liczenie – powiedziała Noora, nie zwracając uwagi na bałagan, jakiego narobiła.

– Po co?

– Żeby zająć czymś głowę.

– Głowę? A jaki to ma sens?

– Jaki sens ma ruszanie głową?

– Cóż, jeśli cię to bawi, niedługo nie będziemy miały gdzie mieszkać. – Jaqoota zarżała i podeszła do niej. – Rozbierzesz ściany. Żadnej prywatności dla ciebie i *arbaba*. I co

228

wtedy? – Służąca nachyliła się do Noory, wpatrując się w nią z otwartymi ustami. Błąkał się na nich szelmowski uśmiech. – Jakby teraz była jakaś prywatność. – Zakryła uszy dłońmi. – Robi tyle hałasu, że spać w nocy nie można.

Noora odepchnęła Jaqootę. Ta niewolnica zawsze mówi nie to, co trzeba. Jednak to prawda. Jassem traktował swój małżeński obowiązek poważniej niż przedtem. Co noc kazał jej zamykać oczy (żeby go nie zauroczyła, nakłaniając do rozmowy) i wydawał namiętne stęknięcia, które konkurowały z wyciem kotów na dworze. Jakby chciał, żeby cały dom słyszał, że się stara. Noora wydęła usta i utkwiła wzrok w muszlach przypominających paznokcie, leżących wokół niej. Nie chciała o tym rozmawiać. Bała się, że zacznie szlochać, więc gdy Jaqoota nie ciągnęła tematu, a zamiast tego zaproponowała, żeby rozejrzały się po wsi, Noora poczuła taką ulgę, że skoczyła na nogi i wyciągnęła niewolnicę z pokoju.

To nie były zwyczajne dni. Wadimę opanowała gorączka i pośpiech, ponieważ poławiacze pereł i ich rodziny szykowały się do Wielkiego Połowu. Noora i Jaqoota zerkały przez bramę na dzieci dźgające kijem worek wypełniony piaskiem, który udawał rekina w morzu. Przez ściany z liści palmowych dochodziły do ich uszu naglące głosy kobiet pakujących mężów na trzymiesięczną wyprawę.

Po południu te same kobiety przyjdą w odwiedziny do Latify, jak każdego innego dnia, żeby porozmawiać o zbliżającym się Wielkim Połowie. Będą snuły opowieści o sukcesach swoich bohaterów: czyj mąż wyłowił największą perlę, czyj ojciec najdłużej wytrzymał pod wodą, czyj syn umknął groźnemu rekinowi, czyj brat przeżył najwięcej poparzeń meduzy. Były to opowieści o męstwie, rwący potok słów. Potem kobiety milkły, wzdychały i kręciły głowami. Każda z nich wiedziała, że jej mąż, ojciec, syn czy brat może nie wrócić, może zginąć na morzu. Każda zdawała sobie sprawę, że jeśli powróci, będzie chory i wycieńczony.

– Tak samo jest każdego roku – westchnęła Jaqoota.

– Oni wypływają, a kobiety czekają. A potem, gdy łódź wraca, wieści są dobre albo złe.

Słowa Jaqooty jeszcze bardziej przygnębiły Noorę.

– Ile nadziei te kobiety noszą w sercu. Ile nadziei ostatecznie umiera? – zastanawiała się Noora.

– Nie ma się czym martwić! – Służąca klepnęła Noorę w rękę. – Będzie wola boża. Będzie tak, jak im pisane jego ręką, i muszą się z tym pogodzić.

– Jesteś bez serca.

– Słuchaj, śliczna, jeśli będziemy siedziały i czekały, nigdy nie dostaniemy tego, czego chcemy. Musimy zrobić wszystko, żeby przetrwać.

Noora uniosła pytająco brwi. Słowa były niejasne, a wydawały się znaczące i cenne jak złoto. To nie były słowa, których można się spodziewać z ust kobiety, a do tego niewolnicy. Czy Jaqoota jest mądra, a Noora tego nie zauważyła?

– Co masz na myśli?

– A czy to ważne, co mam na myśli? Kobieta musi zrobić, co się da, żeby zapewnić sobie spokój ducha, i tyle.

Spokój ducha? Tego na pewno Noorze brakuje.

– Kobieta musi znaleźć sposoby, żeby znosić mijające godziny.

Tak, Noora przeżyła wiele przygnębiających godzin, które wlokły się bez końca.

– Jak?

– Chcesz, żebym ci pokazała?

Serce Noory zabiło szybciej. Pokiwała głową. Czyżby Jaqoota odkryła tajemnicę, która pozwoli jej pozbyć się uporczywego zniechęcenia?

– Jesteś gotowa zacząć zaraz?

Noora znowu pokiwała głową.

Wyszły z domu, nie zastanawiając się, czy ktoś zauważy ich nieobecność. Okryte od stóp do głów przeszły nad zmasakrowanymi szczątkami „rekina", porzuconymi przez dzieci. Początkowo Noora podążała za Jaqootą nerwowym krokiem, kręcąc głową na prawo i lewo, bojąc się, że ktoś ją rozpozna. Wiedziała, że jako żona szanowanego człowieka nie powinna wałęsać się bez celu z niewolnicą po ulicach Wadimy.

– Nie przejmuj się – pocieszyła ją Jaqoota, domyślając się jej obaw. – Nikt cię nie rozpozna. Poza tym niedługo wrócimy. – Po chwili dodała: – Nawet jeśli będą cię szukali i cię nie znajdą, nie będzie to miało znaczenia. Przecież nie jesteś już ulubienicą.

Prawda słów Jaqooty zabolała, ale Noora odetchnęła głęboko i zdusiła niepokój, idąc za służącą spokojniejszymi obrzeżami wioski. Skręciły w długą wąską uliczkę. Po obu jej stronach stały chaty. Do uszu Noory docierały strzępki rozmów prowadzonych wewnątrz. Usłyszała, jak mężczyzna zapewnia żonę, że wróci bezpiecznie do domu, głosem schrypniętym, lecz przekonującym. Żona była dzielna w dyskretny sposób, odpowiadając z godnością, mówiąc mu, że pogodzi się z losem, gdy stanie się najgorsze. Noora wbiła wzrok w ziemię i zwolniła kroku, jakby była w transie. Wyczuwała przygnębiający nastrój, otaczającą ją nadzieję, słyszała stłumiony szloch dobiegający z chat stojących wzdłuż całej opustoszałej ulicy. Dopiero przenikliwy głos Jaqooty sprawił, że wróciła do rzeczywistości.

– Idą kobiety!

Noora podniosła wzrok i zobaczyła mężczyznę, który szedł w ich stronę. Gdy je spostrzegł, natychmiast się zatrzymał, spuścił wzrok i stanął z boku, by Noora i Jaqoota mogły przejść, nie dotykając go.

Jaqoota złapała Noorę za ramię i pociągnęła za sobą, a kiedy były tuż obok niego, młoda niewolnica znowu krzyknęła:

– Przejście!

Zrobiła to tak głośno, że wpadł na ścianę chaty za jego plecami. Jego gitra zaplątała się w szorstkie liście. Szarpnął głową na bok. Gitra się zsunęła, ukazując jajowatą głowę.

Kiedy pośpiesznie przechodziły obok niego, Jaqoota zamachała rękami jak skrzydłami, potrząsnęła głową, a z jej gardła wydobyło się gardłowe gdakanie. Noora, ukryta pod chustą i burką, zachichotała, ale mężczyzna nie widział niczego śmiesznego w kurzym tańcu niewolnicy. Co gorsza, żart Jaqooty ujawnił jej tożsamość.

– To ty! Jaqoota! – powiedział, mocując się z gitrą i próbując wyplątać ją z liści tak, żeby się nie podarła.

Dziewczyna roześmiała się i pośpieszyła na drugi koniec ulicy, ciągnąc Noorę za sobą.

– A kim jest druga kobieta?! – zawołał za nimi mężczyzna.

Teraz już biegły.

– Nie wątpię, że jesteś przyzwoitą kobietą – ciągnął, zwracając się do Noory. – Posłuchaj mojej rady: nie prowadzaj się z tą niewolnicą. Popsuje twoje dobre maniery, słyszysz? Jej czarna krew tylko narobi ci wstydu.

Nie przestawały biec. Minęły meczet i mały sklep na końcu wioski, zostawiając za sobą Wadimę, aż dotarły do długiego i pustego kawałka plaży.

– Skąd wiedział, że to ty? – syknęła Noora, gdy tylko jej serce się uspokoiło i znów mogła oddychać.

– Jestem sławna – oznajmiła Jaqoota.

Było gorąco. W promieniach słońca zbliżającego się do zenitu woda połyskiwała, a piasek był oślepiająco biały. Zrzuciły chusty i abaje i pochyliły się, żeby odpiąć mankiety spodni przy kostkach. Podwijając nogawki, uniosły sukienki i przebiegły po palącym piasku na płyciznę. Ciepłe fale obmywały im nogi i zaczęły ochlapywać się nawzajem i przeskakiwać przez fale, śmiejąc się i chichocząc. Dość szybko jednak straciły energię i upadły na piasek, żeby odpocząć.

Jaqoota podniosła coś z piasku i powiedziała:

– Tu jest miejsce, żeby ich szukać, zamiast wygrzebywać ze ściany.

Podała Noorze muszlę w kształcie żuka, o gładkiej powierzchni, bladoróżową z lamparcimi cętkami. Noora położyła ją na otwartej dłoni i wpatrywała się w nią przez chwilę, po czym podniosła wzrok na fale rozbijające się z cichym pluskiem o brzeg. Poczuła rozdźwięk pomiędzy przeszłością i teraźniejszością tak wielki, jak morze przed nią. Gładziła muszlę palcem wskazującym i pomyślała o Sagerze i kamykach, które kiedyś dla niej zbierał.

– Nienawidzę go – szepnęła. Miała na myśli Jassema, ale myślała o Sagerze. – Sprawia, że czuję się jak pies, któremu można rzucać komendy. Nienawidzę sposobu, w jaki mnie dotyka, obmacuje mnie jak...

– Ciii! – Jaqoota zatkała sobie uszy. – Nie możesz mówić mi takich rzeczy. Jestem niezamężna, niewinna. Jeśli będę słuchała, jak opowiadasz mi o tych wszystkich intymnych sprawach, stracę czystość.

Co ona sobie myślała, próbując otworzyć serce przed kobietą o umyśle dziecka, kobietą, która przed chwilą żartowała z kształtu głowy nieznajomego, wykonując kurzy taniec? Nie można omawiać takich kwestii z Jaqootą. Co więcej, w ogóle nie należy o nich rozmawiać. Noora zamilkła i znów zapatrzyła się w morze, obiecując sobie, że będzie poruszała tylko zwyczajne tematy.

– Wiesz – powiedziała – nie zawsze byłam taka cicha. Kiedyś miałam głos donośniejszy niż twój.

– Donośniejszy niż mój? – prychnęła Jaqoota. – Niemożliwe.

– No dobrze, może nie donośniejszy, ale równie głośny. Bez przerwy walczyłam z bratem, kiedy próbował mną rządzić. A mój ojciec zawsze się ze mną zgadzał. Robiłam, co chciałam. Nikt nie potrafił do niczego mnie zmusić. Raz tak się rozgniewałam na mojego brata Sagera, że go opuściłam, tak po prostu. A ten biedak pewnie wspiął się na każdą górę, żeby mnie znaleźć.

– Ha! – wykrzyknęła Jaqoota.

Noora widziała, że służąca chce się dowiedzieć więcej o jej prawdziwej naturze, której nikt w Wadimie nie zna. – Poszłam nawet do wioski, wysoko w górach, i zamieszkałam z pewną starą kobietą. Wioska nazywała się Maazoolah, a zanim człowiek się do niej wspiął po stoku góry, nie czuł nóg.

– Och!

Zainteresowanie Jaqooty podniosło poczucie własnej wartości Noory.

– Tak, założę się, że mój brat prawie umarł ze zgryzoty, kiedy zniknęłam, ale nie dbałam o to. Wszyscy w Maazoolah mnie cenili. Szyłam dla nich, dla całej wsi. Kochali mnie, a kiedy chciałam odejść, błagali, żebym została, szczególnie pewien mężczyzna, który... – Przerwała. Czy powinna mówić dalej?

– Mężczyzna? Kto to był?

– Nikt – ucięła Noora, przypominając sobie kurzy taniec Jaqooty. – Starszy człowiek, któremu trzeba było zacerować diszdaszę.

235

To było lekkomyślne! Ta myśl pojawiła się nagle w głowie Noory. Dlaczego ma ochotę aż tyle o sobie powiedzieć? Może beztroska Jaqooty i całe to pluskanie się w wodzie wywołało u niej potrzebę zrzucenia z barków wielkiego ciężaru, który już zawsze będzie musiała dźwigać. Musi pamiętać o dyskrecji.

Latifa często mówi, że próba zrozumienia Jaqooty i jej nieprzewidywalności są stratą czasu, że umysł tej dziewczyny pracuje inaczej. Noora zawsze słuchała tego z pewną dozą sceptycyzmu. Teraz jednak zastanawiała się, ile w tym prawdy.

– Starzy mężczyźni! – prychnęła Jaqoota. – Kto chce słuchać o starych mężczyznach?

– Masz rację. Nikt nie chce słuchać o starych mężczyznach.

– Porozmawiajmy o młodych – zaproponowała Jaqoota. – A tak przy okazji, Hamad chce zamienić z tobą kilka słów – dodała konspiracyjnie.

Mężczyzna zwykle nie prosi o spotkanie z kobietą, która nie jest jego żoną. A mimo to Noora się tym nie przejęła. Przyzwyczaiła się do widoku Hamada. Tak często wchodzi i wychodzi z domu, że stał się bardziej niewidzialny niż mgła, którą morze co noc spowija dom.

– Niech przyjdzie.

27

Noora wyjrzała na korytarz. Z pokoju Szamsy wypływała smuga dymu z kadzidełka. Przenikał przez pręty krat w oknie i wydobywał się na dziedziniec, gdzie wisiał w nieruchomym powietrzu jak chmura. To były leniwe godziny dnia, kiedy słońce świeciło najmocniej i było jeszcze za wcześnie, żeby się perfumować, ale Szamsa nie traciła czasu, przygotowując się do nocy. I tak to się teraz odbywało. *Arbab* zmienił sypialnię, zmienił ulubienicę i zaczął odwiedzać Szamsę.

Noora usłyszała kroki i cofnęła się w półmrok pokoju. Osunęła się na podłogę i wstrzymała oddech. Dostrzegała głożynę, spragnioną wody w palącym słońcu. A wtedy pod oknem przeszła nieśpiesznym krokiem Szamsa i celowo zatrzymała się, żeby rzucić triumfalne spojrzenie na wypadek, gdyby Noora patrzyła. I tak też było.

Był to krótki przystanek, ale cel został osiągnięty. „Ja go mam, a ty nie!". Noora niemal widziała, jak te słowa pojawiają się na jej wargach: „Ja go mam, a ty nie". To była prosta prawda, która przerażała Noorę. Potem, jak każdej nocy, będzie się przewracała na łóżku, zastanawiając się, czy to parne powietrze czy też hałasy dochodzące z pokoju za ścianą nie pozwalają jej zasnąć. Zeskakiwała z łóżka i przesuwała dłońmi po chropowatym gipsie w nadziei, że poczuje suchość uwięzioną na jego powierzchni. Ale zawsze był wilgotny, wydzielał intensywny zapach kredy. Jaki z niego pożytek? Nie trzyma chłodu ani nie izoluje od hałasu. Wszystkie te szepty i zduszony chichot sprawiały, że serce Noory biło niespokojnie.

Szamsa odwróciła się i poszła do swojego pokoju, Noora zaś opuściła głowę na kolana. Czy jest aż tak naiwna, tak bezmyślna, żeby uwierzyć, iż męża nigdy się nie zmieni? W końcu to mężczyzna. Musi zrobić to, czego oczekuje się od mężczyzn: trzymać uczucia na wodzy. W wypadku mężczyzny, rozmawianie o jego pragnieniach czy wątpliwościach jest oznaką słabości. Tyle wiedziała. Czy Sager nie zachowywał się tak samo? Zawsze tłumił to, co czuł. Kiedy ją oddawał, nie uronił nawet łzy.

Raszid też! Noora starała się sobie przypomnieć, czy na jego twarzy pojawił się chociaż cień emocji. Bez przerwy mówił o swoich uczuciach, ale teraz zrozumiała, że wszystkie te słowa nie były prawdziwe. To tylko słowa – słodkie, lecz puste – wypowiadane, żeby mógł jej dotykać. Jak niemądrze z jej strony, że mu na to pozwoliła.

Noora westchnęła. Słowa mężczyzn nic nie znaczą. Teraz Jassem pokazuje jej, że też potrafi kontrolować uczucia jak mężczyzna, zdusić je. Tylko jej ojciec nie zachowywał się w taki sposób. Pozwolił, by jego emocje pękły jak kawałek starego sznura, zbyt zużytego, żeby trzymać je na wodzy. On jednak był szalony. To go tłumaczy.

Objęła rękami kolana i zaczęła się kołysać. Za każdym razem, gdy pochylała się do przodu, czuła, jak plączą jej się myśli. Przypomniała sobie swatki. Podkreślały, że musi zadowolić męża. „Jeśli nie będzie cię chciał, może cię wyrzucić" – ostrzegła ją Gulsom. W jakiej ją to stawia sytuacji? A jeśli Jassem uzna, że już jej nie chce, odbierze jej pokój i wygoni ją, żeby włóczyła się po ulicach? Czy beduini z dalekich piasków porwą ją i uczynią z niej niewolnicę?

Jaqoota opisała jej dokładnie, jak wybierają swoje ofiary. „Najpierw sprawdzają, czy jesteś zupełnie sama. Potem czekają ukryci w mroku". Na tym etapie opowieści w oczach Jaqooty zawsze malowała się trwoga. „A potem, kiedy się tego nie spodziewasz, otacza cię trzech mężczyzn i wpycha do worka. Nie masz szansy uciec, ponieważ zemdlejesz, zanim zdążysz krzyknąć".

Za każdym razem, kiedy kołysała się do tyłu, czuła, jak dotyka głową ściany, puk, puk, puk. Ale nie przestawała. Jej umysł wypełniał przerażający obraz: jej głowa, wciśnięta w ciasny worek. Czułaby duszny zapach kurzu i starego potu, wydobywający się z szorstkiej przędzy. Gdyby porwali ją beduini, nikt by za nią nie tęsknił. Przecież nie ma rodziny, która by ją ochroniła, rozpytywała o nią, szukała jej, gdyby zniknęła. Puk, puk, puk. Pojawił się inny dźwięk.

Ktoś delikatnie zastukał w jej drzwi. Mimo to, aż podskoczyła. Czy to Jassem przyszedł jej powiedzieć, żeby pakowała swoje rzeczy i się wynosiła? Szybko podeszła do drzwi i otworzyła je. W świetle słońca stała Hamad, trzymając ręce za plecami.

– Czego chcesz? – warknęła. – Nie wiesz, że wszyscy śpią?

– Cii – powiedział, robiąc krok do tyłu i rozglądając się nerwowo. – Nie tak głośno. – Opuścił ręce i zobaczyła, że w jednej trzyma białe ubranie. – Ten kombinezon chroni mojego ojca przed poparzeniami meduz podczas Wielkiego Połowu. Mówią, że twoje ściegi są wytrzymałe, a ja muszę mieć pewność, że kombinezon się nie popruje – mówił szybko, gorączkowo.

– Skąd wiesz, że potrafię to zrobić? – Była zła, że przyszedł. Próbowała wymyślić plan ucieczki, kiedy porwą ją beduini, ale najpierw powinna pozbyć się strachu, z głową wciśniętą w worek tak ciasny, że nie można się z niego uwolnić. Teraz będzie musiała zacząć od nowa, od początku, od chwili porwania.

– Wszyscy w Wadimie wiedzą, że szyjesz najlepiej – wyjaśnił Hamad. – Ale jeżeli nie możesz tego zrobić, po prostu mi powiedz.

Spodziewała się, że się odwróci i sobie pójdzie. Jednak tego nie zrobił. Co za zuchwałość! Zasłoniła się chustą aż po nos, żeby go zawstydzić. Mimo to nie ustępował i wpatrywał się w nią, stojąc na tle słońca, które tworzyło aureolę wokół jego luźno zawiniętego turbanu.

– Wiesz, że nie powinieneś tu przychodzić – powiedziała Noora. – Popatrz tylko na siebie. Zakradasz się pod moje drzwi jak złodziej, żeby ze mną porozmawiać. A jeśli ktoś cię tu zobaczy?

– Wiem, wiem, ale posłuchaj, wszystkie okiennice i drzwi są zamknięte. Wszyscy śpią. Po prostu zależy mi, żebyś to pozszywała.

– Tak, ale...

– Zakradłem się tutaj, bo to jedyna pora, kiedy mogłem cię poprosić, żebyś to zrobiła. Gdyby Jassem czy nawet Latifa się dowiedzieli, kazaliby mi zanieść to do krawca. – Przestąpił z nogi na nogę. – Obiecałem ojcu, że to załatwię. Ale nie mam pieniędzy na krawca.

Noora nie trzymała już chusty tak kurczowo, ale wciąż uważnie mu się przyglądała. Czy mówi prawdę? Jego gęste kręcone włosy wystające spod gitry oplatały mu szyję. Miał starą bliznę, wbijającą się głęboko w kącik prawej brwi. I drugą, tak jak ona, pod brodą z lewej strony. Była zdziwiona, że wcześniej żadnej z nich nie zauważyła. Jedna z prawej, druga z lewej. Co ciekawe, wydawało się, że przez to jego twarz jest bardziej symetryczna.

– Widzisz... Moja matka... cóż, palce nie zginają jej się w stawach. Są twarde jak kopyta kozy. – Miał w ręku ubranie. – Nie potrafi już poprowadzić mocnego ściegu.

Kiedy Noora wyjęła mu z ręki kombinezon, wreszcie dostrzegła jego niepewność. Kombinezon był wyblakły od słońca i zżarty przez morze.

– Nawet jeśli pozaszywam te rozdarcia, będzie ich więcej – powiedziała, dotykając materiału. Pokazała fragment tkaniny pokrywający tylną część nóg. – Tu nie wystarczą tylko mocne szwy. Trzeba przyszyć duże łaty, żeby zakryć te wyblakłe miejsca. – Materiał pod pachami był w bardziej opłakanym stanie niż jej czerwona kwiecista sukienka z gór. – I tutaj, popatrz.

– Nie potrafisz tego zrobić?

Noora zauważyła, że jego uszy poczerwieniały tak bardzo, jakby zaraz miały spłonąć. Teraz była pewna, że jest zawstydzony, żałuje, że ją poprosił. Spuścił głowę, wciąż jednak patrzył na jej twarz, tak samo zdesperowany jak wtedy na łodzi, tyle miesięcy temu, kiedy wiatr odchylił materiał parawanu.

Wyciągnął rękę po ubranie, które Noora mocno przytrzymała.

– Dobrze, zrobię to – powiedziała.

Wsunęła ręce pod materac, wyciągnęła kombinezon i rozłożyła go. Uśmiechnęła się na widok swojego dzieła. Nie tylko zacerowała wszystkie dziury i wzmocniła szwy, ale też wymieniła duże fragmenty, używając kawałków białego płótna, które zostały z sukni szytych przez nią dla kobiet ze wsi. A teraz kombinezon wygląda na gotowy, wzmocniony nowiutkimi trójkątami i kwadratami. Żadnej meduzie nie uda się poparzyć nikogo przez ten materiał – pomyślała.

Cerowanie i łatanie kombinezonu zajęło jej tydzień. Trzymała go pod materacem i szyła ukradkiem, kiedy miała pewność, że nikt jej nie przeszkodzi. Gdyby Szamsa przyłapała ją na tym zajęciu, na pewno rozdmuchałaby

było złapać w nie powiew wiatru. – Nie, nie, nie pośrodku, bardziej na prawo – mówiła, kiedy Noora wkładała do skrzyni błękitną jak niebo tobe w zielone kropki. Latifa sapnęła zirytowana. – Wyjmij ją, wyjmij. Nie jest porządnie złożona. Złóż ją jeszcze raz.

Noora wypełniła polecenie.

– Dobrze, tak lepiej. Teraz tę abaję.

Złożenie abaji było trudniejsze. Tkanina umykała niczym szarpany przez wiatr namiot. Kiedy rozłożyła ją na podłodze, żeby złożyć najlepiej, jak umie, czuła na sobie oceniający wzrok Latify, gotowej wytknąć jej najmniejszy błąd. Wydawało się, że te oczy śledzą ją, dokądkolwiek idzie. Poławiacze niedługo wypłyną w morze, a Noora nie miała okazji nawet kiwnąć Hamadowi, żeby zasygnalizować, gdzie położy kombinezon, by mógł go zabrać. Zawsze, gdy znalazła się z nim twarzą w twarz, martwiła się, że Latifa ją obserwuje. Sztywniał jej kark, wbijała oczy w niewidzialny punkt.

– Teraz burki – zarządziła Latifa, wręczając Noorze kawałek starego materiału. Ułóż je w stos i owiń tym. Nie chcę, żeby indygo zabarwiło inne ubrania. – Zamilkła na chwilę, po czym znów straciła cierpliwość. – Wyjmij, wyjmij wszystko! Potem się spakujemy.

Następnego ranka Noora dowiedziała się, dlaczego się pakują, lecz nastąpiło to dopiero przy śniadaniu. Kiedy Jassem i jego żony zasiedli wokół maty śniadaniowej, Szamsa dała do zrozumienia, że jest w ciąży. Znowu.

– Ach, nie mogę jeść – poskarżyła się, ze złośliwą satysfakcją gładząc się po brzuchu. – Nie wiem, o co chodzi, ale coś psuje mi apetyt. Mam mdłości. – Co rano odgrywała tę samą scenę. Szamsa dawała Latifie i Jassemowi nadzieję, próbując ich przekonać, że to ona urodzi dziecko. Teraz westchnęła i wyplątała rękę spod chusty, żeby poprawić idealną grzywkę. Czy nikt poza Noorą nie dostrzega jej samozadowolenia? Na jej nadgarstku błyszczała nowa bransoleta – płaska, z małym turkusem osadzonym w złotej obręczy.

– Źle się czujesz, moja droga? – wymamrotała Latifa. Nie skończyła jeszcze jeść śniadania.

– Trochę – odpowiedziała Szamsa, a Noora chciała dostrzec brzydotę w jej otwartych ustach, ale jej się nie udało. Były drżące niczym płatki pustynnego kwiatu po nieoczekiwanym deszczu.

Latifa dotknęła czoła Szamsy

– Myślę, że to kwestia pogody, moja droga.

– Spakowałaś moje rzeczy? – spytał Latifę Jassem.

Latifa zamknęła z namaszczeniem oczy.

– Właśnie zamierzam to zrobić.

– Cóż, Latifa już wie, ale chyba powinienem wam również o tym powiedzieć – zaczął Jassem. – Nie jadę jednak do Indii.

Noora otworzyła szeroko oczy i usta, żeby zapytać dlaczego, kiedy poczuła, że po jej brodzie płynie żółtko jedzonego właśnie jajka – ostrzeżenie, żeby się nie odzywać. Nie miała na tyle silnej pozycji, żeby okazać taką śmiałość.

– Jadę za to do Limy. Wy wszystkie udacie się do Om al--Sanam i tam spędzicie lato. – Pokiwał z przekonaniem głową. – W tamtejszych chatach jest chłodniej niż tutaj.

– Tak, tam, na otwartej pustyni, jest o wiele chłodniej – potwierdziła Latifa.

– Nie muszę wam tego mówić, ale ta wyprawa, Wielki Połów... cóż, będzie ostatnia. To zbyt kosztowne i bądźmy szczerzy, w morzu po prostu nie ma więcej pereł.

Ostatni połów? W morzu nie ma więcej pereł? W jego głosie nie było śladu smutku, nawet jednej myśli o poławiaczach i ich rodzinach. Noora przypomniała sobie rozmowę z kapitanem Hilalem: wszystkie te zadatki wypłacone poławiaczom, których teraz nie będą mogli spłacić. Co oni poczną? Jak nakarmią dzieci? Wyobraziła sobie nurków wałęsających się po ciasnych uliczkach Limy, żebrzących o ardee, jak tamten szaleniec.

Znów dotarł do niej głos Jassema:

– Postanowiłem więc, że nie będę tracił pieniędzy na Wielki Połów, tylko zbadam inne ścieżki. Trzeba się zaangażować w handel.

– Trzeba się zaangażować w handel – powtórzyła Latifa z uroczystym skinieniem głowy.

– Tak, w handel. Nie tylko z Indiami czy Afryką, lecz lokalnie, w naszym własnym mieście, w Limie. – Jassem zatarł ręce. – Po okolicy wędruje tylu *Inglesis*, którym nie brak ani pieniędzy, ani towarów. Muszę się z nimi zaprzyjaźnić, żebyśmy mogli sprzedawać i kupować od siebie nawzajem. – Pochylił się do przodu i mlaskając, zlizał resztki jajka i chleba, które przylepiły mu się do zębów. – Może mówię wam więcej, niż powinienem, jako że jesteście kobietami, ale dobrze, żebyście miały jakieś pojęcie o świecie.

– Tak, trzeba się zaangażować w handel – powtórzyła Latifa.

29

Wyruszyli pod fioletowym niebem wczesnym rankiem. Chodzenie po piasku różniło się od wspinania się po górach i bez względu na to, jak lekko Noora starała się stąpać, piasek wsypywał jej się do pantofli i przesypywał między palcami. Zatrzymywała się raz po raz, żeby potrząsnąć stopami i wysypać przynajmniej część piasku, aż Latifa ją skarciła:

– Chodź, chodź. Nie zostawaj z tyłu.

Lepiej iść boso. Noora zsunęła pantofle i dogoniła Hamada i Jaqootę, którzy kroczyli żwawo obok osła Latify. Byli w drodze do Om al-Sanam, pustyni, gdzie wydmy wznosiły się jak łagodne garby wielbłąda. Zostaną tam na całe lato, z dala od parnego upału wybrzeża.

Noora patrzyła, jak biodra Latify kołyszą się na grzbiecie osła, który wydawał się zbyt mały, żeby ją udźwignąć. Od czasu do czasu protestował, zatrzymując się i potrząsając łbem, ale smagnięty cienką trzciną, wracał do truchtu na komendę wydaną przez Latifę. Za plecami miała umocowaną małą skrzynię podróżną wypełnioną wszystkim, co będzie jej potrzebne pośród wydm. Bagaże reszty uczestników wyprawy były spakowane w węzełki. Gdyby jechała z nimi Szamsa, pewnie byłyby dwie skrzynie, ale druga żona poprosiła o pozwolenie pozostania z rodziną, na co Jassem się zgodził.

Noora była zadowolona, że nie będzie musiała znosić jej humorów i szyderstw. Jednocześnie martwiło ją, iż Szamsa spędzi z Jassemem całe lato w Limie. Tyle czasu! Będzie miała okazję zatruć umysł męża, uformować go wedle swojego uznania, umocnić swoją pozycję w domu.

Noora zastanawiała się, czy wszyscy myślą o tym samym. Trudno jej było zajrzeć w twarz Jaqooty, tak ciemną, że zlewała się ze śliwkowym niebem. A jeśli chodzi o Hamada, to próbowała dostrzec wyraz uznania na jego twarzy (w końcu zaledwie dwa dni temu udało jej się niepostrzeżenie dostarczyć mu kombinezon), jednak nie patrzył na nią. Szedł, patrząc przed siebie. Pewnie myśli o ojcu, który wraz z innymi poławiaczami został tego dnia na morzu, żeby szukać pereł – pomyślała Noora.

– Wszystkim nam będzie lepiej wśród chłodnych białych wydm Om al-Sanam – westchnęła Latifa. Jej głos brzmiał tak delikatnie jak ich kroki na piasku. – Tam powietrze będzie suche, pozbawione całej tej wilgoci, która ścina mi krew w żyłach.

Noora patrzyła, jak odchyla się swobodnie, opierając na skrzyni, podczas gdy osioł mozolił się na wydmie większej niż inne. Głęboko wbijał się kopytami w piach, tak że Latifa dotykała ziemi czubkami pantofli. Wydawało się, że ta kobieta nie ma żadnych zmartwień. Czy nie uważa Szamsy za zagrożenie? Zamknęła oczy z jawną aprobatą, kiedy Jassem powiedział jej, że Szamsa wybiera się do swojej rodziny.

Pierwszy promień światła przeciął niebo i Noora zmrużyła oczy, patrząc na skupisko chat tworzących osadę. Byli tam też inni ludzie, rodziny z Limy, które przyjechały z tego samego powodu: żeby uciec od parnego, słonego gorąca morza. Były tam też kozy, kurczęta, osły i kilka wielbłądów.

Noora z przyjemnością powitała hałasy i zamieszanie po wędrówce pod milczącym niebem, wśród wydm. W powietrzu unosił się zapach świeżo upieczonego chleba, a z jednej z chat wybiegły dzieci. Około dwudziestu chat o płaskich dachach, zbudowanych z liści palmowych, było rozrzuconych chaotycznie w rozległym zagłębieniu między wydmami. Dwie chaty Jassema znajdowały się na końcu osady, tuż pod trzema strzelistymi palmami.

Hamad przezornie zabrał wszystko, co mogło być im potrzebne: garnki i rondle, poduszki, mąkę, ryż, kawę, herbatę, kozy i kurczęta.

– Tam jest studnia – Latifa wskazała ręką przed siebie – z wodą tak chłodną jak zimowy deszcz.

Noora jej nie widziała i zastanawiała się, jak można coś znaleźć na tym rozległym obszarze pełnym wydm i zagłębień, bez przerwy zmieniających położenie.

Latifa szybko zarządziła, jak będą spali. Ona zajmie pierwszą chatę (z wieżą wiatrową zrobioną z workowej przędzy). Noora miała dzielić drugą chatę z Jaqootą. Do sypialni Hamada prowadziła drabina. Była to platforma z liści palmy na czterech drewnianych palach, ustawiona w przyzwoitej odległości.

Gdy słońce powędrowało wyżej, piasek buchnął żarem. Rozpakowali się, ugotowali i zjedli obiad, i Noora chwiejnym krokiem poszła do chaty. W półmroku pozwoliła oczom odpocząć od oślepiającego światła i bezwładna osunęła się obok Jaqooty na jedną z mat przykrywających miękki piach.

Na linii włosów poczuła krople potu i przysunęła twarz do podłużnego otworu w ścianie, czekając na ten tajemniczy podmuch wiatru, który miał się przedostać przez jedną ścianę i wydostać drugą. Wtedy się pojawił. Zmęczony oddech, który był zdecydowanie bardziej suchy, ale równie gorący jak powietrze nad morzem.

– Ale gorąco – sapnęła.

– Gorąco to gorąco, czy jesteś tu, czy tam – prychnęła Jaqoota.

„Gorąco... to... gorąco". To były jej pierwsze słowa, od kiedy opuściły Wadimę, a wymówiła je głosem tak suchym jak pustynia, która je otaczała.

– Dlaczego jesteś na mnie zła? – spytała Noora.

– Powinnaś wiedzieć.

– A jeśli nie wiem?

– Wszystko wiesz. A szczególnie, jak utrzymywać coś w tajemnicy.

– Nie mam żadnych tajemnic.

– Po prostu powiedz mi prawdę. Niczego więcej nie chcę. Wtedy będę wiedziała, czy jesteś moją przyjaciółką, czy nie.

– Jaką prawdę?

Jaqoota milczała.

– Jeśli mówisz o Hamadzie, to nie przyszedł się ze mną zobaczyć, tak jak to sobie wyobrażasz.

– Skoro tak mówisz...

30

Słońce na pustyni z jakiegoś powodu wydaje się większe, bardziej okrągłe i jaśniejsze. Zmywa kolor z nieba i sprawia, że wydmy blakną. Dopiero późnym popołudniem pozwala odpocząć, zabiera najsilniejsze promienie i chowa je na następny dzień. O tej porze Noora przechadzała się pomiędzy pobliskimi wydmami.

Przytłaczająca pustka pustyni dawała dziwne poczucie swobody. Noora mogła opuścić chatę i udać się w dowolnie wybranym kierunku, ponieważ wszystkie wydmy wyglądały tak samo. Mimo to podobało jej się, że ma taką możliwość. Usiadła na szczycie wysokiego wzgórza i zanurzyła stopy w piasku, patrząc, jak po stoku zbiega grupka dziewcząt.

– Chodź! – zawołała mała dziewczynka, ubrana w kanarkowożółtą sukienkę. – Pojeżdżaj z nami. Poganiaj nas. – Była jedną ze starszych, mogła mieć siedem albo osiem lat. Wspinała się w kierunku Noory, a kosmyki jej włosów wymykały się z warkoczyków.

Noora uśmiechnęła się do niej.

– Ubrudzę się. I popatrz tylko na swoje włosy. Chodź, poprawię je.

Dziewczynka się wywinęła.

– To tylko piasek – powiedziała. – Trzeba go strząsnąć, o tak. – Energicznie pokręciła głową i warkoczyki się rozplotły. – No, chodź.

Noora pokręciła głową, żałując, że nie ma z nią Jaqooty. Niewiele myśląc, zsunęłyby się z wydmy ze śmiechem. Co za uparta dziewczyna! Dziesięć dni dąsania się w Wadimie i kolejne dziesięć od przybycia do Om al-Sanam, a Jaqoota nadal nie chciała jej wybaczyć. A teraz było za późno, żeby Noora się przyznała, iż Jaqoota od początku miała rację. To by tylko zrodziło więcej podejrzeń w przyszłości. Nie, postanowiła Noora, musi trzymać się swojej wersji wydarzeń. Dziewczynka ciągnęła ją za rękę.

– Dobrze już, dobrze – powiedziała Noora. – Jak właściwie masz na imię?

– Afra.

Noora uśmiechnęła się i nasunęła chustę na głowę.

– Przez ciebie też będę wyglądała nieporządnie – powiedziała, kładąc się na brzuchu.

– Ręce do przodu – poleciła Afra.

Noora wykonała polecenie.

– A teraz płyń!

Noora zacisnęła oczy i usta i zsunęła się z wydmy głową do przodu. Wszędzie piach! Wdarł się do jej nosa i wsypał do uszu, wcisnął się pod chustę i zebrał pod sukienką. Za każdym razem, kiedy piach próbował ją wchłonąć, odgarniała go na bok szerokimi ruchami rąk. Płynęła coraz szybciej. Patrzyła na świat przemykający obok niej, chociaż miała zamknięte oczy. Dopiero na dole pozwoliła, żeby piasek ją zasypał. Wtedy usłyszała, jak matki wołają dzieci do chat. Noora nie otworzyła oczu, tylko przewróciła się na plecy i rozłożyła szeroko ręce i nogi, słuchając nawoływania dzieci biegnących do domu.

Co za rozkoszne uczucie! Zjazd z wydmy dał jej poczucie wolności po wszystkich tych miesiącach w Wadimie, kiedy pilnowano każdego jej słowa i kroku. Ziewnęła, przeciągnęła się i wyciągnęła stopy. Leżała tak dłuższą chwilę, po czym się rozluźniła. Wtedy poczuła, jak na jej twarz pada cień. Otworzyła oczy i zobaczyła Hamada stojącego nad nią ze skrzyżowanymi ramionami. Natychmiast usiadła i zmrużyła oczy.

– Masz tupet – stwierdziła. Miał słońce za plecami, a ona przechyliła głowę, żeby widzieć jego twarz i sprawdzić, czy uśmiecha się z wyższością. – Co za zuchwałość, pojawiać się tu znikąd... jak, jak...

– Jak złodziej?

Pokręciła głową i skrzywiła się.

– Jak duch? – Uśmiechał się szeroko.

– Gorzej niż duch! Najgorzej wychowany... najbardziej niegrzeczny... z... z... – I znowu nie mogła wypowiedzieć słowa, które miała na końcu języka. Jakimś sposobem chusta owinęła się wokół jej szyi, a kiedy ją poluzowała, wysypał się z niej piach. Musi wyglądać okropnie!

– Cóż, ten duch przyszedł ci tylko powiedzieć, że doskonale się spisałaś z kombinezonem. Ojciec wiele razy pytał mnie, który krawiec podjął się tej roboty, i za każdym razem musiałem znikać, udawać, że ktoś mnie woła albo potrzebuje.

– Nie wydaje mi się, żeby to było trudne – odrzekła Noora – ponieważ masz talent do znikania i pojawiania się.

Wstała i otrzepała sukienkę, słuchając jednym uchem, jak Hamad jeszcze raz jej dziękuje.

– Czuję się zobowiązany jakoś ci się odwdzięczyć – powiedział. – Co mogę zrobić?

– Nic. Wystarczy, że nie będziesz przysparzał problemów.

31

Wydmy przemykały obok niej, lecz zostawiała je za sobą i leciała w niebo. Chociaż owinęła chustę ciasno wokół głowy i pod pachami, materiał wydymał się raz za razem. Noora nie mogła przestać się huśtać. Słyszała, jak zużyte kawałki sznurka ocierają się o pochyłą palmę, przez którą były przewieszone, ale wzbijała się coraz wyżej. Co za wyzwalające uczucie! Przychodziła zawsze przed dziećmi, żeby cieszyć się tym w samotności. „Hamad ją dla nas zrobił". Tak powiedziała Afra. Lecz Noora znała prawdę. Uśmiechnęła się, czując na twarzy powiew popołudniowego powietrza. Wiedziała, że powiesił tę huśtawkę dla niej.

I każdego popołudnia obserwował ją, kucając na szczycie wydmy. A ona mu na to pozwalała. Nie zwalniała, ponieważ ostrożność nie pasowała do beztroskiej swobody kołysania. Teraz poprawiał węzeł gitry, wprawnym ruchem, który ona zapisała sobie w pamięci. Łatwość, z jaką wykonał ten gest, zdziwiła ją po raz kolejny, podobnie jak wszystko, co go dotyczyło.

Coś się dzieje. Hamad się zmienia. Już nie garbi się sfrustrowany. Nie krzywi się też w grymasie gniewu, który często widywała w Wadimie. A jego oczy... te niezgłębione oczy już nie są wbite w ziemię. Hamad ma je szeroko otwarte, pozwalając, by słońce wydobywało ich rudobrunatny odcień.

Może to swoboda związana z brakiem ograniczających ścian? Może chodzi o to, że nie ma z nimi Jassema? A może to ta pustka wokół nich? Niezależnie od przyczyny, każdy ruch, jaki wykonywał Hamad, miał lekkość, jakiej przedtem nie było.

Nadchodziły dzieci. Noora usłyszała ich głosy, zanim pojawiły się na szczycie wydmy. Zwolniła. Jej czas na huśtawce dobiegł końca. Patrzyła, jak dziewczynki zbliżają się do Hamada i ciągną go po stoku, prosząc, żeby „powiesił drugą huśtawkę".

Jego nogi, niczym kopyta jelenia, grzęzły w piasku, kiedy sadził susy, a Noora poczuła, że policzki zaczynają ją palić żywym ogniem. Złożyła to na karb huśtania się i nie odwróciła wzroku. „Jest dla mnie jak brat" – to właśnie wyszeptała, kiedy huśtawka się zatrzymała. I tak też się do niego zwracała: „bracie Hamadzie". To odpowiednia forma.

Nie uważała, że łamie jakieś zasady, spotykając się z nim każdego popołudnia pod palmami, jak nazywali rozległe zagłębienie, z którego wyrastało sześć palm. Usprawiedliwiało ich to, że odgrywają role dorosłych pilnujących dzieci, które zawsze im towarzyszyły. Zresztą, najwyraźniej nikogo to nie interesowało. Ani Latify, przemykającej się z jednej chaty do drugiej z uśmiechem, jakby jałowość pustyni wypędziła z niej wszelką gderliwość, ani Jaqooty, która nadal się dąsała. Nigdy nie pytała, dokąd Noora chodzi popołudniami ani z kim się widuje.

– Nie mam więcej sznurka – tłumaczył Hamad, kiedy dotarli do huśtawki. – Poza tym, tu jest tylko jedno pochyłe drzewo. Pozostałe są proste. Same mi powiedzcie, dziewczynki, gdzie miałbym powiesić drugą huśtawkę?

– Obok pierwszej, obok pierwszej – nie ustępowały.

– Prosiiiimy!

Rozległ się głos Afry, jak zwykle odważniejszej niż koleżanki:

– Musisz nam zrobić jeszcze co najmniej trzy – rozkazała. – Powieś je obok siebie. Przyniesiemy ci tyle sznurka, ile zechcesz.

Hamad znów się roześmiał i tym razem Noora mu zawtórowała, a zdezorientowana dziewczynka patrzyła na nich ze zmarszczonym nosem.

– Musiałaś być dokładnie taka jak Afra – powiedział Hamad do Noory, kiedy usiedli, żeby mieć dziewczynki w zasięgu wzroku. – Taka zuchwała i odważna.

– Nie wiem. – Noora wzruszyła ramionami. – Może... dawno temu.

– Wiesz, siostro, na wypadek, gdybyśmy ich razem nie pilnowali, pamiętaj, żeby pozwolić każdej się pohuśtać. Afra nikomu nie da szansy – wyjaśnił Hamad. – Popatrz na nią. Znowu to samo.

Rzeczywiście, była władcza niczym bogacz. Jedną ręką przyciskała huśtawkę do kanarkowożółtej sukienki, a drugą odpychała pucołowatą dziewczynkę wyższą od niej.

– Zerwie się, gdy na niej usiądziesz! – przekonywała.

– Jesteś za gruba.

– Teraz jej kolej – powiedziała Noora, starając się, by zabrzmiało to surowo. – Jeszcze na niej nie siedziała. Ustąp jej.

Afra kopnęła piasek i puściła huśtawkę, po czym wzięła się pod boki i ostrzegła dziewczynkę:

– Ale nie za długo. Jak się zepsuje, reszta z nas nie doczeka się na swoją kolej.

Noora pokiwała głową usatysfakcjonowana. Czyż nie po to tu są, żeby mieć oko na dziewczynki?

Noora nie była pewna, co sprawia jej większą przyjemność: huśtanie się czy rozmowy z Hamadem. Pozwalał jej mówić, co chciała. A ona korzystała z tego tak beztrosko, że aż sama się sobie dziwiła. W bursztynowym słońcu popołudnia Noora opowiadała o swoim dzieciństwie spędzonym w górach, śmiertelnej chorobie matki, zniknięciu ojca, i o tym, jak Sager ją sprzedał. A kiedy myślała, że była zbyt szczera, patrzyła Hamadowi w oczy i wzdychała, z zadowoleniem dostrzegając w nich zachęcający błysk. To sprawiało, że nie żałowała, iż powiedziała za dużo.

On też mówił, ale jego słowa przypominały morskie fale. Mówił niewiele, czasem milczał, po czym podejmował opowieść. Jego głos bywał delikatnym pluskiem morza w spokojny dzień albo silną falą uderzającą o brzeg, kiedy porywisty wiatr nagania przypływ.

– Nie chcę słuchać niczyich poleceń, bracie Hamadzie. Nie chcę się bać – powiedziała mu pewnego popołudnia. Zeskoczyła z huśtawki, gdy tylko go zobaczyła, chociaż dzieci jeszcze nie przyszły.

Usiadł koło niej pod palmami i powiedział.

– Wiem, jak to jest.

I te jego oczy pełne słonecznego blasku, zapewniające ją, że może mu się bezpiecznie zwierzyć ze swoich kłopotów. Siedziała, obejmując kolana, ze stopami zanurzonymi w miękkim jak poduszka ciepłym piasku.

– Skąd miałbyś wiedzieć? – westchnęła. – Jesteś mężczyzną. Możesz robić, co zechcesz, pójść, dokąd sobie zażyczysz. Możesz zdecydować, co zrobić ze swoim życiem. – Znowu westchnęła bezradnie. – A ja? Należę do Jassema i on decyduje o moim losie. Mogę jedynie czekać na to, co się wydarzy.

Pokiwał głową.

– To prawda, siostro, ale nie myśl, że jestem tak do końca wolny. Zarówno kobieta, jak i mężczyzna, pragnący żyć, jak im się podoba, potrzebują pieniędzy. A ja ich nie mam.

– Ale mój małżo... Jassem... ci płaci.

– Grosze – prychnął Hamad. – Obiecał, że zabierze mnie ze sobą, kiedy wyruszy w podróż handlową, nauczy, jak zostać kupcem. Jak na razie tego nie zrobił.

Noora nie miała ochoty rozmawiać o mężu.

– Nie potrzebujesz go, bracie Hamadzie – powiedziała. – Możesz zacząć pracować dla kogoś innego. Jak powiedziałam, *masha' Allah*, możesz robić wszystko, jeśli naprawdę tego chcesz.

– Założę się, że to samo odnosi się do ciebie.

Uśmiechnęła się i wyciągnęła stopy z piasku. Wyprostowała je i odchyliła się, opierając na łokciach. Lekki wietrzyk kołysał gałęziami palmy, a ona patrzyła, jak na jej stopach tańczą promyki słońca.

– A jeśli ci powiem, że tak bardzo czegoś pragnąłem, że byłem przekonany, iż to się wydarzy – odezwał się Hamad.

– I?

– Nie wydarzyło się. – Zamrugał, patrząc w słońce, a Noora poczuła ukłucie ciekawości. Czekała, aż powie coś więcej – na próżno. Zamiast tego spojrzał na swoje stopy i powędrował wzrokiem za czarnym żukiem z garbatym grzbietem, który zaczął się wspinać na jego duży palec.

– Dlaczego się nie wydarzyło? – zapytała.

Zdjął żuka ze stopy i odetchnął głęboko, a Noora wiedziała, że za chwilę fala rozbije się o brzeg.

– Na targu jest sklep – zaczął. – Są w nim wszystkie rzeczy, które chciałem mieć jako dziecko: kamień ciągnący poławiacza w dół, płócienny kombinezon chroniący go przed oparzeniami meduzy, drewniane klipsy na nos, skórzane ochraniacze na palce, koszyk i taka ostro zakończona łopatka, wiesz, ta, która służy poławiaczom do wydobycia ostrygi z muszli. Zawsze marzyłem, żeby to wszystko mieć. Nie chodzę już do tego sklepu, bo przypomina mi o moim upokorzeniu, siostro Nooro. – Westchnął ciężko. – Wszystkie te sprzęty przypominają mi o tym, że jestem bezużyteczny.

265

Upokorzenie? Bezużyteczność? O czym on mówi?

Rozgrzebał piasek palcami stóp.

– Widzisz, zawsze chciałem być poławiaczem pereł. Kiedy byłem małym chłopcem, marzyłem tylko o tym. Siedzę na małej łodzi na wzburzonych wodach w bezchmurny dzień, pod palącym słońcem. Zawsze była wypełniona zmęczonymi poławiaczami. – Hamad przestał mrugać, pomimo słońca. Patrzył zuchwale w popołudniowy blask. Uśmiechnął się gorzko. – To łódź przegranych. Nie wiem, dlaczego chciałem się na niej znaleźć. – Uniósł brwi. – Nie ma na niej nadziei, równie dobrze mogłaby zatonąć. Potem jednak w tym moim marzeniu coś się dzieje.

– Co, bracie Hamadzie? Co takiego?

Hamad prychnął.

– Zostaję bohaterem! Kiedy poławiacze się poddają, ja nurkuję po raz ostatni w czarną, najczarniejszą głębię. Zostaję pod wodą przez dziewięćdziesiąt siedem, dziewięćdziesiąt osiem, dziewięćdziesiąt dziewięć sekund – o wiele dłużej, niż którykolwiek nurek potrafi wytrzymać bez nabierania powietrza. I gdy już zostaję uznany za zmarłego, wypływam na powierzchnię. – Hamad udał, że gwałtownie wciąga powietrze i uniósł ręce w triumfalnym geście. – Poławiacze wiwatują i klaszczą, uznając mnie za mistrza, kiedy wręczam im największą perłę, jaką w życiu widzieli. „Hamad nas ocalił!" – wołają.

Chociaż się śmiał, drżała mu broda.

Noora też się śmiała, chociaż wiedziała, że nie powinna. Niespełnione marzenia, takie jak to, są niczym mleko rozlane na suchej ziemi. Natychmiast w nią wsiąka i pozostawia bezużyteczną plamę, która przypomina nam, że nigdy go nie posmakujemy.

– Co za cudowna historia – powiedział i nagle przestał się śmiać. – Wystarczyło jedno nurkowanie, żeby to marzenie zniknęło. Widzisz, siostro, morze zniszczyło zdrowie mojego ojca. Niedowidzi, skórę na całym ciele ma spękaną, a jego kości... cóż, dosłownie słychać, jak trzeszczą za każdym razem, gdy się pochyli. Zawsze chciałem go od tego wszystkiego uchronić i zawsze byłem pewny, że jakimś sposobem stanę się bohaterem moich marzeń, który znajdzie bogactwo. Żeby ocalić rodzinę.

Czy powinna zmienić temat? Tak, nie, tak, nie... Postanowiła, że nie zmieni. Może Hamadowi ulży, tak jak jej, kiedy zwierza się z czegoś, co sprawia jej ból.

– Dwa lata temu byłem gotowy – ciągnął Hamad. – Ćwiczyłem setki razy, wstrzymując oddech na płyciznach Wadimy. Gdy tylko wypłynęliśmy, stanąłem na burcie łodzi. Pamiętam, że stałem obok ojca, wypatrując w wodzie meduz. Gdy żadnej nie zauważyłem, nawet nie dbałem o to, żeby włożyć kombinezon. Ojciec ostrzegł, żebym nie nurkował głębiej niż on. – Hamad zniżył głos. – „Nie myśl sobie, że wygrasz z morzem", tak mi powiedział. A ja tylko kiwałem mu głową. Nie mogłem się doczekać, aż zanurkuję! Zauważyłem na dnie ciemną plamę – skała. Pomyślałem sobie, że to jest to. Ostrygi muszą być do niej przytwierdzone. Czekają na mnie. Zapiąłem na nosie klips i napełniłem płuca powietrzem, po czym wskoczyłem za pozostałymi nurkami. Schodziliśmy coraz głębiej. I wtedy dopadła mnie panika. Nie potrafiłem powiedzieć, który z poławiaczy to mój ojciec. Woda szczypała mnie w oczy i chciałem je potrzeć. Jednak nie miałem odwagi. Bardzo się bałem, że pomylą mi się linki. Ta w prawej ręce ciągnęła mnie w dół, a ta w lewej w górę. Widzisz, są dwie, jedna przyczepiona do ciężarka, który ciągnie na dno, druga zaciśnięta w lewej ręce – moja lina ubezpieczająca. Jedno szarpnięcie i holujący na łodzi wie, że musi wyciągnąć mnie na powierzchnię.

Noorze wydawało się, że powietrze się rozrzedziło, i zaczęła głęboko oddychać. Jakie to musiało być uczucie, kiedy woda napierała na niego, nie pozwalając oddychać? Zlizała pot, który zebrał się na górnej wardze, i czekała na dalszą część opowieści.

– Pamiętam, że zastanawiałem się, jak będę zbierał ostrygi, skoro boję się puścić sznury. I wtedy zaczął się mój problem. – Hamad zrobił przerwę i wyciągnął stopy z piasku. Noora chciała krzyczeć, żeby opowiadał dalej, powiedział, co się wydarzyło.

Jakby odgadując jej myśli, powiedział:

– Ból tak wielki, że byś nie uwierzyła, głęboko w uszach i za oczami. Potrząsnąłem głową, na próżno. Próbowałem odetkać uszy, ale ból tylko się nasilił. – Zgarbił się i zatkał uszy. – Ból zaczął wędrować po bokach szyi i pulsować. Auu! To pulsowanie! Za oczami, wszędzie!

Słyszała głosy dzieci za wydmą i poczuła irytację na myśl, że im przeszkodzą. Była pod wodą z Hamadem, czuła jego ból. Przysunęła się do niego. Musi wiedzieć, co potem zrobił.

Hamad klasnął. Noora się odsunęła.

– Próbowałem zwolnić, ale ten kamień mknął w głębiny, ciągnąc mnie za sobą. Byłem przerażony. Wierzgałem, nie pamiętając, żeby pociągnąć za linkę, i przez cały czas ten okropny ból. Woda wokół mnie była gęsta, pochłaniała mnie.

Dzieci wspięły się już na szczyt wydmy, wołając do Noory i Hamada. Zignorowała je.

– Powiedz mi, szybko – ponagliła go – co zrobiłeś?

– Mogłem utonąć, ale Allah był łaskawy. Musiałem bardzo się szarpać, bo holujący zorientował się, że mam poważne problemy. – Hamad patrzył, jak dzieci zsuwają się z wydmy. Jak zwykle Afra była w czołówce. – Kiedy wydostałem się na powierzchnię, przypominałem zdychającą rybę leżącą brzuchem do góry i z trudem chwytającą powietrze.

32

Pewnego dnia wczesnym rankiem Noora zajrzała do chaty Latify i zobaczyła, że ta grzebie w swojej skrzyni. Patrzyła, jak wyjmuje po kolei wszystkie tobe, abaje i spodnie.

– Gdzie to jest? – mamrotała.

Noora weszła do środka i właśnie miała zapytać, czego Latifa szuka, kiedy Jaqoota przepchnęła się obok niej.

– Nigdzie nie mogę tego znaleźć, *ommi* Latifa – powiedziała.

– W takim razie, pewnie tego nie wzięłyśmy – stwierdziła pierwsza żona. – Twoja wina, że mi nie przypomniałaś.

– Moja wina?! – wykrzyknęła Jaqoota i Noorę zaskoczył wysoki pisk, którego tak długo nie słyszała. Służąca uniosła oskarżycielsko palec, ostry jak włócznia, i zatrzymała go tuż przed nosem Noory. – To ona! Nie ja, *ommi* Latifo. To ona pakowała twoją skrzynię. To ona zapomniała zabrać twoje lustro.

– Nie ma znaczenia, kto ją pakował, Jaqooto – powiedziała cicho Latifa. – Powinnaś pamiętać, żeby sprawdzić zawartość skrzyni nawet po jej spakowaniu. Noora jest nowa w naszym domu. Nie wie, czego potrzebuję.

Jaqoota zmarszczyła nos.

– Ale to ty jej powiedziałaś, co ma spakować.

– Ciii, dziecko! Nie ma potrzeby robić zamieszania.

– Przecież masz lusterko – zauważyła Noora. – Leży tam, w kącie obok perfum.

Jaqoota zamachała rękami jak ośmiornica.

– Nie to – prychnęła. – To jest taaakie małe, że musi je trzymać taaak daleko, żeby dokładnie widzieć swoją twarz.

– To przez moje oczy – wyjaśniła Latifa. – Nie widzę zbyt wyraźnie, jeśli coś jest za blisko. Zresztą i tak jest za małe. Nawet gdy je odsunę, widzę tylko tę część. – Klepnęła się w bok czoła. – Albo tę część. – Dotknęła drugiej strony. – Potrzebne mi większe lustro, to z rączką z brązu, ozdobione kawałkami kolorowego szkła.

Noora udała, że rozumie powagę sytuacji, i pokiwała głową.

– Muszę je mieć – przekonywała Latifa.

Noora znów pokiwała głową.

Latifa niedbale machnęła ręką w stronę Noory.

– Musisz po nie pójść i mi je przynieść.

– Ja pójdę – zaoferowała się Jaqoota, wstając. – Ja mogę przynieść twoje lustro.

Latifa pokręciła głową.

– Nie, chcę, żebyś została, na wypadek gdybym czegoś potrzebowała. Noora może pójść. – Zrobiła przerwę. – I Hamad. Zna drogę i w razie niebezpieczeństwa ją obroni.

– Niebezpieczeństwa? Ona się urodziła w górach, *ommi* Latifo, gdzie spod każdego kamienia wyskakują węże! Zielone węże, czarne węże, pasiaste węże, kropkowane węże... – Śmiech Jaqooty był tak pełny jadu, jak wspomniane węże. – Poradzi sobie z każdym niebezpieczeństwem. Potrafi nawet odstraszyć bandytów, jeśli potarga włosy i będzie wymachiwała rękami jak wariatka.

– Cicho, ty bezczelna dziewczyno! Jak nie Szamsa, to ty. Dlaczego nie potrafisz traktować Noory jak siostry?

– Ma inny kolor. Kiedy jesteś jaśniejsza, myślisz, że ta ciemniejsza nie ma mózgu, nie widzi i nie rozumie. – Zwróciła się do Noory: – Prawda siossss... siossstro?

– Dosyć tego! Noora jest żoną *arbaba*. – Oczy Latify błyszczały pod burką jak dwa kamyki, nie pozostawiając wątpliwości, że jest zagniewana. – Pewnego dnia zostanie matką jego dzieci. Musisz odnosić się do niej z szacunkiem.

Jaqoota nachmurzyła się i wybiegła z chaty.

– Eee... bin-Surour! – krzyknęła Latifa.

– Traktuję go jak brata, a po drodze do Wadimy będziemy dużo rozmawiać – powtarzała sobie Noora szeptem. Mimo to czuła, jak zalewa ją fala niepokoju niczym gwałtowna powódź w wadi – tak gwałtowna, że wyrywa z korzeniami krzewy i drzewa, a nawet zmywa całe fragmenty wąwozu. Oddychała głęboko, żeby uspokoić serce tłukące się w piersi. To z powodu upału, pomyślała.

„Dlaczego to, dlaczego tamto? Za dużo czasu spędzasz na rozpamiętywaniu różnych rzeczy". Tak powiedział jej kiedyś Hamad. Noora odparła, że lubi mieć lepsze rozeznanie i ułożyć sobie listę możliwości, dzięki czemu nie będzie musiała decydować o wszystkim natychmiast. Teraz stworzyła listę wszystkiego, co musi zrobić, zanim wyruszy do Wadimy.

Włoży lepszą sukienkę i przykryje ją niebieską tobe, ozdobioną na piersi delikatnym kwiecistym haftem. W sam raz. Oczywiście wszystkie warstwy ubrania trzeba będzie wyperfumować, żeby przy każdym ruchu ciągnęła się za nią smuga zapachu. Dokładnie wyczyści zęby gałązką miodli, umyje włosy i zaplecie je w dwa warkocze. Skórę za uszami muśnie olejkiem z ambry. Rzecz jasna, musi być też khol – jest nieodzowny.

Wyszła z chaty, odliczając zadania na palcach jednej ręki, aż oszołomiły ją ostre promienie południowego słońca, które sprawiły, że zapomniała, dokąd idzie i co musi zrobić. Wtedy przypomniała sobie woreczek z czerwoną glinką, który miała w kieszeni. Najpierw musi umyć włosy. Przebiegła po parzącym piasku i przykucnęła w cieniu za chatami.

Kiedy wysypała sproszkowaną glinkę na włosy, usłyszała szelest liści i do chaty weszła Jaqoota, prychając i burcząc pod nosem. Wyglądała jak tygrysica w klatce. Jej niepokój udzielił się Noorze, rozmasowującej kleistą substancję na głowie.

Co za pośpiech! Zmieniły się w pustynne zwierzęta, w nerwowe pustynne skoczki, bez przerwy uciekające przed niebezpieczeństwem. Są jak maleńkie czerwone mrówki, które biegną tak prędko, że nie widać, jak nóżkami dotykają ziemi. Jak gekon, którego widywała czasem nurkującego w piach wydm szybciej, niż wiatr podrywał ich drobne ziarenka. Czuły się tak dobrze na aksamitnych wydmach, gdzie nie można było się zderzyć z niczym twardym. To przez upał – pomyślała. Upał sprawia, że tak się zachowuję.

Tylko Latifa się tym nie przejmowała. Chłodna niczym blask księżyca, chodziła ze spokojnym uśmiechem, który napinał jej obwisłą skórę pod oczami. Ostatnimi czasy, gdy zwracała się do Noory, jej słowa były jak miód, słodki i tylko lekko drapiący po przełknięciu.

Dlaczego? zastanawiała się Noora, słysząc, jak jej serce mocno bije. Dlaczego to lustro jest takie ważne? Spędzili już połowę upalnych miesięcy w Om Al-Sanam, dlaczego nie może poczekać, aż wrócą do Wadimy? To nie odległość martwiła Noorę. Wadima nie jest zbyt daleko, więc wrócą z Hamadem przed zachodem słońca. Tu chodziło o coś innego.

Kiedy Noora przechyliła gliniany dzban, żeby opłukać włosy, cisza zmieszała się z upałem. Jaqoota przestała chodzić tam i z powrotem. Z chaty Latify nie dochodził żaden dźwięk. Noora stłumiła chęć sprawdzenia, co się dzieje, ponieważ się śpieszyła. Polała włosy jeszcze kilka razy, aż woda stała się czysta.

33

Zatrzymali się na stoku wysokiej wydmy, żeby odpocząć. Mimo iż Noora była spragniona, nie piła łapczywie. Uniosła burkę tylko na tyle, żeby przysunąć bukłak do ust. Pozwoliła, by odrobina wody spłynęła w kąciki warg, jak rosa po płatkach kwiatu rozkwitającego w świetle poranka. Mogła wrzucić do ust daktyla, którego dał jej Hamad, ale tego nie zrobiła. Trzymała go pod burką i podgryzała tak, że małe kawałeczki leżały na języku, podczas gdy ona lekko poruszała ustami. Każdy jej ruch był przemyślany, starannie opracowany, żeby wydobyć z niej całą kobiecość. A Hamad na nią patrzył, patrzył i udawał, że nie patrzy.

Za każdym razem, kiedy na niego spoglądała, mrugnięciem dusił iskrę pożądania widoczną w oczach i wbijał szklisty wzrok w krzak za jej plecami. Te subtelne gierki przyprawiały ją o szybsze bicie serca. Mogła się tak bawić bez końca, wiedząc, że Hamad obserwuje każdy jej gest.

Chciała teraz, żeby zatonął w głębokich studniach jej obwiedzionych kohlem oczu. Przechyliła głowę na tyle, żeby słońce wpadło przez otwory burki. I tak trwała. Nie mrugała, czekając, aż oczy wchłoną całe to światło i rozbłysną szmaragdową zielenią.

To słońce! Krwistoczerwona kula wtulona w szeroki uśmiech chmury. Takie zuchwałe! Rzucało jej wyzwanie, żeby posunęła się dalej. Poprawiła abaję i chustę, żeby odsłonić trochę czoło, i wyobraziła sobie, jak jej oliwkowa skóra promienieje w słońcu. Wtedy nagły podmuch wiatru zdmuchnął tkaninę okrywająą jej głowę. Zsunęła się i zatrzymała na biodrach. To nie była część niewinnego flirtu. To wiatr płatał figle, zupełnie jak kiedyś na łodzi.

Hamad przyglądał się jej uważnie. Nie odwracał wzroku. Bez znajomego dotyku materiału na głowie owładnęła nią dziwna nieśmiałość. Czując się obnażona, szybko naciągnęła chustę. Nagle ciszę pustyni rozdarł groźny zduszony pomruk.

Przetoczył się po wydmach przytłumionym dudnieniem. Na szyi Hamada nabrzmiały żyły, gdy obracał głowę, starając się odgadnąć, skąd dochodzi hałas. Trudno to było ustalić. Wreszcie nabrał garść piasku i pozwolił, żeby przesypał mu się przez palce.

– Tam – powiedział, wskazując na wschód.

Zanim Noora zdążyła odpowiedzieć, złapał ją za nadgarstek i pociągnął w górę wydmy. Miał wilgotną dłoń, a ją zdziwiła jego siła. Z jakiegoś powodu nie pasowała do gibkości jego szczupłego ciała. Ukucnęli za kępą rozłożystych traw rosnących na szczycie i czekali jak myśliwi na zdobycz.

W pewnej odległości Noora dostrzegła unoszącą się chmurę kurzu. Potem w polu widzenia pojawił się dżip. Miał kolor zakurzonych liści, a warczał głośniej, niż wskazywałaby na to jego wielkość. Zjechał w kolejne zagłębienie terenu i zniknął.

Kiedy podjechał bliżej, pochylili głowy, chociaż wiedzieli, że są niewidoczni. Wreszcie samochód zatrzymał się na płaskiej wydmie tuż pod nimi, a charczący silnik zamilkł niczym wyczerpany wielbłąd.

Wyskoczyła z niego kobieta i dwóch mężczyzn. Kiedy się odezwali, słowa wyleciały z ich ust delikatnymi pluśnięciami, które brzmiały jak kapanie wody.

– *Inglesi*! – wyszeptał Hamad.

Noora pokiwała głową. Jassem wszystko jej o nich opowiedział. Przyjeżdżają tu szukać *bitrole* – kleistej czarnej ropy ukrytej głęboko w piachu, która ma podobno ułatwiać życie. Mieszkają w wojskowych barakach na słonej pustyni pod Wadimą i od czasu do czasu jeżdżą dżipem wzdłuż wybrzeża.

Noora zauważyła ich przez okno *majlis* dla mężczyzn. Pewnego razu tak bardzo zbliżyli się do domu, że widziała ich oczy przypominające błyszczące kamyki we wszystkich kolorach nieba i morza. Zawsze byli to jednak mężczyźni. Tym razem pojawiła się kobieta.

Noora była zaskoczona widokiem jej sukienki. Nie chodziło o wzór – wielkie słonecznożółte kwiaty – ale fason, w niczym nieprzypominający luźnych sukienek, które przy każdym kroku muskały kostki. Sukienka – sukienka *Inglesi*

– opinała ciało kobiety i była zmarszczona w talii. Potem rozkładała się niczym parasolka i kończyła tuż pod kolanami. Widać było jej gołe nogi, blade i połyskliwe jak u jaszczurek, które chodziły po suficie w jej pokoju w Wadimie.

Noora ukradkiem spojrzała na Hamada. Leżał na brzuchu oparty na łokciach i uważnie przyglądał się angielskim ludziom. Czerwony blask słońca rozłożył się równomiernie na jego uszach, a ona czekała, aż wyrazi swoją dezaprobatę wobec takiego obnażania ciała. Nie miało to nic wspólnego ze skromnością, jakiej ona przestrzegała.

„Bezwstydnica!" – spodziewała się, że z jego ust padnie to właśnie słowo. Niczego takiego jednak nie powiedział. Zamiast tego wyszeptał:

– To pudełko robi odbicie rzeczy.

Noora uniosła brwi ze zdziwienia i znów spojrzała w tamtym kierunku. Zobaczyła mały kawałek metalu wielkości jej dwóch otwartych dłoni złożonych razem. Jeden z mężczyzn mocował go na trójnogu.

– Widzisz, siostro? To się nazywa aparat – powiedział Hamad.

Noora patrzyła, jak mężczyzna zbliża twarz do pudełka, i czekała. Kiedy nic się nie wydarzyło, powędrowała wzrokiem w stronę kobiety, której wieku nie potrafiła określić, chociaż wiedziała, że jest młoda. Jej złote włosy były cienkie jak jedwabne nici i chociaż wiał lekki wiatr, unosił je z równą łatwością co pustynny piach. Teraz głaskała drugiego mężczyznę po ramieniu, śmiejąc się tak serdecznie, tak naturalnie, że Noora otworzyła usta, zdumiona swobodą jej zachowania.

On też się roześmiał i objął ją, zaciskając palce na jej nagim ramieniu, po czym rozłożył dłoń na wielkich kwiatach w kolorze słonecznej żółci i tak mocno pogłaskał, że Noora obawiała się, iż je zetrze.

Najwyraźniej nie przeszkadzała im obecność drugiego mężczyzny, nawet gdy odsunął twarz od aparatu, spojrzał na nich przez ramię i powiedział coś głośno.

Czy ich karcił? Noora czekała, aż para się od siebie odsunie, co byłoby właściwym zachowaniem w towarzystwie innej osoby. Oni jednak roześmiali się i objęli. Mężczyzna przytulił kobietę, a ona uśmiechnęła się do niego i go pocałowała.

Noora gapiła się, nie mogąc odwrócić wzroku. Czy Hamad też na to patrzy, czy wciąż przygląda się aparatowi? Nie odważyła się na niego spojrzeć. Dopiero kiedy usłyszała jego chrząknięcie, ukryła twarz w dłoniach. Czas się zbierać. Odwróciła się szybko, usiadła i zjechała z wydmy, odpychając się rękami.

34

Przeglądając zawartość skrzyni Latify w poszukiwaniu lusterka, Noora poczuła przypływ energii. Czy to był pocałunek, kiedy ich języki zetknęły się w taki sposób? Czuła się jak dziecko, które próbuje zrozumieć trudne słowo.

Hamad stał w drzwiach pokoju Latify i czekał. Wiedziała, że też o tym myśli. Od momentu, kiedy zsunęła się po wydmie, resztę drogi pokonali w milczeniu, zażenowani tym, co zobaczyli. A przynajmniej ona. Jaka była niezgrabna! Jak te wielbłądy, którym pęta się kopyta, żeby zbytnio się nie oddalały. Dwa razy potknęła się w głębokim piasku o rąbek sukienki, gdy próbowała przyspieszyć kroku, jakby dotarcie do Wadimy mogło uwolnić ją od dyskomfortu. A ręce! Nie wiedziała, co z nimi zrobić. Gdy nimi machała, robiła to zbyt zamaszyście, a kiedy przyciskała je do piersi, za bardzo wbijały się w ciało. Podczas tej drogi nic nie było takie jak powinno.

Ten pocałunek! Czy to coś, o czym wolno jej rozmawiać? Ona i Hamad swobodnie poruszali wiele tematów, jednak Noora od początku postanowiła nie mówić o tak intymnej, jej zdaniem, sprawie, jak jej doświadczenie z Raszidem. A teraz ten pocałunek. Nie mogła przestać o nim myśleć. Przeszukując po omacku wnętrze skrzyni i próbując wyczuć przez ubrania twardą rączkę lusterka, wyobrażała sobie splecione ze sobą języki, jak parzące się węże.

– Oni tak się zachowują. – Hamad podszedł bliżej i teraz jego głos brzmiał jak szept unoszący się tuż nad jej głową.

Jej ręce zatrzymały się niepewnie w powodzi ubrań. Czuła na karku jego ciepły oddech. Usłyszała trzy dyskretne pociągnięcia nosem i zamknęła oczy, wyobrażając sobie, jak Hamad wącha ambrę, którą musnęła skórę za uszami. To były trzy krótkie pociągnięcia nosem, ale rozkoszowała się nimi przez chwilę, zanim otworzyła oczy i odwróciła się w jego stronę.

Hamad wyprostował się i odwrócił wzrok, żeby ukryć zażenowanie, ale jego uszy zdążyły już spąsowieć i wciąż były czerwone, kiedy na nią spojrzał. Odchrząknął i powiedział:

– Tak się całują. Widziałem to już przedtem... takie całowanie, kiedy nikt inny nie patrzy, kiedy są sami.

– Ale oni nie byli sami, bracie. Był z nimi drugi mężczyzna.

– Mogą to robić w towarzystwie swoich ludzi.

Noora ściągnęła brwi i zabębniła palcami o skrzyżowane na piersiach ramiona. Powinien był jej o tym powiedzieć, wtedy nie przejmowałaby się tak tym angielskim pocałunkiem. A on pozwolił jej wędrować, choć czuła dyskomfort, potykała się i gubiła rytm.

– Znalazłaś lusterko? – zapytał.

– Nie.

Hamad cofnął się do drzwi, a Noora, nie spiesząc się, kontynuowała poszukiwania lusterka, wolno przechodząc od jednej skrzyni do następnej. Czuła jego dotyk, chociaż jej nie dotykał. Hamad był jak dobry duch owiewający jej skórę, a jego ciepło rozniecało pożądanie, które wydawało się tak naturalne, że nie potrafiła w nim dostrzec niczego złego.

Kiedy dotarła do ostatniej skrzyni i nie znalazła w niej lusterka, rozejrzała się po prostokątnym pokoju, jakby widziała go po raz pierwszy. Tyle zakamarków do przeszukania. Przebiegła wzrokiem rząd buteleczek i misek z barwionego kryształu zdobiących pokój. Były poustawiane we wnękach. Jako że materac Latify nie był teraz używany, został zwinięty i schowany w rogu pod łóżkiem z baldachimem. Na łóżku leżały duże poduszki obszyte srebrną lamówką. Będzie musiała je odsunąć, żeby sprawdzić, czy jest pod nimi lusterko.

Nie wzięła pod uwagę, że wypełnione bawełną poduszki są ciężkie i sięgnęła po pierwszą z brzegu. Poduszka natychmiast wyśliznęła jej się z ręki.

– Nic się nie stało – powiedziała do Hamada, który pospieszył jej z pomocą.

Schylili się w tym samym momencie i zderzyli czołami tak mocno, że Noora poczuła z boku szyi smagnięcie bólu.

– Au!

– Aaa!

Miała wrażenie, jakby czoło Hamada było z drewna. Usiadła ciężko i przyłożyła dłoń do czoła, wiedząc, że będzie miała guza.

Hamad natychmiast opadł na kolana obok niej.

– Nic ci się nie stało?

Noora nie odpowiedziała. Gorączkowo zastanawiała się, jak wyjaśni Latifie, skąd wziął się guz. Co jej powie? Że poduszka była za ciężka? Brzmiało to tak absurdalnie, że zaczęła chichotać.

Widziała, że Hamad jest przejęty, ale im dłużej wpatrywał się w jej twarz poważnymi oczami, tym trudniej było jej stłumić chichot. A kiedy zauważyła, że trzęsą mu się ramiona, wreszcie wybuchnęła śmiechem.

Nie pamiętała, kiedy śmiała się tak głośno. Po jej policzkach płynęły łzy i pomyślała o kholu, który rozmazuje się i spływa. Przyszło jej do głowy, że będzie miała spuchnięte oczy, kiedy ten atak śmiechu dobiegnie końca. Tym lepiej! Latifa dojdzie do wniosku, że nie mogła przestać szlochać z bólu! Wydawało się, że ta chwila radości trwa całą wieczność i Noora nie pamiętała już, co właściwie ją wywołało. Stwierdziła, że pochyla się, oparta na łokciu, z bolącym czołem blisko czoła Hamada.

Jego śmiech cichł. Oddech stawał się coraz bardziej gorący. Noora pociągnęła nosem i wytarła khol rozmazany wokół oczu. Lecz czuła ten zmysłowy oddech tak blisko, był tak gęsty, że mogłaby go kroić nożem.

I wtedy Hamad przysunął się jeszcze bliżej. Poczuła na policzku dotyk jego gitry. Pocałował ją w czoło w miejscu, w którym nabiła sobie guza.

Noorze wydawało się, że nie ma w tym nic złego, chociaż wiedziała, że to nie jest w porządku. Zamknęła oczy.

35

W pewnym momencie, podczas drogi powrotnej do Om al-Sanam, przestali się do siebie zwracać per „bracie" i „siostro".

Ostatni różowy promień słońca wtopił się w horyzont, kiedy Noora wsunęła się do chaty Latify w nadziei, że uda jej się zostawić lusterko i wyjść. Jednak Latifa na nią czekała z wyciągniętymi nogami, masując sobie kolana.

– *Masha' Allah*, jesteś z powrotem, a do tego z lusterkiem! – powitała ją.

Noora pokiwała głową, wdzięczna, że latarnia rzuca cień dokładnie tam, gdzie trzeba, a mimo to nie odgarnęła kosmyka włosów, który specjalnie wyciągnęła z warkocza. Wystawał spod abaji, gruby jak koński ogon, opadając na guz, który starała się ukryć.

– Gdzie je znalazłaś? – chciała wiedzieć Latifa.

– Na jednej z półek – wymamrotała Noora. Musi stąd wyjść jak najszybciej. W jej głowie panował zamęt przypominający burzę piaskową tak gwałtowną, że utrudniała widzenie. Zbyt dużo pytań może ją zdenerwować, powie coś, czego nie powinna mówić.

Wręczyła Latifie lusterko, ale kiedy odwracała się, żeby wyjść, ta złapała ją za nadgarstek i przyciągnęła do siebie.

– Poczekaj – powiedziała. – Opowiedz mi o podróży.

Noora zwiotczała jak spragniony wody kwiat. Język wydawał jej się zgrubiały, jakby miała w ustach pełno ciężkiej gliny. Czy będzie w stanie się odezwać?

– Posiedź ze mną chwilę i wszystko mi opowiedz.

Drżąc, usiadła ze skrzyżowanymi nogami. Cisza, która zapadła, wcale jej nie pomagała.

– Trzęsiesz się – zauważyła Latifa. – Musisz być wyczerpana po tak długiej wędrówce.

I wtedy Latifa zrobiła dokładnie to, czego Noora się obawiała. Sięgnęła, żeby dotknąć jej głowy, odsunęła kosmyk z oczu i utkwiła badawczy wzrok w guzie.

– Co ci się stało w głowę? – zapytała.

Noora przełknęła i wymamrotała.

– Uderzyłam się.

– Tak, tak, uderzyłaś się. Mały wypadek, jak się domyślam. – Latifa pokiwała ze zrozumieniem głową. – Pewnie o drzwi.

– Mmm... tak, o drzwi.

– Nietrudno o to. Mnie samej przydarzyło się to wiele razy.

Noora spuściła wzrok i splotła ręce na kolanach, próbując przypomnieć sobie, kiedy po raz ostatni widziała, jak ta stateczna starsza kobieta obija się o drzwi lub inny mebel. W ruchach Latify kryła się wystudiowana konsekwencja, począwszy od przemyślanej gracji, z jaką zsuwała się rano z łóżka, po sposób, w jaki pochylała się, żeby się podnieść. Unosiła sukienkę do łydek, kiedy drobnymi kroczkami przechodziła z jednej części domu do innej. Nie! To niemożliwe, żeby Latifa kiedykolwiek uderzyła głową o drzwi!

Noora spojrzała na nią, niewzruszoną królową z przymkniętymi oczami i aurą pewności siebie. I to milczenie! Dlaczego nie zadaje więcej pytań? Milczenie Latify niepokoiło Noorę najbardziej.

Tej nocy księżyc wyglądał jak wielka kula światła. Przesączało się przez szpary w ścianach i rysowało na podłodze wzory w kształcie niezgrabnych kwadratów i poszarpanych linii, które Noora przerywała, przemykając się w nerwowym milczeniu z jednego końca chaty na drugi. Myślała o sobie jak o kurczaku na próżno uciekającym przed siekierą: ogarnięty paniką kurczak, niezdolny do logicznego rozumowania, szarpiący się rozpaczliwie. Tym właśnie jest.

Zatrzymała się nad Jaqootą, która spała jak zabita, chociaż noc była duszna. Szmer jej oddechu sprawił, że Noora skrzywiła się z pogardą. Jaqoota nie ma takich zmartwień jak ona.

Znów zaczęła chodzić w tę i z powrotem. Czy Latifa wyczuła na jej skórze zapach miłości? Noora bardzo starannie go zmyła. Wylała na głowę trzy gliniane dzbany wody, pilnując, żeby spłynęła po całym jej ciele, pod pachami, za kolanami i w najbardziej intymnych miejscach.

Znów się zatrzymała, a ściana z liści zaszeleściła, gdy się o nią oparła. Pomyślała o Hamadzie i szczegóły tego, co się wydarzyło, zaczęły pływać w jej głowie jak kijanki w sadzawce.

Hamad odsunął się po tym, jak pocałował ją w czoło, jakby czekał, aż uderzy go w twarz albo wybiegnie z pokoju. Ona jednak pozostała bierna, czując, jak jej oczy zamieniają się w bezdenne studnie, na których unosi się nieme przyzwolenie.

Objął ją nieporadnie, po czym znów się odsunął.

Wtedy powinna była go powstrzymać. Przecież dawał jej szansę, żeby zmieniła zdanie. Kiedy tego nie zrobiła, wydarzyła się cała reszta. Było jej tak dobrze, chociaż wiedziała, że postępuje źle.

W jego kolejnym uścisku nie było już niezręczności. Hamad objął ją i przytulił. Nie mogła się ruszyć, ale nie czuła się uwięziona. Czuła się bezpieczna, kiedy wtulił głowę w jej szyję. Żaden mężczyzna nigdy jej tak nie obejmował. Drżała z podniecenia.

Noora pozwoliła, żeby palmowa ściana podrapała ją w plecy, kiedy osuwała się na podłogę. Musi się go wyrzec! Ta myśl sprawiła, że jej serce zaczęło mocniej bić. Z trudem wdychała powietrze, które stawało się tak gęste, że groziło uduszeniem. Odwróciła głowę i przycisnęła twarz do otworu w ścianie, ciężko oddychając. Zobaczyła księżyc, srebrne oblicze emanujące spokojem.

Pragnęła, żeby Hamad był blisko niej, chciała poczuć jego dotyk. Po jej plecach przebiegł dreszcz lęku. Chociaż wiedziała, że to złe, znów go zapragnęła.

36

Wyglądało na to, że Latifa zostawiła w Wadimie większość potrzebnych jej rzeczy. Noora przywykła już do widoku starszej kobiety co kilka dni przerzucającej zawartość skrzyni w poszukiwaniu tego czy tamtego. Następnie Latifa prychała w burkę i kręciła z niedowierzaniem głową. „Dlaczego nie zabrałam mojej pomarańczowej tobe? Jest taka lekka, przewiewna, akurat na tę pogodę", albo „Nie rozumiem, dlaczego proszek antymonowy podrażnia mi oczy. Myślę, że się zepsuł". I wysyłała Hamada z Noorą, żeby przynieśli jej to, czego tak bardzo potrzebuje. „Musisz iść. Musisz iść od razu", upierała się.

Tym razem Latifa niechcący wysypała na piasek hennę.

– Ile henny potrzebuje? – zapytał Hamad, patrząc, jak Noora wsypuje zielonkawy proszek do małej buteleczki.

– Nie wiem. Co najmniej dwie garści, żeby dokładnie pokryć wszystkie siwe odrosty.

– Może lepiej wsyp cztery garści, żeby znowu nas nie wysłała.

– Na pewno zaraz okaże się, że potrzebuje czegoś innego.

– Noora ściągnęła brwi. – Dlaczego, twoim zdaniem, ciągle nas po coś wysyła?

Hamad wzruszył ramionami.

– Nie wiem. Może pamięć zaczyna jej szwankować?
– Oparł się wygodnie na poduszce, założył ręce za głowę i ziewnął. – Ludzie, kiedy się starzeją, robią się zapominalscy.

– Ona nie jest aż taka stara. Nie, chodzi o coś innego. Jest dla mnie bardzo miła. Przynosi mi mleko przed snem, spędza ze mną czas na pogawędkach, pozwala używać swoich perfum: ambry, sandału, olejku różanego, wszystkich tych aromatów. One przecież są takie drogie. – Zastanowiła się przez chwilę. – To po prostu do niej nie pasuje.

Hamad znów ziewnął.

– Dlaczego zawsze tak się martwisz? Jesteśmy razem, prawda? Tylko to się liczy.

Przestała wsypywać hennę i podniosła na niego wzrok.

– Czyżby? – zapytała. Wydawał się taki beztroski, leżał wygodnie na łóżku, odprężony. Ten widok sprawił, że jej serce zabiło mocniej. – Czy myślisz tylko o tym, że jesteś ze mną? Nie zastanawiasz się nad moją sytuacją? Nie mogę przestać o tym myśleć. Niedługo wróci Jassem. Co wtedy zrobimy? – Jej głos zaczął drżeć. – Co zrobimy?

W sekundę znalazł się przy niej.

– Spokojnie, spokojnie – starał się ją uspokoić, głaszcząc delikatnie po głowie. – Pozwól, że ja się o nas zatroszczę. – Zaczął całować ją w szyję. – Chodź – wyszeptał – skończ przesypywać hennę, żebym mógł cię objąć.

Od tej chwili przestała się do Noory odzywać. Jednak Noora się tym nie przejmowała. Przejdzie jej po kilku dniach, pomyślała. Rozłożyła kombinezon na łóżku i przeciągając dłonią po tkaninie, wygładziła zagniecenia. Skrzywiła się na widok kawałków starego materiału, z którego tu i ówdzie wystawały nitki. Rezultat nie był tak idealny, jakby sobie życzyła, to nie nowe ubranie. Z drugiej strony, nic nie można na to poradzić.

Jaką minę będzie miał Hamad, kiedy Noora wręczy mu kombinezon? Czy jego oczy będą migotały niemą aprobatą? Czy zauważy? Od kiedy postanowiła naprawić kombinezon, wydawało się, że Hamad jest w domu częściej niż zwykle, przynosząc coś lub zabierając. Zauważyła nawet jego cień pod oknem w porze odpoczynku. Dwa razy!

Zawsze, gdy się mijali, przecinając dziedziniec albo w innej części domu, ona spuszczała wzrok. A mimo to widziała go oczami wyobraźni i zastanawiała się, czy on też o niej myśli. A może Hamad otwiera oczy, kiedy ona spuszcza wzrok? Takie myśli chodziły jej po głowie jak figlarne ryby, ganiające nawzajem swoje ogony. Nie opuszczały jej, aż się z nich otrząsała, uderzała się w policzki za własną głupotę. Zachowywała się tak, jakby miała coś do ukrycia.

Noora przeciągnęła palcami po kombinezonie, kreśląc na nim linie, po czym złożyła go w zgrabny kwadrat. I znów wygładziła. Jeszcze tydzień lub dwa i poławiacze wypłyną na morze, a Jassem wyjedzie do Indii. Trochę jej ulżyło, ale sprawę, robiąc z niej kompromitujący problem, a to była ostatnia rzecz, jakiej Noora teraz potrzebowała.

Przemilczała wizytę Hamada nawet przed Jaqootą, która dzień wcześniej pytała ją, czy przyszedł się z nią zobaczyć. Nie chodziło o to, że nie ufała służącej, ale o jej donośny głos. Powiedziała jej to, czym tylko ją rozzłościła.

Ściany mają uszy, a Jaqoota wciąż nie nauczyła się ściszać głosu, kiedy mówiła.

– Dlaczego nie przyszedł się z tobą zobaczyć?

– Nie wiem i nie dbam o to – wyszeptała Noora w nadziei, że Jaqoota również zacznie szeptać.

Zamiast tego Jaqoota ryknęła:

– Ale powiedział mi, że chce się z tobą zobaczyć, żeby o czymś porozmawiać!

– A tobie co do tego? – syknęła Noora.

Służąca wzruszyła ramionami, ale nie zaczęła mówić ciszej.

– Tylko pytam. Co z tobą? Dlaczego tak się gorączkujesz?

Noora podniosła ręce.

– Posłuchaj, zapomnij o mnie. I nie mów tak głośno.

– Głośno?!

To był wrzask. Słuchanie raz głośniejszego, raz cichszego głosu Jaqooty było męczące. Czy ona nie może nauczyć się mówić łagodnie, jak cała reszta?

– Tak, głośno.

– A dlaczego zadzierasz nosa, jakbyś była ulubienicą w domu? – Jaqoota zadarła nos. – Snobka, snobka, snobka!

– I drobnymi kroczkami wymknęła się do swojego pokoju.

nie tyle, żeby pozbyć się niepokoju o to, co ją czeka. Uniosła materac i wsunęła pod niego złożone ubranie. Potem spróbuje dyskretnie dać Hamadowi do zrozumienia, że kombinezon jest gotowy.

28

Noora siedziała na wprost trzech dużych skrzyń, które stały pod ścianą w pokoju Latify. Ich wieka i ściany ozdabiały miedziane ćwieki wbite w twarde drewno. Przesunęła palcami po wzorze – trójkątach połączonych tak, żeby tworzyły gwiazdy – i najbardziej obojętnym tonem, na jaki mogła się zdobyć, zapytała:

– Dokąd jedziesz, *ommi* Latifo?

Latifa jak zwykle niecierpliwie udzieliła odpowiedzi:

– My, moje dziecko, my! – Kolejna fala niepokoju sprawiła, że zaczęła kołysać się w przód i tył. – Na co czekasz? – prychnęła. – Otwórz środkową skrzynię i wyjmij moje rzeczy. Zacznijmy je pakować.

Noora ujęła uchwyt i podniosła wieko skrzyni. Były w niej ubrania Latify, te same suknie, tobe, abaje i burki, które spakowały i rozpakowały wczoraj i przedwczoraj.

– Weź tylko jedną sukienkę, reszta to muszą być tobe – poleciła Latifa. W upał wolała nosić luźniejsze tobe z płótna. Dzięki temu, że miały szerokie rękawy, łatwiej

– Nie! – Noora odepchnęła go łokciem.

– Dlaczego?

– Czuję się nieswojo.

Hamad odsunął się i westchnął pokonany.

– Posłuchaj – zaczęła mu tłumaczyć – bardzo się martwię. To nie jest w porządku. Lepiej zakończmy to od razu.

Hamad otworzył usta.

– Co zakończmy?

– Nas! Zakończmy to, co jest między nami. To nie ma sensu.

– O czym ty mówisz? Chcę być z tobą zawsze.

– Naprawdę?

– Tak, naprawdę. Rozwiedź się z Jassemem i wyjdź za mnie.

Po jego oczach widać było, że mówi szczerze, ale Noora podkreśliła nierealność jego propozycji, kręcąc głową.

– To jest możliwe, to naprawdę jest możliwe – przekonywał Hamad.

– Rozwieść się z Jassemem? A kto powiedział, że on się na to zgodzi?

– Coś wymyślimy. Zmusimy go, żeby się zgodził.

– My, my, my – prychnęła, szydząc z jego żarliwego tonu, po czym jęknęła bezradnie. – Jakbyśmy mieli coś do powiedzenia, jakbyśmy mogli wybrać to, co chcemy. – Jej głos stał się ostry i nieprzyjemny, więc przełknęła ślinę, żeby nad nim zapanować. Starała się mówić spokojnie. – Jestem kobietą, zamężną kobietą, a ty mężczyzną, ubogim mężczyzną. Nie możemy wybierać. Nie mam racji?

- Nie mam racji? - Hamad powtórzył jej słowa, prze-drzeźniając ton rodzica przemawiającego do dziecka. - Wi-dzisz, mam plany. Tak się składa, że myślę i planuję. Nie jestem głupi. Zamierzam znów nurkować.

Noora zamrugała z niedowierzaniem.

- Nurkować?

- Nurkować, wyobraź sobie, nurkować. Myślę, że po-trafię to zrobić. Wiem, że na dnie czeka na mnie wyjątkowa perła. Wiem o tym.

- Przecież próbowałeś i się nie udało. - Skrzyżowała ręce na piersiach. - A co z twoimi uszami?

- Nie martw się, zniosę ból.

Kiwał głową z takim przekonaniem i determinacją, że Noorze zrobiło się go żal. Musi wybić mu z głowy ten niemądry pomysł. Mówi bez sensu. - Obudź się, Hamadzie, obudź się - powtarzała.

- Mówię ci, że potrafię to zrobić.

- Obudź się - powtórzyła Noora. - Nie będzie więcej wypraw. - Uniosła ręce i zawołała. - Nigdy więcej! To ostatni połów!

Noora bębniła palcami w udo, wpatrując się w hennę przesypaną do trzech małych buteleczek zapakowanych w węzełek, gotowych, by dostarczyć je Latifie. Hamad cze-kał na dziedzińcu.

Dlaczego musiała się wygadać? Dlaczego nie pozwoliła, żeby dowiedział się od kogoś innego? Usłyszała odgłos jego kroków pod drzwiami - wrócił - i jego oddech. Dyszał, jakby właśnie pobiegł do Limy i z powrotem.

Klepnęła matę, na której siedziała. Jak posłuszne dziecko wszedł do środka i osunął się obok niej. Przeciągnęła ręką po jego plecach, wzdłuż spoconej linii na jego diszdaszy, a potem przyciągnęła jego głowę do swojej piersi.

Noora wzięła go za rękę. Był zupełnie bez życia! Szczypała ją, ściskała i głaskała. Dotykała go, próbując obudzić jego ducha. Powoli wróciła jego namiętność i objął ją tak mocno, że poczuła, jak obezwładnia ją pragnienie, by zapomnieć o wszelkiej skromności.

Nigdy przedtem się nie rozebrała do naga. Byłby to niepotrzebny powód do wstydu, coś, czego się nie praktykuje, a za co była wdzięczna za każdym razem, kiedy przychodził do niej Jassem. Przedtem była zbyt nieśmiała, lecz teraz pragnęła dotyku nagiej skóry Hamada. Musiał czuć to samo, gdyż puścił ją i razem zdjęli ubranie. Patrzyła, jak jego diszdasza spada, podczas gdy wyplątywała się ze spodni i zdejmowała sukienkę, rzucając wszystko na kupkę, którą położyła tuż za głową.

Zanim miała szansę zastanowić się nad swoją nagością, położył ją na macie i wziął całą. Należała do niego cała. Zacisnęła oczy, bojąc się, że straci nad sobą kontrolę. Po jej policzkach płynęły łzy. Jęki namiętności i tak wydobyły się z jej ust: ciche świergotanie ptaka o poranku, gdy drżała z rozkoszy.

Dopiero kiedy Hamad przekręcił się na bok, Noora zdała sobie sprawę, jak szybko oddycha. Nie próbowała uspokoić tłukącego się serca ani wytrzeć potu z twarzy. Skrzyżowała ramiona na piersiach i uśmiechała się szeroko, patrząc w sufit, nie dostrzegając niczego, aż w polu widzenia pojawił się koniuszek ogona jaszczurki. Była tam przez cały czas, ale Noora jej nie zauważyła. Zastanawiała się, czy to ta sama jaszczurka, która siedziała przyczepiona do sufitu, kiedy leżała pod Jassemem, czy jakimś cudem przemknęła się przez dziedziniec do pokoju Latify, żeby zobaczyć inny rodzaj uprawiania miłości. Czy poznała Noorę?

Gwałtowny podmuch powietrza otworzył drzwi. Noora sięgnęła za głowę, wzięła sukienkę i przykryła nią piersi. Leżący obok niej Hamad jęknął. Przekręciła głowę i patrzyła na niego. Leżał na boku i głęboko spał. Zarys szczęki, przedtem zaciśniętej z niepokoju, teraz złagodniał. Był bezbronny jak dziecko, a Noora spojrzała na niego oczami pełnymi czułości, czując suchość w gardle i wyrzuty sumienia, żal, że wcześniej tak go zdenerwowała, tak go zraniła.

Robiło się późno.

– Wstawaj – powiedziała, biorąc Hamada za rękę.

Drgnął.

– Hmm? Co się stało?

– Wstawaj. Musimy iść.

Chciała wracać do Om al-Sanam, żeby wszystko przemyśleć. Nigdy nie przeżyła takiej namiętności. Chciała przypomnieć sobie każdy delikatny dotyk i pieszczotę, każdy dreszcz i poczucie spełnienia. Chciała samotnie rozmyślać o każdym najdrobniejszym szczególe ich intymności. Aż do następnego razu.

37

Cień Hamada zasłaniał światło wpadające przez okno pokoju Noory. Był jak duch zagubiony w obcym świecie, który nie mógł jej dotknąć, udręczony własną egzystencją. Właśnie ten duch, duch Hamada w postaci cienia, krążył, starając się pozostać możliwie jak najbliżej niej.

Oczywiście wciąż były ulotne spojrzenia, które zatrzymywały jej wzrok za każdym razem, kiedy stawali twarzą w twarz. Jego oczy wyglądały tak, jakby zbyt długo wpatrywał się w słońce. Była pewna, że Hamad źle sypia. Jak może być inaczej, skoro wie, że Noora dzieli łoże z Jassemem?

Od ich powrotu do Wadimy minęło pełnych szesnaście dni i nocy, a Jassem odwiedzał ją prawie każdego wieczoru, znowu namiętny. Czując na sobie jego ciężar, opłakiwała utraconą radość. Z jej oczu płynęły łzy. A Jassem jeszcze się ożywiał na widok okazywanych przez nią emocji.

– Nie ma powodu płakać – dyszał. – Już wróciłem.

To budziło jej gniew i czuła frustrację, że utraciła szczęście, które przez krótką chwilę dzieliła z Hamadem.

Usłyszała pianie koguta i podniosła się, opierając na łokciach. Na dworze wciąż było ciemno i cicho, a mimo to jej serce tłukło się niespokojnie, podczas gdy ona zastanawiała się, czy tego dnia będzie czuła się dobrze. Zakręciło jej się w głowie. Opadła na materac, oddychając głęboko i starając się zignorować znajomy posmak żółci wysuszający jej usta.

Wreszcie zwlokła się z łóżka i chwiejnym krokiem poszła do łazienki. Zakaszlała cicho i wyszeptała do siebie: „To przejdzie, to przejdzie". Miała nadzieję, że nikt nie słyszy, jak wymiotuje. Na szczęście mdłości dopadały ją tylko raz dziennie, zawsze tuż przed świtem. Kiedy znowu położyła się w łóżku, spróbowała policzyć, ile razy wymiotowała: siedem razy w ciągu siedmiu dni.

Zawroty głowy zaczynały mijać późnym rankiem, a ich miejsce zajmowała słabość członków. To był wyjątkowo parny dzień i kiedy po obiedzie w domu zapadła cisza, Noora poszła do *majlis* dla mężczyzn, żeby odpocząć. Kiedy kończyło się lato, znad morza nadlatywał wiatr, który najskuteczniej chwytała wieża wiatrowa w *majlis*.

Położyła się na macie pod wieżą i ugięła nogi w kolanach. Słyszała gruchanie gołębi siedzących na belkach wewnątrz wieży. Te odgłosy i łopotanie skrzydeł działało na nią uspokajająco. Położyła dłonie na brzuchu i zaczęła masować go kolistymi ruchami, aż jej powieki zrobiły się ciężkie i zapadła w drzemkę.

Nie była pewna, jak długo spała, kiedy uświadomiła sobie, że ktoś nad nią stoi. Ciężka, ciężka głowa – nie chciała otworzyć oczu, żeby się nie obudzić. Osłoniła twarz chustą i odwróciła się do ściany.

– Bez względu na to, czego chcesz, to może poczekać – wymamrotała, sądząc, że to Jaqoota. – Teraz pozwól mi spać.

– To ja – powiedział Hamad.

Noora zsunęła chustę i usiadła.

– Co ty robisz? Wiesz, że wszyscy są w domu.

– Muszę z tobą porozmawiać. – Chociaż mówił spokojnym głosem, pobrzmiewała w nim nutka niecierpliwości. – Nie rozmawialiśmy od powrotu.

– Porozmawiać? – Oczy wciąż miała zamglone od snu. Jej spojrzenie powędrowało do otwartych wewnętrznych drzwi i natychmiast poczuła panikę. Nawet nie zadbał o to, żeby zamknąć drzwi. Każdy mógł zobaczyć, jak tu wchodzi.

– Co ty wyprawiasz? – syknęła. – Dlaczego drzwi są otwarte? – Tyle razy przechadzali się po domu jak mąż i żona i nigdy nie zostali przyłapani. Ich sekret nie może teraz wyjść na jaw. Skoczyła na równe nogi i z rozmachem zamknęła drzwi, zostawiając tylko wąską szparę, przez którą mogła patrzeć na dziedziniec. Gołębie z głośnym łopotem skrzydeł odleciały

– Nie przejmuj się – wyszeptał Hamad. – Wszyscy śpią. – Pocałował jej dłoń.

Noora nie odwracała się do niego, wciąż patrzyła przez szparę w drzwiach. Drzwi do kuchni były otwarte i starała się dostrzec w półmroku jakiś ruch. Dopiero gdy upewniła się, że są bezpieczni, odwróciła się, żeby go skarcić.

– Co ty sobie myślałeś, zakradając się tutaj?

– Mam plan.

– Jaki plan? – zapytała, znów patrząc przez szparę. Musi mieć całkowitą pewność.

– Popatrz na mnie – poprosił Hamad i odwrócił ją, trzymając za ramiona, aż wreszcie znalazła się z nim twarzą w twarz. Pocałował ją w czoło. – Tak bardzo za tobą tęsknię. Tak długo nie byliśmy sam na sam, a kiedy pomyślę o tym paskudnym tłustym Jassenie...

– Jaki plan? – przerwała mu. Chciała, żeby jak najszybciej sobie poszedł.

– Nie tęsknisz za mną? – spytał.

Patrzyła na jego oczy pełne łez. Westchnęła.

– Oczywiście, że tęsknię, ale oboje wiedzieliśmy, że to nie będzie trwać wiecznie. – Nie chciała go zachęcać.

– Przecież byliśmy tacy szczęśliwi. Dlaczego nie chcesz, żeby to trwało wiecznie?

Hamad chodzi z głową w chmurach – pomyślała. Uśmiechnęła się lekko i pokręciła głową.

– Nie zawsze można być szczęśliwym. Świat rządzi się innymi prawami. – Czuła, że to są słowa kogoś innego, ale mówiła dalej: – Los nam sprzyjał, pozwalając nam zaznać szczęścia, a zwłaszcza uniknąć zdemaskowania. – Znowu westchnęła. – A teraz, cóż... pozostały wspomnienia. Będziemy musieli się z tym pogodzić.

– Nie sądziłem, że tak szybko się poddasz.

– Nie chodzi o to, że się poddałam.

– Właśnie, że tak.

– Właśnie, że nie.

– Właśnie, że tak – nie ustępował, podnosząc głos.

– Ciii. – Noora była tak sfrustrowana, że chciało się jej krzyczeć, ale tylko przewróciła oczami. Hamad znów zachowuje się nierozważnie, mówi za głośno. Nie myśli o niej, o tym, jaka jest bezbronna, kiedy stawia ją w takiej sytuacji. W jej głowie pojawiły się obrazy: Jassema, żony, a nawet Jaqooty, odkrywających ich tajemnicę. Na pewno wyrzucą ją na ulicę. – Nie mów tak głośno – wyszeptała. – Na czym właściwie polega twój plan?

Wziął głęboki oddech i zaczął:

– Cóż, najważniejsze, żebyśmy byli razem. A gdy tylko myślę o tobie, jak z tym wielkim, grubym, brzydkim mężczyzną...

– Dość! Nie chcę słuchać o brzydkim mężczyźnie. Chcę poznać plan.

Słyszała śpiew rybaków na brzegu, wciągających dryfującą sieć. Wioska się obudziła.

– Więc chodzi o to, żebyśmy byli razem – powtórzył Hamad, jakby dokonał ważnego odkrycia. Potem umilkł, podrapał się w nos i wbił wzrok w sufit, jakby czegoś szukał, a Noora zastanawiała się, czy może właśnie teraz obmyśla swój plan. Chciała nim potrząsnąć. Wtedy się odezwał:

– Nie podoba mi się to, kim się stałem. Tchórzem! Nie potrafię podjąć decyzji. Pamiętasz, jak tu przyjechałaś, kiedy zabraliśmy cię z gór? Pamiętasz tego żebraka na targu w Limie?

Noora chciała, żeby mówił szybciej, więc energicznie po-kiwała głową. Dom się budził. Słyszała dzwonienie mo-siężnego moździerza do kawy. Jaqoota jest w kuchni i miele ziarno.

– Widziałem, jak na mnie spojrzałaś, kiedy Jassem po-bił tamtego żebraka. Dlatego, że nic nie zrobiłem. A chciałem, naprawdę chciałem.

– Ale nie zrobiłeś.

– Nie, nie zrobiłem.

– Ale co właściwie mogłeś zrobić? – westchnęła. – Stra-ciłbyś pracę.

– To właśnie sobie wtedy pomyślałem. Tylko co to za praca, nędzne pięć rupii na miesiąc? Wystarczy na koszyk daktyli. – Prychnął i pokręcił głową, powtarzając: – Koszyk daktyli, i tyle. Ta praca prowadzi donikąd.

Noora wzruszyła ramionami. Nie miała pojęcia, jak można rozwiązać ten problem.

– Co zamierzasz zrobić?

– Wyjechać. I zabrać cię ze sobą.

Noora straciła cierpliwość. Hamad znów zachowuje się niemądrze.

– Możesz wyjechać, jeśli chcesz, ale ja się stąd nie ruszę – oznajmiła stanowczo. – Nie jestem tu szczęśliwa, ale mam gdzie mieszkać, mam gdzie spać, mam własny pokój. Je-dzenie i wodę. Jestem bezpieczna. Gdybym odeszła, zos-tałabym z niczym.

– Nie, nie, nie, ze mną miałabyś wszystko. Zaczniemy życie z kieszeniami pełnymi pieniędzy.

– Pieniędzy? Spadną nam z nieba czy zamierzasz wykopać je spod ziemi? – Machnęła lekceważąco ręką, ale Hamad tylko się uśmiechnął.

– Są tutaj – powiedział i pokazał palcem ziemię. – Pod nosem.

– Gdzie? Pode mną jest sekretna dziura w ziemi, gdzie gromadziłeś rupie?

– Chodzi o to, żeby je zdobyć. To nieco ryzykowne i nie do końca uczciwe... ale potem stanie się uczciwe.

Noora straciła resztkę cierpliwości. Zaczęła popychać go w stronę drzwi.

– Musisz już iść. To zbyt niebezpieczne, żebyś tu przebywał w takiej sytuacji. Nie mam czasu słuchać tego, co mówisz, to nie ma sensu. – Kiedy znów spróbowała go popchnąć, złapał ją za nadgarstki.

– Perły! O nich mówię. Tylko garstka. Jassemowi nie będzie ich brakowało.

Ile osób wie o ukrytych perłach Jassema?

– To kradzież.

– Pożyczka.

– Kradzież! Musielibyśmy zdobyć jego klucze, żeby je ukraść.

– Tylko na krótki czas. Sprzedamy perły, a potem oddamy ich równowartość.

Noora pokręciła głową, starając się uwolnić z uścisku, ale Hamad jej nie puszczał.

– Pomyśl tylko – błagał. – Ja i ty zawsze razem.

– Puść mnie – rzuciła przez zaciśnięte zęby.

Hamad puścił ją tak gwałtownie, że o mało nie upadła. Zamrugała szybko i poszła na drugi koniec pokoju. Tam stanęła twarzą do ściany, starając się uspokoić, po czym odwróciła się do Hamada. Nadal stał przy drzwiach. Wyglądał tak, jakby nie był pewny, czy ma do niej podejść czy poczekać, aż ona się odezwie. Dawał jej wybór, drugą szansę na szczęście.

Gołębie znów sadowiły się na belkach, a ona słuchała trzepotu ich skrzydeł i gruchania, kiedy z kuchni dobiegł głos Jaqooty. Śpiewała piosenkę, której w innych okolicznościach Noora chętnie by posłuchała. Teraz jednak brzmiała bardziej jak ostrzeżenie przed ryzykiem, które podejmuje, będąc sam na sam z Hamadem.

– Budzą się – wyszeptała, wskazując głową drzwi. – Lepiej już idź.

38

To właśnie robi się z macicy perłowej – wyjaśnił Jassem, otwierając dłoń i pokazując garść błyszczących białych guzików. Podniósł jeden do ust i zacisnął na nim zęby. – Widzicie? Najwyższa jakość, taki twardy, że nie łamie się nawet, gdy ugryzę. – Wezwał wszystkie żony do swojego pokoju na jedną z rzadkich ważnych pogadanek. Tym razem dotyczyła guzików i zmiany.

Noora była tak skupiona, że aż wytrzeszczała oczy. Wraz z Szamsą siedziały niczym pilne uczennice obok Latify pośrodku pokoju, twarzą do Jassema i jego szafki. Noora słuchała go jednak jednym uchem. Czuła, jakby ktoś nakrył jej umysł mokrą szmatą, ciężką od zdrady. Hamad zamierza zabrać perły, ale ona nie chce się do niego przyłączyć. Jassem jest jej mężem, a ona go zdradziła.

Za plecami Jassema stała znajoma szafka, a w niej perły. Widziała swoje odbicie, rozmazaną plamę twarzy na gładkiej okleinie z drewna różanego. A jakby tego było mało, mokra szmata w jej głowie sprawiała, że znowu poczuła tak dobrze znane mdłości.

Latifa wzięła guzik z ręki Jassema tak ostrożnie, jakby mógł wypalić dziurę w jej palcu.

– I ten mały guzik przyniesie nowe możliwości? – zapytała, przysuwając go do oczu, żeby mu się dokładnie przyjrzeć. – Nie jestem pewna. – W jej głosie brzmiało powątpiewanie. – Nie wiem, czy bym ufała tym *Inglesis*, z ich zielonymi oczami i w ogóle.

– To prawda – zachichotała Szamsa, biorąc drugi guzik. – Każdy, kto ma zielone oczy, jest przebiegły jak kot i nie można mu ufać.

Te słowa były skierowane, rzecz jasna, do Noory, lecz zanim zdążyła odpowiedzieć, Jassem chrząknął i pokiwał głową.

– Tak, tak – powiedział – ale nie o to chodzi. Chodzi o nawiązanie kontraktów z tymi Anglikami, żeby zwrócili się do mnie, kiedy zechcą handlować większą ilością towarów i robić większe interesy. Nie jestem zainteresowany guzikami. Chcę mieć pewność, że ci *Inglesis* wiedzą, że jestem uczciwym i skutecznym handlowcem.

Na jego twarzy połyskiwał pot i Noora podążyła wzrokiem za jego okularami, które zsuwały się z nosa. Gdy docierały do jego końca, nigdy ich nie poprawiał. Miał więcej do powiedzenia, kolejne lekcje, które chciał przekazać swoim żonom.

– Musicie zacząć patrzeć na sprawy z szerszej perspektywy, jak mężczyźni, a nie z ograniczonej, jak kobiety

– tłumaczył. – Otwórzcie umysły, żeby zrozumieć, o co w tym wszystkim chodzi. Dzięki przedsięwzięciu z guzikami zapewnię sobie duże możliwości na przyszłość. Przyszłość należy do Anglików, a ja będę tuż obok, ramię w ramię z nimi.

Latifa chrząknęła. Wciąż nie była przekonana.

– Masz, dotknij go – powiedziała, wciskając guzik do ręki Noory. – Pomyśl tylko, jeśli zaczniemy ich używać, nie będziesz musiała bez przerwy przyszywać guzików z materiału i nici.

Jassem przechylił głowę w stronę Noory, patrząc na nią znad okularów. Nadal ich nie poprawił, a z niezrozumiałej przyczyny ona chciała, żeby popchnął je palcem na miejsce. Wyglądało na to, że czeka, aż ona coś powie, a Noora domyśliła się, że zależy mu, by okazała, iż jest równie podekscytowana jak on.

– A co z muszlami i macicą perłową? – zadała pierwsze pytanie, jakie przyszło jej do głowy, a potem następne: – Skąd weźmiesz aż tyle? – Przerwała i dodała pośpiesznie: – I w jaki sposób?

– Ho, ho! – Jassem klasnął zadowolony. Następnie nabrał powietrza i wreszcie wsunął okulary na miejsce. – Skoro nie będzie kolejnych wypraw na nurkowanie, mogę wysłać moje łodzie po muszle. – W gęstym powietrzu wykonał rękami wężowy ruch, naśladując łódź wznoszącą się i opadającą na wodzie. – Moi ludzie wyruszą też w góry. Do Nassajem i do innych wiosek między górami i morzem, gdzie do skał przyczepione są te wielkie muszle.

Oczy Szamsy zabłysły złośliwie.

– Ach, czy nie tam żyją górskie kozy? Czy nie stamtąd pochodzi Noora?

Tym razem Noora nie próbowała się odciąć, bo słabość spadła na nią jak ciężki koc. Twarz ją paliła, wyschło jej w ustach. Chciała pobiec do studni, żeby ugasić pragnienie, ale obawa przed zemdleniem trzymała ją na miejscu. No i ta mokra szmata na głowie...

– Przywieziemy te muszle do Wadimy i zeskrobiemy z nich pąkle i algi – ciągnął Jassem. Potrząsnął guzikami, słuchając, jak stukają, i uśmiechnął się na obietnicę fortuny, jaką mu przyniosą. – Potem umyjemy je, zapakujemy do skrzyń i sprzedamy Anglikom. – Zachichotał. – Czyste muszle kryjące masę perłową. Pojadą do Bombaju, do angielskiej firmy, gdzie przerobią je na guziki. Nasze guziki z masy perłowej będą sprzedawane na całym świecie.

Kiedy tak perorował o szansach, nadziei i morzu pieniędzy, które niebawem spłynie do ich drzwi, Noora pomyślała o Hamadzie. Czy nie tego pragnął? A mimo to zdecydował się na kradzież. Nie rozmawiała z nim, od kiedy zakradł się do *majlis* dla mężczyzn, żeby się z nią zobaczyć. Czy jest gotów wprowadzić swój plan w życie, czy tylko tak mówi? Noora powędrowała wzrokiem po winorośli pnącej się po bokach szafki, aż do rzeźbionych urn na szczycie. Klucze do szafki i metalowego sejfu są schowane za tymi urnami.

Nagle owładnęła nią chęć, żeby skłonić Jassema, by zmienił miejsce przechowywania kluczy, by nie znalazł ich żaden złodziej. Zimny pot oblepił jej kark i otworzyła usta. Może by się odezwała, ale stwierdziła, że otacza ją cisza. Jassem odezwał się do niej podniesionym głosem:

– W co się tak wpatrujesz?

Kiedy odwrócił się, żeby spojrzeć przez ramię, szelest jego diszdaszy zabrzmiał jak uderzenie ostrza o kamień.

Noora pokręciła głową i mrugając szybko, dostrzegła twarze Latify i Szamsy, pochylających się w jej stronę.

– Jesteś blada jak macica perłowa – stwierdziła Latifa, wyciągając rękę, żeby dotknąć czoła Noory, zetrzeć krople potu, które na nim błyszczały. – Źle się czujesz?

– Dlaczego ona jest taka spocona? Nie jest aż tak gorąco – dodała Szamsa i po raz pierwszy Noora usłyszała w jej głosie nutkę troski, a może strachu.

Noora powachlowała się dłonią, łapiąc powietrze.

– Nie mogę oddychać – wysapała i kiedy pochyliła się, żeby wstać, Latifa złapała ją za nadgarstek i posadziła. Noora była jej za to wdzięczna, ponieważ pokój zaczynał wirować i ciemnieć niczym wzbity w powietrze pył.

Wtedy Latifa zaczęła ją obmacywać. Noora nie była pewna, dlaczego to robi. Nie mogła o to zapytać, ponieważ zajęta była walką z powiekami, które same opadały. Wszystko wydawało jej się wyolbrzymione. Ręka Latify przesuwająca się w dół po jej plecach była ciężka jak wydęty bukłak, a klepnięcia w okolicy talii były ostre jak uderzenia sandałem. Wreszcie dłoń pierwszej żony zsunęła się na jej brzuch. Została tam tylko przez chwilę, ale dla Noory te sekundy były jak wieczność.

– Zbyt dużo albo zbyt mało ciała na kobiecie oznacza tylko jedno – oznajmiła Latifa, a jej słowa wydawały się zniekształcone, gęste i rozciągnięte. – A ty, droga córko, masz go za mało, jak na mój gust.

Noorę piekły oczy, ponieważ siłą trzymała je otwarte w wirze tańczących cieni, które ją osaczały. Widziała, że Latifa odchyla się, dostrzegła niedowierzanie w jej oczach i wreszcie poddała się magicznemu rytmowi kiwającej się burki, gdy stara kobieta oświadczyła:

– Jesteś w ciąży.

To niemożliwe! Te słowa wykrzyczał cichy głosik w głowie Noory. Musi uciekać najdalej, jak się da. Zebrała wszystkie siły i poderwała się, lecz zawirowało jej w głowie i upadła. Ciemność wchłonęła światło.

39

Noora ocknęła się i próbowała usiąść, ale poczuła, jak ręce Latify pchają ją na materac. Pod ciężarem wstydu zaczęła wyrzucać z siebie słowa pozbawione sensu, aż wreszcie wypowiedziała te, które była w stanie zrozumieć.

– To się stało samo... – Był to nieprzekonujący przejaw wyrzutów sumienia. – Ja nie...

– Nic nie mów – ucięła Latifa.

Czy w gardle Latify warczy dziki pies? Starsza kobieta górowała nad nią i wydawała się większa niż przedtem. Noora patrzyła, jak podnosi ręce, rozkładając je jak orły rozkładają skrzydła, gdy demonstrują swoją siłę. A Noora pozostawała w jej cieniu niczym kuląca się mysz. Prawda o tym, co się stało, pochłaniała ją tak nieuchronnie jak ruchome piaski.

Jest w ciąży. Sygnały pojawiły się już dawno, ale nie odgadła ich przyczyny. A teraz czuła gorąco i zimno, jej ciało zamarzało i tajało, gdy czekała, aż Latifa ją uderzy. Lecz ta nadal trzymała ręce nad głową, a Noora walczyła, żeby nie zamknąć oczu. Musi zobaczyć, co się zaraz wydarzy. Czy Latifa wymierzy jej policzek, czy wbije paznokcie w twarz, rozdrapując ją, aż spłynie rzekami krwi, żeby zostały ślady, które już zawsze będą przypominały o jej występku? Była na to gotowa, ponieważ zasłużyła na wszystko, a nawet na więcej.

Jednak Latifa niczego takiego nie zrobiła. Rozwiązała supeł burki, zsunęła ją z twarzy, pokazując atramentowe smugi na policzkach, które pochodziły z farbowanego indygo płótna. Dla Noory był to rzadki moment, swego rodzaju przywilej oglądania twarzy Latify, która nie wiedzieć czemu uśmiechała się szeroko.

Noora poczuła lekkość w głowie, w pokoju pociemniało i zapadła w nerwową drzemkę pełną nieprzyjemnych snów. Jej kolejna chwila świadomości rozpoczęła się od odgłosu wyżymania ścierki i kapania wody. Kiedy otworzyła oczy, zobaczyła, że Latifa nadal przy niej siedzi i wyciska wodę z mokrej szmatki do miski.

– Ham...

– Ciii – powiedziała Latifa, szybko kładąc jej palec na ustach. – Dosyć niemądrej paplaniny. Nie myśl o niczym, tylko o tym, żeby poczuć się lepiej. Odpoczywaj, moja droga, odpoczywaj. Nie próbuj nic mówić. – Położyła mokrą szmatkę na czole Noory. – Gorączkujesz i teraz musimy się postarać, żebyś doszła do siebie. Powinnaś nabrać sił. Nie chcemy, żeby gorączka zaszkodziła dziecku. – Uniosła miskę z bulionem z kurczaka i przytknęła do ust Noory.

– A nie nabierzemy sił, jeśli nie będziemy dobrze się odżywiały.

Ciszę między nimi przeciął skowyt w momencie, gdy Noora zamierzała napić się bulionu. Brzmiał, jakby dochodził z głębokiej studni. Był tak przenikliwy, że przywiódł jej na myśl Jaqootę, ale ból w tym głosie nie należał do niewolnicy.

– Kto to? – wyszeptała.

Latifa zamknęła oczy i rzekła:

– To Szamsa. Nie zwracaj na nią uwagi. Jest zła z powodu dziecka. – Z ust Latify wydobyła się seria mlaśnięć. – Co z niej za egoistka, powinna się cieszyć, że *arbab* wreszcie będzie miał potomstwo. – Westchnęła chrapliwie jak mruczący z zadowolenia kot. – Wreszcie sprawiłaś, że marzenie Jassema się spełniło, wszystkie nasze marzenia. Dziecko! Nareszcie błogosławieństwo, jakim jest dziecko Jassema.

Przy tych słowach bulion wpadł Noorze do tchawicy i zaczęła gwałtownie kaszleć, plując na łóżko. Załzawionymi oczami patrzyła, jak Latifa szybko odstawia miskę na podłogę i ze zręcznością typową dla doświadczonej opiekunki pomaga Noorze usiąść, po czym zaczyna mocno uderzać ją w plecy.

Noora złapała oddech, chociaż czuła ból w piersiach. Znów poczuła silne zawroty głowy i osunęła się na materac, zdezorientowana, zastanawiając się, czy śni czy może to sobie wymyśliła. A może Latifa naprawdę powiedziała, że to dziecko Jassema? Odwróciła głowę na bok i zauważyła blednące promienie słońca, rozlewającą się rzekę bursztynu, złocistożółte światło wpadające przez okno do jej pokoju. Nawet tak delikatny blask drażnił jej oczy.

– Przez cały dzień zasypiasz i budzisz się, mówiąc od rzeczy – powiedziała Latifa, kiwając głową. – Jesteś rozgorączkowana i nie wiesz, co mówisz... oczywiście same głupstwa... więc się nie odzywaj.

Noora starała się skupić na pyłkach kurzu unoszących się w smudze światła, podczas gdy pytania w jej głowie trzepotały niczym ćmy lecące w stronę ognia. Jakie głupstwa mówiła? Czy wspomniała o Hamadzie? Chciała się tego dowiedzieć, ale jeśli podleci zbyt blisko ognia, może się spalić.

Zachowała milczenie i pozwoliła, żeby Latifa pomogła jej usiąść. Noora popijała bulion, a kiedy zduszone pochlipywanie Szamsy przeniknęło przez ścianę, zaczęła siorbać. Wszystko, byle zagłuszyć ten stłumiony szloch.

Drzwi otworzyły się ze skrzypnięciem i mrok rozjaśnił snop światła. Latifa ciężkim krokiem przeszła przez pokój i położyła dłoń na głowie Noory.

– Przeszła. – Westchnęła z ulgą. – Cały tydzień gorączkowałaś. Wystraszyłaś nas. Myśleliśmy, że tracisz rozum, tak się wierciłaś i bełkotałaś, jakbyś miała do powiedzenia mnóstwo ważnych rzeczy.

Noora wciąż była zmęczona po huśtawce temperatury. Oddychała płytko, a w głowie miała mętlik. Przebijała się jedna myśl, jasna jak słońce: jestem w ciąży. Ciężar tej myśli przykuwał ją do łóżka z taką siłą, jakby na jej piersi leżał wielki głaz.

Latifa z pluskiem zanurzyła szmatkę w misce z maślanką i szafranem. Tej samej mieszanki użyła, żeby zbić gorączkę Noory, a teraz, jak przedtem, wycisnęła materiał z zapałem, jakiego Noora nigdy nie widziała u tej starszej kobiety. W pokoju było duszno od zapachu zsiadłego mleka z przyprawami. Noora pokręciła głową, kiedy Latifa zbliżyła szmatkę do jej czoła.

– Ale to pomoże zbić gorączkę – tłumaczyła.

– Gorączka minęła – wyszeptała Noora. – Proszę, już dosyć.

Latifa znieruchomiała ze szmatką w ręku i zachichotała.

– Dobrze, jeśli więcej nie chcesz, nie ma sprawy. Jednak jest coś innego, co na pewno ci się spodoba.

Wyjęła z kieszeni dwie połówki limety. Noora natychmiast poczuła, że jej oddech przyspiesza, a do ust napływa ślina. Przypomniała sobie, że bardzo chciała poczuć ten kwaśny smak. Chciwie ssała miąższ i ze ścierpłymi od goryczy ustami pomyślała o Jassemie i jego opowieściach o tym, jak bardzo bije go po kieszeni wysoka cena tych owoców. Czy on też jej się śnił czy to się wydarzyło na jawie?

Przypomniała sobie, że w gorączce, kiedy zasypiała i się budziła, widziała go kilka razy stojącego w drzwiach, pytającego niskim głosem, czy jej stan się poprawia. Była pewna, że dostrzegła na jego czole zmarszczki zatroskania. To też było nowe dla Noory: widok jej męża, mężczyzny ryczącego jak lew, który miauczał jak wystraszony kot.

Latifa na palcach wyszła z pokoju, a Noora rozkoszowała się limetą. Wydawało się, że jej sekret jest bezpieczny. W przeciwnym razie Latifa i Jassem nie obchodziliby się z nią tak troskliwie, nie przejmowaliby się czy wręcz nie okazywaliby takiej czułości. Wydobyła zębami wnętrze owocu i przeżuła miąższ. Był gorzki i ostry jednocześnie. Dokładnie tego chciała, tego potrzebowała w tej chwili do czasu, aż zacznie myśleć jaśniej, aż zrozumie swoją nową pozycję w domu.

40

Noora przepołowiła owoc granatu i poczuła szczypanie soku, który prysnął jej w oczy. Latifa błyskawicznie go wytarła, przykrywając jej twarz wilgotną szmatką, zanim Noora zdążyła mrugnąć.

– Już dobrze, *ommi* Latifa – powiedziała Noora, starając się ukryć irytację. Minął miesiąc, od kiedy przestała gorączkować, a mimo to Latifa nie odstępowała jej jak pszczoła chroniąca swój miód.

Granat był niemal równie kwaśny jak limety, które codziennie jadła, i bardzo jej smakował. Czując w ustach strzelające rubinowe pestki, Noora przyglądała się, jak Latifa poprawia pościel na jej łóżku. Tym właśnie zajmowała się teraz starsza kobieta, kiedy nie miała innego zajęcia dla rąk, gdyż to był kolejny przejaw troski o Noorę.

– Nie połykaj pestek – poinstruowała ją. – Odłóż je na tacę. Są za ciężkie dla żołądka.

Noora wypluła przeżuty miąższ i utkwiła w Latifie wyzywające spojrzenie.

Starsza kobieta mówiła dalej, nie przestając dobrotliwie się uśmiechać.

– W ciąży przez cały czas pojawiają się huśtawki nastroju. Cóż począć? Jednak musisz wiedzieć, że możesz ze mną zawsze porozmawiać, kiedy tylko będziesz miała ochotę, o tym, co cię trapi, a ja zrobię, co w mojej mocy, żeby temu zaradzić.

To była zachęta, na którą Noora czekała, i bez wahania powiedziała:

– Jestem taka zmęczona siedzeniem w tym pokoju, taka zmęczona twoją bezustanną troską. Od tak dawna nie spacerowałam po dziedzińcu. – Skamlała jak pies proszący o jedzenie. – Dlaczego nie mogę wyjść na spacer, tylko na spacer, to wszystko.

– Co za głupstwa! Jest za gorąco.

– Przecież teraz jest chłodniej. Zresztą mogę wyjść wieczorem albo późno w nocy, kiedy słońce już zajdzie. Nie mam nic przeciwko temu.

Latifa znowu odmówiła, tym razem stanowczo kręcąc głową.

– Powinnaś zostać w domu i odpoczywać. Na zewnątrz są zarazki, które każdy może przywlec: Jaqoota, Szamsa, nawet nasz mąż.

„I Hamad?" – chciała spytać Noora, ale ugryzła się w język. Gdzie on jest?

– W twoim stanie od razu czymś się zarazisz – tłumaczyła Latifa.

Noora poczuła sprzeciw wznoszący się w niej jak fala rozpoczynająca sztorm.

– Nie proszę o wiele. Chcę się tylko odrobinę poruszać. – Usiadła i spuściła nogi z łóżka. – Wyjdę na dwór i trochę pochodzę.

Latifa skrzyżowała ręce na piersiach i przekrzywiając głowę, rzuciła Noorze ostre spojrzenie.

– Uważam, że nie powinnaś.

Noora zsunęła się z łóżka.

– Nie wychodź – ostrzegła ją Latifa.

Noora nadal ignorowała starszą kobietę. Zarzuciła na głowę chustę i zrobiła kilka kroków w stronę drzwi. Właśnie miała otworzyć ich solidną drewnianą zasuwę, gdy Latifa znowu się odezwała:

– Nie pozwól, żeby uderzył ci do głowy fakt, iż jesteś w ciąży z naszym mężem. – W jej głosie mruczała burza ukryta w głębi jej gardła. – Kiedy mówię, że powinnaś odpoczywać, lepiej mnie posłuchaj.

Drewno zaskrzypiało, gdy Noora powoli odciągała zasuwę.

– Nie zapominaj, że to ja narzucam rytm w tym domu – ciągnęła Latifa – i dlatego muszę o wszystkim wiedzieć. I uwierz mi, kiedy ci mówię, że tak jest.

Noora się zawahała. Drzwi nie były zamknięte na klucz, wystarczy, że je otworzy i zrobi jeden mały krok. Wtedy wyjdzie na światło. Lecz wiedziała już, że zwycięstwo nie należy do niej, gdyż słychać je było w głosie Latify, zabarwionym pewnością siebie i poczuciem, że ma władzę.

– Wiem różne rzeczy – dodała starsza kobieta – i zachowasz się rozsądnie, słuchając tego, co ci mówię.

Co Latifa chce powiedzieć? Czy wie, że w jej macicy pływa dziecko Hamada? Wszystkie lęki, które Noora tłumiła, znów się pojawiły. Przerażenie owładnęło jej członkami, a w palcach poczuła ukłucia strachu. Ręce jej zesztywniały i opuściła je. Musi ustąpić. Groźby Latify brzmią przekonująco.

Wciąż stała twarzą do drzwi, próbując się opanować.

– Nie chciałam cię zdenerwować – powiedziała, starając się tchnąć w swój głos jak najwięcej lekkiego wietrzyku, nadając mu pogodny ton, a jednocześnie ukryć fakt, że się poddaje. – Chciałam po prostu rozprostować nogi. – Wróciła do łóżka. Postanowiła spojrzeć głęboko w oczy starej kobiety, gdyż był to jedyny sposób, żeby poznać prawdę. Przecież wszystko będzie się odbijać w tych maleńkich iskierkach jej oczu!

Jednak Latifa na to nie pozwoliła. Kiedy Noora zajrzała w szparę jej burki, nie zobaczyła nic poza szerokim uśmiechem, który skurczył oczy Latify do rozmiaru ziarenek.

Noora walczyła ze snem. Nie chciała śnić. W snach próbowała gdzieś się dostać i nie mogła. Chmura, która dźwigała jej ciężar, rozpływała się jak mgła, żwir na górze, po której się wspinała, wymykał się spod jej stóp. W snach zawsze czuła się uwięziona, wpadała w pustkę albo wspinała się na próżno. Te sny, tak wiele snów, oplątywały ją jak wodorosty.

Uniosła powieki. Wstała i na palcach podeszła do drzwi. Była cicha jak wietrzyk, kiedy wyszła na zakazany dziedziniec i przemknęła się w cień arkady wznoszącej się nad domowym *majlis*. Stanęła tam nieruchomo i starała się znaleźć spokój, patrząc przed siebie, ale jej umysł zasłaniała chmura pełna przerażających pytań. W nocnej ciszy wszystkie obawy i wątpliwości gwałtownie powróciły.

Czy Latifa naprawdę zna jej sekret? A jeśli tak, jak się dowiedziała? Czy mieszkańcy wioski naprowadzili ją na jakiś trop? Istnieje też druga możliwość. To ona najbardziej Noorę przerażała. Co się wydarzyło podczas jej choroby?

Próbowała przypomnieć sobie wszystkie szczegóły tygodnia, gdy leżała w gorączce. Pamięta pulsowanie w głowie i kończynach, popijanie bulionu z kurczęcia, drobne łyczki wody, ciężki zapach mikstury z maślanki i szafranu na swoim ciele.

Latifa powiedziała, że Noora rzucała się, wymachiwała rękami i kopała, śpiąc w ogniu gorączki. Czy także coś mówiła? Noora pokręciła głową. Była pewna, że wszystkie dźwięki, jakie wydawała, wszystkie okrzyki, istniały tylko w jej głowie. W chwilach świadomości głos Noory zagłuszał powolne bicie jej serca. Bełkotała i nie potrafiła zrozumieć, co mówi. Z jej ust wydobywało się dyszenie ryby wyrzuconej na brzeg. Jakiej biedy mogła sobie napytać?

Noora oddychała głęboko. Miała dość swojego żałosnego położenia. Kiedy poczuła, że jej umysł zaczyna lepiej pracować w rześkim powietrzu, odważyła się wyobrazić sobie inne życie, takie, które wiodłaby z dala od tyranii Latify. Może Hamad miał rację? Może powinien ukraść te perły. Wtedy mogliby uciec.

Ta myśl natychmiast nią owładnęła. Kryła nadzieję. Była w niej zuchwałość. Zrobiła kilka kroków, czując nagłą potrzebę ruchu, pragnąc odpędzić smutne myśli. Po chwili stanęła w świetle półksiężyca, nie próbując już się ukrywać.

Wciąż miała mały brzuch, a ponieważ słabość i nudności minęły, czuła się na tyle silna, żeby uciec z tego przytłaczającego domostwa. Wyruszy w podróż, popłynie do Indii i wychowa dziecko z Hamadem, który będzie się szybko bogacił.

Kiedy cały dom spał, Noora chodziła żwawym krokiem z jednego końca dziedzińca na drugi, pragnąc pożegnać się z żałosną istotą, jaką się stała. Była jak złodziej, który chce zostać przyłapany. Wbijała pięty w piasek, aż płomień buntu sprawił, że poczuła dreszcz emocji. Jakie to wszystko proste. Jaki klarowny jest obraz tego drugiego życia. Widziała siebie siedzącą u boku Hamada na macie pod pochyłą palmą, kołyszącą do snu trzymane na kolanach niemowlę. Czuła delikatny podmuch oddechu Hamada. Uśmiechnęła się, a w jej półprzymkniętych oczach, tych dwóch błyszczących oliwkach, widniało spełnienie.

Była to przyjemna fantazja, przerwana gwałtownie ostrym bólem w dolnej części pleców, który zatrzymał ją w pół kroku. Noora zdała sobie sprawę, że brak jej tchu, a w łydkach osadził się tępy ból. Ze smutkiem uświadomiła sobie, że nie jest już tak zwinna i wytrzymała, jak kiedyś, gdy żyła w górach. Teraz powłóczy nogami i zastanawia się, czy wytrzyma dwu- albo trzymiesięczną podróż po wzburzonych morzach do nieznanej ziemi, gdzie ludzie mówią w obcym języku.

Kiedy ból w plecach minął, znów zaczęła rozważać ryzyko wiążące się z taką decyzją. Poczuła pokusę, żeby odrzucić cały ten plan, który tak nagle narodził się w jej głowie. Jednak Noora miała dość bycia niemym tchórzem, jakim się stała.

Jutro znajdę Hamada – postanowiła. Gdzie on się właściwie podziewa? Przystanęła i spojrzała w niebo, jakby tam mogła go znaleźć. Od czasu jej choroby Hamad zniknął, a ona nie miała odwagi zapytać, gdzie jest. Jutro to się zmieni. Jutro przepyta Jaqootę.

41

Decyzja, co powinna zrobić, to jedno, ale wprowadzenie jej w życie to coś zupełnie innego.

Po pierwsze, musi złapać Jaqootę w momencie łagodnej kontemplacji, żeby hałaśliwa niewolnica nie wykrzyczała jej sekretu na cały dom. A to trudne. Od samego początku ciąży Noory służąca zapomniała o humorach i urazie i zaczęła dzielić niesłabnącą eksytację i oczekiwanie Latify i Jassema. Niewolnica korzystała z każdej okazji, żeby troszczyć się o Noorę. Piszczała i śpiewała całe dnie.

Noora postanowiła, że da jej czas, żeby się znudziła i uspokoiła. W ciągu dnia słuchała poleceń Latify i siedziała zamknięta w swoim pokoju, lecz nocami buntowała się i wykradała na dziedziniec, gdzie jak każdy zagubiony Arab patrzyła na rozgwieżdżone niebo, żeby odnaleźć drogę. Noc w noc wypatrywała znaku wśród gwiazd, lecz widziała jedynie mijający czas wraz z puchnącym i kurczącym się księżycem.

Wreszcie, pewnego ranka, kiedy Noora się czesała, Jaqoota wpadła do jej pokoju, oznajmiając:

– Szamsa odchodzi.

Grzebień utknął w splątanych włosach Noory i go tam zostawiła. Wstała i podeszła do ściany, żeby posłuchać. Z drugiego pokoju dochodziło szuranie i postukiwanie. To prawda – Szamsa się pakuje.

Noora chwyciła chustę i zarzuciła ją na głowę. Zamierzała wyjść z pokoju, kiedy Jaqoota złapała ją za rękę.

– Dokąd idziesz? – spytała.

– Zobaczyć się z Szamsą, spytać dlaczego... – Noora zamilkła. Po co idzie zobaczyć się z Szamsą? Dlaczego się przejmuje? Mimo iż Szamsa nigdy nie powiedziała jej dobrego słowa, Noorę ogarnął smutek i wyrzuty sumienia gęste jak krew płynąca z głębokiej rany. Bez względu na to, jak niedobre były dla siebie, Noora uważała, że łączy je więź wynikająca z zamążpójścia, które nie było ich wyborem. Musi coś zrobić. – Może potrzebuje pomocy – dodała.

– Nie wydaje mi się, a na pewno nie od ciebie – prychnęła Jaqoota. – Przecież wynosi się z twojego powodu! – Pokręciła głową. – Szamsa powiedziała do *arbaba*: „Chcę być z moją rodziną, tęsknię za nimi". Hoo! – Brwi Jaqooty uniosły się, gdy nachyliła się do Noory i wyszeptała: – Powiedziała, że to tylko na jakiś czas i że potem wróci. Ale my wiemy lepiej, prawda? Nigdy nie wróci. Zostanie w domowym gniazdku, wysiadując swoją klęskę jak kura pęknięte jajo.

– Dlaczego teraz? – zdziwiła się Noora.

- Dlaczego teraz? - powtórzyła szyderczo Jaqoota. - Spójrz na siebie! Niedługo twój brzuch tak urośnie, że nie będziesz mogła zobaczyć własnych stóp.

Noora objęła brzuch, jakby bała się, że spadnie na ziemię.

- Który to miesiąc? - mówiła Jaqoota. - Mniej więcej szósty. Już jest bezpiecznie. Ty jesteś bezpieczna. Szamsa czekała tak długo, żeby się upewnić, że nie stracisz dziecka.

Noora ściągnęła brwi i zaczęła głaskać boki brzucha.

- A *arbab* się zgodził? - Pamiętała, jaki Jassem był zły, kiedy Szamsa pojechała odwiedzić rodzinę.

Jaqoota wzruszyła ramionami.

- Wygląda na to, że nie ma nic przeciwko temu.

- Może powinnam chociaż pójść i się pożegnać.

- Opluje cię, jeśli to zrobisz. - Jaqoota zachichotała. - Pomyśl tylko: ty wygrałaś, ona przegrała. Ciesz się.

Noora nie podzielała radości służącej. W jej umyśle zapanował mrok ciemny jak bezksiężycowa noc. Pozycję kobiety w domu określa wyłącznie to, co jest w stanie zaoferować. A wyglądało na to, że Szamsa nie ma nic, co mogłaby dać. Pierwszy raz zniknęła, kiedy Noora się pojawiła, a teraz ucieka z powodu ciąży.

- Wrócił, stary wrócił - powiedziała Jaqoota i dała susa w stronę drzwi, po czym wymknęła się z pokoju.

Noora zostawiła otwarte drzwi i wyjrzała na zewnątrz, gdzie grupa ludzi witała się pośpiesznie, zgodnie z tradycją. Latifa i Jassem namawiali ojca Szamsy, żeby usiadł i napił się kawy, ale on twierdził, że się śpieszy. Przyprowadził dwóch mężczyzn do niesienia dobytku jego córki.

Wtedy wyszła Szamsa zasłonięta od stóp do głów. Zamiast typowych dla niej wybuchów histerii, zabrzmiały ciche słowa pożegnania. Głowę trzymała wysoko i pochyliła się lekko, przyjmując uścisk Latify.

Kiedy Jassem całował Szamsę w czoło, Noora zauważyła, że Juma ukradkiem położył chude palce na ramieniu córki i je zacisnął. Był to drobny gest, ale jakże znaczący. Oznaczał wsparcie i nagle Noora poczuła zazdrość.

Szamsa wraca na łono rodziny, bogatej rodziny, która kocha ją tak bardzo, że przyjmie z powrotem. A ona, Noora, nie ma rodziny ani domu, do którego mogłaby wrócić. Musi zostać tutaj, z Latifą, która może ją w każdej chwili zniszczyć. I Noora zastanawiała się, kto okazał się prawdziwym zwycięzcą.

Nie mogła dłużej na to patrzeć. Zsunęła chustę i wyplątała grzebień z włosów. Usiadła na łóżku i zaczęła machać nogami. Reszta jej ciała była nieruchoma jak pień drzewa, kiedy słuchała, jak otwierają się frontowe drzwi i Szamsa odchodzi.

Powinna triumfować. Wygrała. Noora jednak czuła się pokonana, uwięziona przez groźbę, iż Latifa wie o jej romansie z Hamadem. Machała nogami coraz mocniej. Nie mogła nic innego zrobić, jak pójść za „radą" Latify, jak określiła to starsza kobieta. I tak właśnie postępowała. Powstrzymywała sprzeciw, zaciskając usta, kiedy Latifa skakała wokół niej i spędzała dni w swoim pokoju. Jedyne chwile wytchnienia przychodziły, kiedy cały dom spał, a ona wymykała się na dziedziniec, próbując znaleźć w gwiazdach natchnienie, nadzieję albo rozwiązanie. Dni stawały się coraz chłodniejsze. Nie spociła się, machając nogami. Wilgotne morskie powietrze swobodnie wpadało przez pręty w jej oknie i teraz niosło głosy mężczyzn wchodzących do domu oraz Jassema, który energicznie wydawał im polecenie, by zaplombowali wieże wiatrowe.

– Musimy się pośpieszyć – mówił. – Nadejdzie dzisiaj, a najpóźniej jutro.

Oczywiście miał na myśli deszcz. Przez ostatnie dni w domu dużo mówiło się o deszczu. Noorze jednak nie udzieliła się związana z tym ekscytacja. Wiedziała, że nawet deszcz nie zmyje jej przygnębienia.

Mocniej zamachała nogami i przy kolejnym kopnięciu w powietrze poczuła inne. Pisnęła, zaskoczona jego siłą, i szybko położyła dłonie na brzuchu. Była w tym jakaś gorączkowość. Wydawało się, że to kopnięcie pogania ją, żeby podjęła jakieś kroki. Czy dziecko mówi, że jest na tyle silne, żeby je zabrać w inne miejsce?

Zanim zdążyła się nad tym zastanowić, drzwi się otworzyły i do pokoju weszła Latifa, a tuż za nią Jassem. Noora pośpiesznie skrzyżowała ramiona. Teraz brzęczały wokół niej dwie pszczoły: Latifa wyrzucała z siebie przypomnienia, co musi zrobić, a czego jej nie wolno, a Jassem pochrząkiwał potakująco.

Zignorowała to bzyczenie i położyła rękę na brzuchu, czekając na kolejne kopnięcie. Kiedy nic się nie wydarzyło, zaczęła się zastanawiać, czy dziecko próbuje jej przekazać coś innego. Może powinna pomyśleć o nim, o jego bezpieczeństwie, zamiast o własnym?

Latifa klasnęła, żeby przyciągnąć jej uwagę, a Noora zamrugała.

– Nie machaj tak nogami. – Uniosła palec, kiwając nim surowo. – Krew spłynie ci do palców, zamiast odżywiać dziecko. – Jej głos był męczący jak brzęczenie komara w nieruchomym powietrzu. – I dlaczego już nie leżysz? Zawsze, gdy przychodzę, siedzisz jak strażnik.

– Tak, musisz się położyć – dodał Jassem. Był tak przejęty, że Noora poczuła, iż musi go posłuchać. Wyciągnęła się na łóżku i zauważyła jego aprobujące kiwanie głową, kiedy tłumaczył: – Widzisz, słodka żono, ciężar, który dźwigasz, siedząc, sprawi, że będziesz niższa.

Latifa klepnęła go w rękę, śmiejąc się.

– Nie o to chodzi, mężu, tylko o to, żeby dziecko porządnie trzymało się macicy.

Spuścił głowę i wymamrotał coś pod nosem. Noora patrzyła, jak próbuje pokryć zażenowanie kaszlem. Pozwolił sobie zagłębić się w świat kobiecych spraw i teraz musiał zmienić temat.

– Powinnaś słuchać matki Latify, Nooro. Ona myśli wyłącznie o tobie i naszym dziecku. Kiedy dziecko się urodzi, *insha' Allah*, zapewnię mu wszystko. – Odzyskał pewność siebie, chociaż głos łamał mu się z emocji, które zaczynały się w nim gotować. – Pomyśl, kobieto, tylko pomyśl. To dziecko, nasze dziecko, dostanie wszystko, czego ty nigdy nie miałaś.

Noora usiadła wyprostowana jak struna. Nagle poczuła ciekawość.

– Czyli na przykład co? – zapytała.

– Wszystko! Wszystko, co mam. A przedtem wszelkie możliwości, jakich tylko można sobie życzyć. – Zakaszlał cicho. – Sprowadzę nauczyciela, hinduskiego nauczyciela, żeby nauczył nasze dziecko angielskiego i matematyki. Oraz nauk ścisłych. To dziecko będzie uzbrojone w wiedzę, gotowe na nadejście nowych czasów, czasów pełnych możliwości, gdyż niebawem ropa zacznie przynosić tej ziemi bogactwo.

Przerwał i spojrzał na ścianę za Noorą, jakby dostrzegał na niej olśniewające różowofioletowe promienie wschodzącego słońca, pęczniejącego od nadziei. A Noora podążyła za tym spojrzeniem, chcąc mieć pewność, że nie umknie jej żadne jego słowo.

– A ja wszystkich wyprzedzę, gotowy na to, co się wydarzy – mówił Jassem. – Dlaczego, twoim zdaniem, nawiązuję kontakty z Anglikami? To oni dadzą nam nowy początek. A ja będę stał z nimi ramię w ramię.

– Dosyć, dosyć – przerwała mu Latifa. – Ekscytujesz ją bez powodu. Wszystko jest dopiero w zalążku. – Zwróciła się do Noory: – Pamiętaj, żeby nie machać nogami.

Noora jej nie słuchała. Jak mogła jej słuchać, kiedy w jej głowie kłębiły się wszystkie te magiczne słowa Jassema.

Kreślił świetlaną przyszłość, barwiąc ją wszystkimi kolorami obiecujących perspektyw. Nie spuszczała z niego wzroku, patrząc przez jego okulary w głębię jego oczu błyszczących nadzieją. Była w nich też prawda ostra jak promień słońca. Noora czuła, jak do jej brzucha sączy się nadzieja, i zadrżała, kiedy nadzieja ta ogrzała maleńkie ciało jej nienarodzonego dziecka.

42

Słowa Jassema brzmiały bardzo pięknie. Przez cały ten dzień i wiele następnych wszystko, co powiedział, przelewało się w głowie Noory jak łagodne fale, karmiąc jej ambicję, kiedy się wznosiły, i wzmacniając poczucie bezpieczeństwa, kiedy opadały na otwartym spokojnym morzu.

Była pewna, że Jassem mówił szczerze.

Usłyszała w jego głosie entuzjazm. Jego obietnice przełamały jej opory i osłabiły czujność, która łaskotała ją w koniuszek języka, gotowego przemówić. Teraz z uśmiechem niosła swoje myśli, wychodząc na dziedziniec i kładąc się na plecach pod nocnym cieniem głożyny. Liście szumiały jej nad głową, a chłodne powietrze pieściło twarz, przypominając o przemijaniu czasu. Niedługo brzuch tak urośnie, że będzie się kiwała jak kaczka.

Świecił księżyc, cienki rogalik przytłoczony bezmiarem nieba upstrzonego gwiazdami. Tak jak każdej nocy, patrzyła na te migoczące gwiazdy. Tej nocy wydawało się, że odebrały księżycowi jego srebrną poświatę. Pragnęła, żeby wskazały jej właściwą drogę, lecz tym razem myśl o ucieczce nie zawładnęła jej umysłem. Tym razem szukała innej wskazówki. Szukała wśród gwiazd jakiegoś porządku i znalazła skupisko, które wyglądało jak swego rodzaju rodzina, tworząc coś na kształt górskiego szczytu.

Gwiazdy na czubku świeciły mocnym światłem, zaznaczając swoją obecność, jak Latifa zaznacza swoją obecność w domu. U podnóża świeciły tak wątłym światłem, jakby umierały, przez co skojarzyły się jej z Szamsą. Natomiast w środku tej migotliwej góry gwiazdy były chaotyczne. Migotały raz jaśniej, raz ciemniej, niezdecydowane, co chcą zrobić, co powinny zrobić – tak jak ona.

Położyła dłoń na brzuchu i pogłaskała go.

– Nasze dziecko – wyszeptała, lecz jej głosowi brakowało pewności siebie, która przepełniała głos Jassema. – Nasze dziecko – powtórzyła nieco głośniej. Tym razem jej głos zadrżał z poczucia winy wywołanego zdradą.

Noora wpatrywała się w niebo szeroko otwartymi oczami, aż wchłonęło gwiazdy. Czerń! Jak może urodzić Jassemowi cudze dziecko, zapewnić maleństwu dar jego szczodrości? Wyobraziła sobie pijawkę spuchniętą od czyjejś krwi. Tym jest jej dziecko, które ma być wychowywane, pielęgnowane, karmione i kształcone dzięki cudzemu bogactwu i dobroci.

Zamknęła oczy i wcisnęła policzek w piasek. Przesuwała nim w górę i w dół, czując, jak szorstkie ziarenka drobnego białego koralowca ocierają jej skórę, aż zaczęła ją piec. Nie dbała o to. Zasłużyła na ból i jeszcze więcej. Będzie tak tarła, aż twarz zacznie krwawić. Przerwała gwałtownie, słysząc jakiś dźwięk.

Dochodził z zagrody dla zwierząt w rogu domu, tuż obok *majlis* dla mężczyzn. Usłyszała skrobanie i tarcie tkaniny o skrzydła kurcząt i szuranie kozich kopyt.

Czy to złodziej? Noora usiadła i wypluła ziarenka piasku, które dostały się do ust. W jej stronę szedł jakiś cień. Chciała krzykiem obudzić cały dom, ale wtedy go rozpoznała. I natychmiast pożałowała, że to nie złodziej.

Hamad nie starał się nawet zakraść pod osłoną arkady. Szedł w poprzek dziedzińca jak pozbawiony lęku wielbłąd. Wbijał stopy głęboko w piach, nie dbając o to, co depcze.

Noora zerwała się z ziemi. Chciała go skarcić, że nie dba o to, w jakiej stawia ją sytuacji. Chciała wepchnąć go z powrotem w mrok. Jednak już był przy niej, trzymał ją za nadgarstek i ciągnął do jej pokoju.

Otworzył drzwi nogą i wciągnął ją do środka. Na ścianie przy oknie wisiała na gwoździu zapalona lampa i Noora zobaczyła, jak oddech unosi jego klatkę piersiową. Ściągnął brwi i wpatrywał się w nią intensywnie.

Noora zesztywniała, prawie przestała oddychać. Dopiero kiedy odwrócił się gwałtownie, żeby wyjrzeć przez okno, rozluźniła się, wydychając wstrzymywane powietrze.

– Bezpieczni – powiedział Hamad. – Póki co bezpieczni, ale nie mamy zbyt dużo czasu.

Pomyliła jego gorączkowy pośpiech z gniewem. Pokręciła głową, żeby pozbyć się sztywności karku, i wyszeptała spokojnie:

– Co tutaj robisz tak późno? Jak dostałeś się do środka?

– Znalazłem sposób. – Cały czas obserwował dziedziniec. – A teraz chodź, nie traćmy czasu. Pośpiesz się.

– Ciszej. – I o czym ty właściwie mówisz? – Serce Noory biło jak oszalałe. Chociaż pocieszała ją myśl, że za ścianą nie ma Szamsy, która mogłaby ich usłyszeć, są inni. Musi pozbyć się go z pokoju. – Powiedz mi, czego chcesz, i idź sobie.

Gwałtownie odwrócił głowę w jej stronę.

– O czym ty mówisz? Myślałaś, że zostawię cię w tym okropnym miejscu? Dalej, spakuj się szybko i zabierz tylko to, co najbardziej potrzebne. Musimy iść.

– Dokąd?

– Daleko stąd, do naszej przyszłości.

– Nie mogę. – Noora położyła rękę na brzuchu. Po raz pierwszy poczuła, że musi chronić dziecko, które rozwija się w jej wnętrzu. – A poza tym, gdzie się podziewałeś? Zniknąłeś. Byłam chora, bliska śmierci, a ty zniknąłeś.

– Kazano mi zniknąć. Powiedzieli mi, że mam nie wracać. Powiedzieli mi, że nie jestem już potrzebny.

– Kto ci to powiedział? Mój mąż?

– Nie, nie twój mąż. – Włożył rękę do kieszeni, z której wyjął małe zawiniątko. – Zresztą, to nie ma znaczenia. – Zaczął rozwiązywać supeł. – Liczy się to, że sprawa została załatwiona. Patrz.

Była tam garść pereł, które trzymał w zagłębieniu swojej złodziejskiej dłoni.

– Mamy wszystko, co trzeba – powiedział Hamad i podsunął jej perły pod nos. W półmroku wyglądały na szare.

Noora próbowała dostrzec ich połysk, ale widziała tylko kolejną hańbę, jaką Hamad chce z nią dzielić.

– Nie mamy całej nocy. Wszystko zaplanowałem.

Noora jednak go nie słyszała. Dudnienie w jej piersi było ogłuszające w nieruchomym powietrzu i myślała tylko o tym, że on chce zrobić z niej uciekinierkę. Nigdy nie będzie mogła wrócić do Wadimy ani w góry. Będzie musiała na zawsze pozostać na wygnaniu.

– Na kilka dni ukryjemy się w Limie – mówił Hamad. – Dopóki brytyjski parowiec nie zabierze nas do...

Wreszcie mu przerwała:

– Zrobiłeś to – wyszeptała. – Naprawdę to zrobiłeś.

Hamad zmarszczył nos.

– Dla nas – powiedział z nutką konsternacji, która zdusiła ożywienie w jego głosie.

– Myślałam, że zrezygnowałeś z tego pomysłu. Jednak nie. Ukradłeś je.

– Pożyczyłem.

– Ukradłeś! – Podniosła głos i uderzyła się palcami w usta, żeby pamiętać, iż powinna mówić cicho. – Jak znalazłeś klucze?

– Poradziłem sobie.

– Poradziłem sobie, poradziłem, poradziłem... – wyszeptała chrapliwie. – Ukradłeś je, Hamadzie. Ukradłeś.

– Dobrze, nazywaj to, jak chcesz, ale to tylko na jakiś czas. Oddam ich równowartość, kiedy zarobię. Już ci mówiłem. A teraz chodź. Musimy się śpieszyć.

– Myślisz, że możesz się tak zjawić i zabrać mnie, dokąd zechcesz? – Oparła ręce na biodrach i wypięła zaokrąglony brzuch. – Jak mogę z tobą podróżować, nosząc w łonie dziecko? Wiesz, że jestem przy nadziei, prawda?

Niecierpliwość Hamada zniknęła i wsunął perły do kieszeni.

– Tym się przejmujesz? – Podszedł do Noory i położył ręce na jej ramionach. Były ciężkie, ale ich nie strząsnęła.

– Nie powinnaś się tym martwić. To dziecko będzie miało we mnie ojca, a w tobie matkę.

Nawet w słabnącym blasku lampy tańczącym na jego twarzy widziała pragnienie i pożądanie w jego oczach. Błagały ją o zgodę, aprobatę, błogosławieństwo. Jego powieki drgały leciutko, ale nawet nie mrugnął. Poczuła ukłucie w sercu, patrząc w te oczy, wilgotniejące jak oczy szczeniaka łaszącego się do pana.

Nie mogła dłużej na niego patrzeć. Opuściła głowę i kręcąc nią, wymamrotała:

– Nie, Hamadzie, nie. Nie mogę z tobą pojechać. Muszę zostać tutaj. To mój dom i moja rodzina. Kiedy byłam chora, to *ommi* Latifa mnie wyleczyła, to Jassem dopytywał się o mnie. Bardzo o mnie dbali, *masha' Allah*, a ty chcesz, żebym zabrała ich perły i to dziecko, ich marzenie, i uciekła?

– Być może to jest ich marzenie, ale nie ich dziecko – powiedział Hamad. Miał głos miękki jak aksamit, a mimo to Noora usłyszała w nim groźbę.

– Gorąco tutaj – powiedziała, wysuwając się z jego objęć. Podeszła do drzwi i wyjrzała na dziedziniec. – Bardzo gorąco, czujesz? – Cofnęła się, mimo iż bała się tego, co Hamad za chwilę może powiedzieć. – Duszno. – Zamaszystym krokiem poszła do łazienki. On ruszył za nią i czuła na sobie jego wzrok, kiedy przechyliła gliniany dzban, nalała trochę wody do ręki i ochlapała sobie twarz.

– Oczywiście musiałaś zachować to w tajemnicy – powiedział cicho – ale przy mnie nie musisz niczego udawać.

Noora ochlapywała sobie twarz raz za razem, aż woda popłynęła jej po szyi i zamoczyła sukienkę. Lecz fala gorąca, jaka oblała ją z niepokoju, nie ustępowała.

– To moje dziecko.

Proszę. Powiedział to.

Zesztywniała. Sekret się wydał, ale przyznanie się do niego rozerwie worek z całą masą problemów.

– O czym ty mówisz?

– O tym, że wiem, iż to moje dziecko – powiedział głosem niewiele głośniejszym od szeptu.

– To nie jest twoje dziecko! – Wypluła z siebie te słowa jak kawałek nadgniłego mięsa. – To dziecko Jassema.

– Jassema? – prychnął Hamad. – Gdyby to było możliwe, do tego czasu miałby ich już dziesięcioro. Ha! Cała wieś, nie, cała Lima, nie, nie, nie, całe Indie wiedzą, że on nie może mieć dzieci. Wiesz, ilu mistyków i uzdrowicieli odwiedził w Bombaju? A każdy z nich obiecywał mu to samo: „Tym razem się uda, *arbab*". – Pokiwał głową. – Fortuna wydana na wizyty i kuracje. A wszystko na nic.

– Gadanie, ludzkie gadanie. Czasem jesteś taki niemądry i wymyślasz same bzdury.

– Ja? Bzdury? Niczego nie wymyśliłem. Widzę i rozumiem. To ty jesteś ślepa. Nie widzisz, że zostałaś zmanipulowana, wmówiono ci kłamstwo.

– Słowa, słowa i więcej słów. – Noora otarła twarz rękawem. – Tylko w tym jesteś dobry, w znajdowaniu słów, żeby zbić mnie z tropu.

– Nie wiesz, o czym mówię, prawda?

Noora odwróciła się, żeby na niego popatrzeć. Wydawało się, że krew odpłynęła mu z twarzy. W jego pełnym napięciu spojrzeniu malowała się trwoga, a usta wykrzywił grymas zdziwienia. Uśmiechnęła się szyderczo i odwróciła wzrok.

– Nie domyśliłaś się? Nawet się nie zorientowałaś, że dzieje się coś dziwnego. Co, myślisz, że to było normalne, że spędzaliśmy razem tyle czasu, zachęcani przez twoją opiekuńczą *ommi* Latifę?

– *Ommi* Latifa jest teraz dla mnie bardzo miła. – Noora nadal kucała przy glinianym dzbanie. Nie chciała spojrzeć Hamadowi w twarz, wbiła więc wzrok w maleńkie kałuże wody, które uformowały się u jej stóp. – Kocha mnie jak córkę.

– Latifa dostrzegła w tobie tę dzikość. Wszystko zaplanowała, żebyśmy mogli być razem, żebyś mogła urodzić dziecko dla niej i dla Jassema.

Noora była zaszokowana. Miała ochotę krzyczeć. Zacisnęła usta. O czym on mówi? Czy zmyśla te straszne historie, żeby z nim uciekła? Musi wiedzieć wszystko, ale nie pozwoli, żeby ciekawość sprowadziła ją na manowce.

– Gdzie twoim zdaniem byłem przez cały ten czas? Nie chciała mnie w pobliżu. Odesłała mnie!

– Co za okrucieństwo. – Głos Noory drżał. – Jak możesz być taki nieczuły, żeby wymyślić coś takiego? Zresztą, jeśli to prawda, to dlaczego się na to zgodziłeś?

– Nie zgodziłem się... – Urwał. W jego głosie słychać było ból i Noora nareszcie poczuła, że może się bezpiecznie odwrócić i na niego spojrzeć. Marszczył czoło i widziała, że szuka właściwych słów. Znów spróbował otworzyć usta. Tym razem mu się udało, ale nie wydobył się z nich żaden dźwięk.

Noora podniosła się i wolno pokiwała głową.

– Chyba powinieneś przestać wymyślać historie. Lepiej już sobie idź.

Kiedy przechodziła obok niego, złapał ją za rękę.

– Nie – powiedział pośpiesznie – posłuchaj mnie. Nie zmyślam. Na początku nie znałem planu Latify, ale potem zrozumiałem. I nic nie mogłem powiedzieć.

Noora obrzuciła go gniewnym spojrzeniem. Puścił jej rękę, jakby jej palce nagle zmieniły się w gorące węgle.

– Widzisz... – przełknął z trudem ślinę – widzisz, kochałem cię i dlatego nic nie mówiłem, żeby móc nadal cię widywać.

Takie proste słowa, tak trudne do wypowiedzenia i tak prawdziwe. W to Noora nie wątpiła. Otwierał przed nią serce. Na początku to właśnie ją w nim pociągało. Ale teraz zaczęło irytować. Zapomina o swojej męskości i otwiera serce jak kobieta.

Zgarbił się, przymknął oczy i czekał, aż Noora go pocieszy. Czekał, aż ujmie go pod brodę i dotknięciem delikatnym jak płatek róży uniesie jego głowę, by spojrzeć mu w twarz.

Kiedy tak się nie stało, zaczął powoli się prostować. Nie było w tym żadnej zwinności, którą zwykle widziała w jego pełnej gracji sylwetce, lecz nieporadność podnoszącego się wielbłąda, dźwigającego ciężki łuk swojej szyi, prostującego długie kończyny i świadomego, że będzie musiał brnąć przez piasek. Tylko że Hamad nigdzie nie poszedł, lecz wciąż z zamkniętymi oczami wyciągnął do niej ręce. Czekał na jej dotyk, lecz ona nie zamierzała mu tego dać.

– Wstydź się – syknęła, rozbijając ciszę, która wypełniała powietrze między nimi. Hamad gwałtownie otworzył oczy i zaczął mrugać raz za razem. – Wkradać się do mojego pokoju o tak późnej porze. Odzywać się do mnie w ten sposób. Jestem mężatką, czyżbyś o tym zapomniał?

– Kiedy twoje serce zamieniło się w kamień? Kiedy? – Potrząsał głową, jakby próbował zapomnieć o złym śnie.

– Kiedy zrozumiałam, że muszę myśleć o sobie, martwić się o siebie, bo nikt inny tego za mnie nie zrobi.

– Posłuchaj własnych słów! Postępujesz podle, a potem temu zaprzeczasz. – W jego głosie pobrzmiewała teraz mściwość. – Nie wiem, kim ani czym jesteś. Czymś zupełnie innym niż Noora, którą ceniłem jak skarb. – Wyrzucił ręce w powietrze. – Wykopałaś dziurę w piasku i wypełniłaś ją swoim wstydem, myśląc, że ukryłaś go na zawsze. Lecz piasek jest miękki, a wiatr nigdy nie przestaje wiać. I pewnego dnia... – Zagryzł wargę i odwrócił wzrok.

– Jesteś jak... jak... jak....

– Gekon scynkowy – wymamrotała.

Nie usłyszał jej.

– Dlaczego to robisz? Dlaczego nie chcesz ze mną odejść?

– Dlatego, że nie chcę rozbić sobie głowy.

– Co takiego?

– Nieważne.

Hamad starał się uspokoić, oddychając głęboko.

– Posłuchaj, są dla ciebie mili z powodu dziecka. Kiedy urodzisz, zabiorą je i wychowają jak zechcą. Nie będziesz miała nic do powiedzenia.

– Nie chcę tego słuchać. – Noora zatkała uszy. Mimo to słyszała Hamada, a on najwyraźniej uparł się, żeby ją zranić.

– Zobacz, co zrobili z Szamsą – mówił. – Nie potrzebowali jej, więc odesłali ją do domu.

– Szamsa chciała zobaczyć się z rodziną – tłumaczyła Noora. – To ona postanowiła odejść. I może wrócić. Idź już sobie.

Hamad nie chciał jej słuchać.

– A co będzie z tobą? – szydził. – Dokąd pójdziesz, gdy uznają, że już cię nie chcą?

Tym razem nie odpowiedziała. Im więcej będzie mówiła, tym dłużej on zostanie. Jego szyderstwa mogą się ciągnąć całą noc. Mocniej przycisnęła ręce do uszu i zaczęła nucić, czując, jak wibracje docierają do jej głowy.

Hamad próbował pochwycić jej spojrzenie, ale wbiła wzrok w podłogę. Ponowił próbę, pochylając się, ale ona szybko przeniosła wzrok na sufit. Nie dotykał jej, tylko chodził wokół niej jak kot osaczający mysz. Chciał spojrzeć jej w oczy, napełnić je trwogą, ale Noora na to nie pozwoliła.

Zacisnęła powieki i kiedy znów się odezwał, jej nucenie stało się głośniejsze, słyszała tylko ogłuszający szum tłumiący wszelkie prośby, wszelkie wątpliwości.

Czuła się jak uparte rozpieszczone dziecko, ale nie dbała o to. Hamad musi zrozumieć, że powinien wyjść, że podjęła już decyzję, że z nim nie wyjedzie.

I wtedy w pokoju zrobiło się cicho.

Jej nucenie przeszło w jęk i odetkała uszy. Kiedy otworzyła oczy, zobaczyła, że Hamad stoi oparty o ścianę przy oknie, twarzą do niej, ale na nią nie patrząc. Już nie był rozgorączkowany, lecz zrezygnowany. Włożył rękę do kieszeni i wyjął zawiniątko.

Zrobiła kilka ostrożnych kroków w jego stronę. Cierpiał, widziała to. Jego twarz zastygła w bólu. Wyobraziła sobie stary sznur trzymający wszystko na swoim miejscu – gnijący sznur, który w każdej chwili może pęknąć.

Nic nie mówiąc, rozwarł dłoń i obserwował, jak Noora wpatruje się w perły.

– Myślę, że to najlepsze wyjście – powiedziała. – Narobiliśmy wystarczająco dużo złego. Kolejny występek niczego nie naprawi. Bez trudu je zwrócisz.

I wtedy ten gnijący sznur, ten, który w jej wyobraźni spajał jego twarz, pękł. Hamad tupnął i cisnął jej perły.

– Ty je zwróć!

Noora zamrugała. Poczuła tylko podmuch, gdy minął ją szybko, usłyszała tylko tupot jego stóp, kiedy wypadł z pokoju.

A potem do jej uszu dotarł beztroski stukot rozsypujących się pereł, które odbijały się bez końca po podłodze i toczyły się we wszystkie strony.

43

Hamad nie próbował już zobaczyć się z Noorą. Wybiegł z pokoju i jej pozostawił problem zwrócenia pereł. Kiedy je rzucił, wszystkie pozbierała. Minęły całe dwa tygodnie, a uwięziona w czterech ścianach swojego pokoju nie potrafiła wymyślić, jak tego dokonać.

Wsunęła rękę pod materac i wyciągnęła zawiniątko. Rozwiązała supełek i przeliczyła je jeszcze raz. Kiedy upewniła się, że są wszystkie, czyli trzydzieści siedem, zawiązała zawiniątko i wsunęła z powrotem pod materac, po czym rozpoczęła inspekcję.

Rozejrzała się uważnie po pokoju, mrużąc oczy, kiedy lustrowała ciemne zakątki. To był codzienny rytuał, gdy miała pewność, że nikt jej nie przeszkodzi. Te perły są śliskie jak węże.

Uklękła i przeczesała palmową matę, sprawdzając każdą wypukłość i rozdarcie. Brzuch był ciężki jak pękate bukłaki z wodą, które nosiła tak dawno temu. Już miała go podtrzymać, kiedy zauważyła zbuntowaną perłę dyskretnie ukrytą przy jednej z nóg łóżka.

Sięgnęła po nią, kiedy drzwi otworzyły się na oścież i do środka wpadła Jaqoota.

– Jesteś już dość duża i bezpieczna! – wykrzyknęła, wyrzucając ręce do góry. – Nareszcie!

– Co?

– Wolna, wolna – powtórzyła Jaqoota, robiąc krok do tyłu. – Co ty tam robisz na podłodze?

Po raz pierwszy Noora została przyłapana na czworaka, z głową przy ziemi, z biodrami wysoko w górze, jak kot, który właśnie zamierzał otrzeć się o pień drzewa, żeby zostawić na nim swój zapach. Usiadła szybko, zirytowana.

– Dlaczego nie zapukałaś? Zawsze musisz krzyczeć wniebogłosy? A gdybym spała?

Była niezadowolona, że Jaqoota wpada do jej pokoju, kiedy tylko zechce.

– Ale mam nowiny – tłumaczyła się Jaqoota.

– Mogą poczekać, aż skończę. – Noora pochyliła się, żeby wstać i dyskretnie podnieść perłę.

– Jak będziesz taka, to wcale ci nie powiem – zagroziła służąca.

Kiedy Noora wygładzała sukienkę, udawała, że nie dostrzega jej rozżalenia. Niewiele było trzeba, żeby na granatowoczarnej twarzy niewolnicy pojawiła się złość. Kątem oka Noora widziała, jak wydatne usta Jaqooty puchną, bliskie wybuchu pod szerokim nosem. Noora wiedziała też jednak, że może to szybko zmienić. Ciąża sprawiła, że Jaqoota znów się otworzyła, pragnąc się do niej zbliżyć. Noora musiała jedynie zaoferować jej odrobinę współczucia i uwagi.

– Dobrze, że przyszłaś, ale czasem naprawdę potrzebuję spokoju. Lubię uklęknąć i porządnie się porozciągać. – Wyciągnęła ręce do sufitu. – Nie wiesz, jak to jest, kiedy dźwigasz taki ciężar. Ach, ach, ach... – Pomasowała sobie brzuch i wykrzywiła twarz w grymasie podkreślającym jej złe samopoczucie.

Jaqoota westchnęła, a rysy jej twarzy znów stały się łagodne.

Noora się uśmiechnęła. To była część decyzji, jaką ostatnio podjęła, żeby bezpiecznie przejść przez wszelkie zawirowania, mogące naruszyć spokój w domu: poznaj ludzi ze swojego otoczenia. Postanowiła, że będzie sprytna, uważając na to, co mówi i w jaki sposób.

Pozwoli Jaqoocie pojawiać się i znikać, wierzyć, że są najlepszymi przyjaciółkami. Jednak będzie ostrożna. Nie tak dawno służąca się od niej odwróciła, zagroziła, że wykorzysta jej słabości. Noora obiecała sobie, że nie pozwoli, by znowu do tego doszło.

– Co takiego się stało? – zapytała Noora.

Oczy Jaqooty rozbłysły.

– Już wszystko w porządku. Możesz wychodzić. *Ommi* Latifa kazała ci przekazać, że niebezpieczeństwo minęło i możesz swobodnie poruszać się po domu.

Nareszcie będę mogła zwrócić perły – to pierwsza myśl, która przyszła Noorze do głowy. Nie zamierzała jednak okazać, że poczuła ulgę. Ziewnęła więc i zapytała:

– Niebezpieczeństwo?

– Niebezpieczeństwo utraty dziecka – wyjaśniła służąca, uderzając się wnętrzem dłoni w głowę. – Czy ja muszę wszystko wyjaśniać? Nie wiesz, że pierwsze miesiące są ryzykowne? Matki tracą dzieci w pierwszych miesiącach i dlatego nie wolno ci było za bardzo się ruszać.

– Och? – Noora uniosła brew. – Więc to była przyczyna?

– Oczywiście, bo wtedy ciało decyduje, czy chce dziecka czy nie.

– Hm.

– No więc? Pójdziemy wyjrzeć przez drzwi wejściowe, popatrzeć na wioskę?

Noora już miała kiwnąć głową, doskoczyć beztrosko do drzwi, ale się powstrzymała. Muszę być sprytna, pomyślała i znów ziewnęła, żeby stłumić entuzjazm.

Wydawało jej się, że zawsze podgląda życie. W górach pierwszy raz zobaczyła Raszida przez szpary w chacie Mozy. Jako panna młoda obserwowała przez wycięcia w burce, jak jej brat Sager odwraca się od niej, odrzucając jej ostatnią prośbę. A na łodzi niosącej ją do Wadimy podpatrywała przez dziurę w parawanie Hamada, którego dziecko teraz nosi. Było też mnóstwo innych okazji, kiedy podglądała życie, patrząc przez okna i drzwi, pozwalając, by kształtowało jej własną egzystencję: nastroje *arbaba*, wybuchy Szamsy, chodzenie Latify po domu – wszystkie te obrazy przepływały teraz przez jej głowę. Drżała niepewna, jaka będzie jej przyszłość. Dosyć tego – pomyślała.

– A może zakradniemy się do *majlis* dla mężczyzn i popatrzymy, jak rybacy wyciągają sieci z połowem? – zaproponowała Jaqoota, a kąciki jej ust drgały psotnie. – Albo chodźmy nad morze, pochlapiemy się wodą jak kiedyś. Pamiętasz?

Nie! Nie pójdzie z Jaqootą. Zostanie tu, gdzie jest, i zaplanuje swoje życie. Najwyższy czas.

– Co ty na to?

– Nie wiem – powiedziała Noora. – Tu jest tak cicho, tak spokojnie. – Odetchnęła głęboko. – Nie, raczej zostanę w moim pokoju... uszyję coś... może trochę poleżę.

Tydzień później spadł długo oczekiwany deszcz. Silny wiatr rozpryskiwał ciężkie krople, które żłobiły rowki w piasku, nadając im wygląd śladów stóp małego kaleki.

Noora wychyliła się przez okno i pozwoliła, żeby krople rzęsistego deszczu rozpryskiwały się jej na twarzy. Mimo że deszcz przyszedł późno, wystarczył, żeby piach na dziedzińcu osiadł, żeby zmyć kurz z liści głożyny i umyć ściany domu. Ulewa trwała krótko, lecz na tyle długo, żeby na twarzach Jassema, Latify i Jaqooty, obserwujących ją spod arkady, pojawiły się szerokie uśmiechy.

Noora widziała to wszystko przez okno, gdyż trzymała się swojego postanowienia: wyjdzie z pokoju, kiedy sama zdecyduje. Przez cały czas była kozą, którą Latifa ciągnęła na postronku, teraz jednak postanowiła to zmienić. Przez cały tydzień, od kiedy Jaqoota oznajmiła, że niebezpieczeństwo minęło, Noora przekształciła swój upór w siłę. To był pokaz jej odwagi, wyjątkowy osobisty triumf.

Jaqoota wrzasnęła przenikliwie i wybiegła na środek dziedzińca. Uniosła rękę do piersi i zaczęła jak szalona kręcić głową. Deszcz osiadł na jej włosach jak krople rosy, a chusta zsunęła się na ramiona.

Patrząc na beztroskę niewolnicy, Noora nie czuła zazdrości. Jaqoota może się zachowywać jak dziecko, ale Noora uznała, że ona nie powinna. W jej wnętrzu rozwija się dziecko i niedługo je urodzi. Czuła, że ten dzień się zbliża. Jej brzuch stawał się coraz większy. Matki zachowują się inaczej. Matki mają obowiązki.

Jassem i Latifa wciąż stali pod arkadą, obserwując szalony taniec Jaqooty. Uśmiechali się i rozmawiali cicho. Noora patrzyła na nich przez krótką chwilę, po czym zamknęła oczy. Deszcz przyniósł świeżość, zmył dawne grzechy. Ten deszcz może odmienić jej życie.

Promień światła przebił się przez chmury i oświetlił twarzy Noory. Kiedy otworzyła oczy, Jaqoota tańczyła coraz wolniej wraz ze słabnącym deszczem, robiąc teraz drobne kroczki we wszystkie strony i usiłując zatrzymać się w swoim wirującym świecie. Deszcz ustał. Jaqoota padła na ziemię i patrzyła w wirujące niebo.

A wtedy dziecko Noory zaczęło się poruszać. Wierciło się i przeciągało, wolno jak kropla gęstego miodu. Z każdym jego ruchem Noora była coraz głębiej przekonana, że buduje między nimi więź. Mówiło jej, że stanowią jedno.

I wtedy dziecko kopnęło. A Noora krzyknęła z zachwytu.

44

Deszcz przyszedł i odszedł. Był krótki, ale z jakiegoś powodu ta chwila dodała Noorze odwagi. Ten stan utrzymywał się, gdyż Noora wytrwała w swoim postanowieniu przez kolejne trzy dni, aż wreszcie uznała, że postawiła na swoim. Otworzyła drzwi i wyszła na środek dziedzińca. Tęskniła za ciepłem słońca i podniósłszy głowę, zmrużyła oczy, patrząc na błękit wczesnego poranka.

– Prawdziwie świetlisty poranek, *masha' Allah*, czyste światło po wspaniałym deszczu. – Noora odwróciła się i zobaczyła Latifę siedzącą w błękitnawym cieniu arkady, która rozciągała się nad kuchnią i rodzinnym *majlis*. – Widziałam, jak wyglądałaś przez okno, obserwując deszcz. Dlaczego nie wyszłaś i nie dołączyłaś do nas?

– Bałam się, że się przeziębię – powiedziała Noora.

– Nic takiego by się nie stało, gdybyś stanęła u mego boku, bezpieczna i sucha, pod arkadą. – Przed nią stała metalowa taca z nieoczyszczonym ryżem. – Chodź, chodź.

– Latifa poklepała matę. – Posiedź przy mnie, kiedy będę przebierała ryż.

Noora osunęła się na matę jednym szybkim ruchem.

– Nie, nie, nie pochylaj się tak szybko. Jeśli usiądziesz w ten sposób, zatrzymasz krew pod kolanami. Niech twoja krew płynie swobodnie. – Powachlowała powietrze dłonią.

To bezustanne wiercenie dziury w brzuchu! W wykonaniu Latify było łagodne, delikatne jak jedwab, a mimo to Noora musiała głęboko oddychać, żeby zdusić przypływ frustracji, który zaczął ją szczypać w policzki. Chciała pokazać jej język, jednak wiedziała, że nierozsądnym zachowaniem niczego nie osiągnie. Przecież postanowiła wykazać się sprytem. Rozprostowała nogi.

Latifa wróciła do czyszczenia ryżu, oddzielając maleńkie czarne kamyki i grudki brudu od ziarna, odrzucając je na bok szybkimi pstryknięciami palca wskazującego.

– Trzeba koniecznie usunąć wszystko, zanim będzie można ugotować ryż – powiedziała, przerywając, żeby posłać Noorze szeroki uśmiech. – Inaczej stracę zęby, natrafiając na coś twardego.

To było zaproszenie dla Noory, żeby przyłączyła się do tej spokojnej pracy, jak matka z córką. A może żona z żoną? Tak czy inaczej, Noora je odrzuciła. Odchyliła się, opierając się na łokciach, i przechyliła głowę na bok. Dopiero wtedy posłała Latifie lodowato zimne spojrzenie leniwego węża.

Starsza kobieta skierowała uwagę na tacę stojącą przed nią, a jej powieki wyglądały jak spokojne półksiężyce. Na jej twarzy też malował się spokój, który brał się z tego, że ma niekwestionowaną władzę. Wydawało się, że wszystko idzie po jej myśli.

Im dłużej Noora na nią patrzyła, tym większą miała ochotę nią wstrząsnąć, podkopać jej pewność siebie.

– *Ommi* Latifo, tak bardzo się mną przejmujesz – powiedziała. – Biegasz wokół mnie, a przecież wszystko jest w porządku. *Masha' Allah*, jem kurczaka, którego codziennie mi przynosisz. Piję mleko. Odpoczywam. Dziecko rozwija się prawidłowo. Ja mam się dobrze. Mój brzuch jest twardy jak bęben. – Poklepała go. – Mówiąc krótko, nie ma się czego obawiać.

– Wszystko, co ci mówię, mówię dla twojego dobra, by cię chronić. Powinnaś już to wiedzieć – przekonywała Latifa.

– Ale niebezpieczeństwo minęło. – W głosie Noory zabrzmiał sarkazm. – Czy nie to Jaqoota miała mi przekazać w twoim imieniu? Czy nie dlatego mogę wychodzić z pokoju i chodzić, dokąd chcę? Niebezpieczeństwo minęło, ale może jest jakieś inne niebezpieczeństwo, na które powinnam uważać?

– Niebezpieczeństwo minęło, niebezpieczeństwo minęło – powtarzała starsza kobieta, po czym zachichotała gardłowo. – Zawsze byłaś śmiała. Od razu to zauważyłam. – Kiwnęła głową i klepnęła się w bok burki. – Wszystko miałaś w oczach.

– Śmiałość? To zobaczyłaś w moich oczach?

– Tak... I nie tylko.

351

Noora poczuła na języku lekki smak goryczy przypominający starą herbatę.

– Ach tak? Co jeszcze dostrzegłaś w moich oczach?

Latifa nie podniosła wzroku. Patrzyła na ryż, usypując go w stosik.

– Głęboka jest zieleń twych oczu. Ach, tyle ukrywają. Zupełnie jak wtedy, gdy gotuje się cukier. Jest taki gęsty i kleisty, że nie widać pojedynczych kryształków. Oczywiście to wciąż jest cukier i nadal jest słodki, został jednak wchłonięty przez tę nową – urwała i zmarszczyła czoło, szukając odpowiedniego słowa – rzecz... Tak, gęsty rozpuszczony cukier wygląda inaczej, ale wciąż jest taki sam. Kiwnęła głową, a jej oczy zabłysły. Była z siebie zadowolona.

Noora nie miała ochoty na metafory Latify, które niczego nie wyjaśniały.

– Zbyt dużo cukru może zemdlić. – Wcisnęła koniuszek języka między zęby. Była gotowa ugryźć.

Latifa znów zachichotała.

– Ach, masz w sobie dzikość, dziewczyno. Ale ja ją ujarzmię. – Popatrzyła na Noorę. – To może potrwać jakiś czas, ale ostatecznie będziesz słodka jak miód.

Jak zwykle mówiła głosem aksamitnym jak płatek róży, ale czuć też było ukłucie kolca na łodyżce.

– Wciąż mi nie powiedziałaś, co dostrzegłaś w moich oczach – nie ustępowała Noora.

– Cóż, nie jestem pewna, jak to opisać. Nie potrafię. W każdym razie, zauważyłam niepokój, impulsywność.

I inne rzeczy. Tak, wszystko dostrzegłam. Wszystko, do czego byłaś zdolna.

Wściekłość kotłowała się w sercu Noory niczym bąbelki we wrzącej wodzie, nie pozwalając jej wycofać się pod starannie dobieranymi przez Latifę słowami. Cały lęk przed tym, co ta stara kobieta może zdradzić, wyparował. Noora usiadła.

– Czy mówimy o mojej ciąży? – spytała.

Latifa milczała, zagarniając uciekające ziarenka do rosnącej kupki ryżu.

– Moja ciąża, czy o niej mówimy? – powtórzyła Noora.

Latifa podniosła na nią wzrok. Było to krótkie spojrzenie, ale miało siłę zatrzaskiwanych drzwi. Noora już wiedziała.

To było potwierdzenie, którego szukała. Zadrżała. Nie pozostało nic więcej do powiedzenia. Chciała pobiec do swojego pokoju, paść na łóżko, ukryć twarz w dłoniach i płakać, płakać, płakać... Zebrała wszystkie siły, żeby zdusić ten odruch. Przecież postanowiła, że będzie silna.

Z trudem przełknęła i została na miejscu, siedząc prosto jak struna i czując jedynie lekkie drżenie w kąciku ust. Cisza między nimi była ciężka, zakłócana jedynie szelestem ziarenek ryżu.

Wreszcie Latifa się odezwała:

– Tak tu dzisiaj cicho, dom opustoszał. Jassem jest w sklepie w Limie, Szamsa się wyprowadziła, a Jaqoota, ta głupia dziewczyna, też gdzieś przepadła. – Kiwnęła głową w stronę *majlis* dla mężczyzn. – Pewnie jest tam, leni się nad morzem. – Westchnęła. – Wszyscy wyszli... albo odeszli. – Próbowała usypać ryż w równą kupkę. – Wyszli albo odeszli. – Kiedy ziarenka wciąż zsypywały się na dół, nie chcąc uformować się w stos, rozpłaszczyła je. – Nawet Hamad odszedł.

Noorze prawie udało się odzyskać nad sobą panowanie, kiedy Latifa znów je zburzyła.

– Odszedł – powtórzyła Latifa. – Na dobre!

Noora poczuła, że drżą jej usta. Jednak nadal siedziała sztywno i nic nie mówiła, żeby nie wpaść w pułapkę.

– Nie chcesz wiedzieć dokąd? – spytała Latifa. Jej chrapliwy głos był ostry jak piła tnąca drewno.

– Nie – powiedziała Noora trochę szybciej, niż zamierzała. – Co mnie to obchodzi?

Mimo to Latifa powiedziała jej:

– Odpłynął do Indii, kupił bilet na statek i fiu! – Przy ostatnim słowie wydmuchała powietrze, jakby Hamad był wściekłym podmuchem, który wpadł do domu i szybko wypadł. – Nie wiem, co ten głupiec zamierza. Przyszedł tu jego ojciec i powiedział naszemu mężowi, że chłopak poszuka pracy gdzie indziej. – I dodała drwiąco: – Niewdzięczny chłopak. Nawet nam o tym nie powiedział, nawet nie przyszedł się pożegnać. Po tym, co dla niego zrobiliśmy. – Uniosła palec jak rodzic karcący dziecko. – Ale poczekaj tylko. Wróci błagać o pracę, a my go nie przyjmiemy. – Prychnęła. – Skończy jako posłaniec w Limie, zanieś to, przynieś tamto. A potem być może oszaleje z głodu i będzie przypominał tego upiornego żebraka, pamiętasz go, z całym tym brudem i chorobami oblepiającymi mu twarz? A głowa zakręcona od szaleństwa. Mmm... - Pokiwała głową, najwyraźniej zadowolona z życia, jakie właśnie wymyśliła dla Hamada. - Ale to właściwie nie ma znaczenia, prawda?

- Oczywiście, że to nie ma znaczenia - odrzekła Noora, zdumiona swoim spokojnym tonem. Przysunęła się do tacy i powiedziała: - Pomogę ci, to szybciej skończysz.

- Aaa... - Latifa zamruczała z zadowolenia i przechyliła głowę. - Wspólna praca, to sprawia, że w domu panuje miła atmosfera. To właśnie druga rzecz, jaką dostrzegłam w twoich oczach: inteligencję. - Uśmiechnęła się szeroko. - Myślę, że powinnyśmy wyjść na trochę z domu, odwiedzić kogoś. Twój brzuch jest na tyle duży, że poradzi sobie z zawistnym wzrokiem, który na niego padnie. Co ty na to?

- Jeśli uważasz, że to dobry pomysł, to chętnie.

- Naprawdę tak uważam - zapewniła Latifa. - Wybierzmy się jutro z wizytą do mojej przyjaciółki Atiji. Dobrze ci zrobi krótka wyprawa. Możemy pójść razem i zabrać Jaqootę. Będzie miło, nieprawdaż?

Noora pokiwała głową i pomyślała o perłach, które musi zwrócić.

- Będzie bardzo miło.

45

Powinna była się zerwać, pobiec do pokoju Jassema i oddać perły, gdy tylko Latifa i Jaqoota wyszły z domu. Noora jednak leżała na łóżku, udając, że jest wyczerpana, co było wymówką, żeby się do nich nie przyłączyć. I przez długi czas po tym, jak ich głosy rozpłynęły się w uliczkach Wadimy, nie ruszyła się, aż wreszcie zasnęła i przyśnił jej się sen, w którym główną rolę grała Latifa.

Szła za Latifą, która kroczyła po morzu piachu. Co jakiś czas kobieta oglądała się przez ramię, patrząc półprzymkniętymi oczami, jakby upewniając się, czy Noora nadal za nią idzie. Uśmiech unosił kąciki jej ust. Był dyskretny, lecz przepełniony typową dla Latify pewnością siebie.

Latifa szła, ostrożnie stawiając krok za krokiem, zostawiając za sobą ślady stóp dla Noory. Och, te stopy, okrągłe i pulchne. Stopy Noory były długie i ciekawskie jak pysk lisa, zagłębiające się, krok za niemądrym krokiem, w ślady po stopach Latify.

Noora obudziła się spocona, przyklejona do materaca, słysząc głos muezina. Zwalczyła ociężałość i chwiejnym krokiem poszła do łazienki. Kucając przy glinianym dzbanie, polała wodą ręce – trzy razy prawą i trzy razy lewą. Ruchy miała wolne i nieskoordynowane, gdy tak obmywała się przed popołudniową modlitwą. Opłukała twarz trzykrotnie, a zimna woda spłynęła jej po brodzie i wsiąkła w sukienkę.

Zdradziecka Latifa! Na pewno nie jest łagodną matką, za jaką się uważa. Trucizna na jej języku zawsze była ukryta w słodkich słówkach i niedopowiedzianych zdaniach. Noora czuła w ustach nieprzyjemny posmak, jakby żuła mieszankę ryżu, cebuli, ryby i banana. Splunęła i wypłukała usta – trzy razy.

No i jeszcze Hamad. Odszedł. Noora zastanawiała się, jak to możliwe, żeby jednocześnie czuć osamotnienie i ulgę. Chrząknęła gniewnie i polała wodą najpierw prawą, a potem lewą stopę.

Noora zauważyła podłużny cień za swoimi plecami, popychający ją w drodze do drzwi i zmuszający do ich otwarcia. Ulica była pusta, nie licząc znajomych dźwięków przenikających z chat: stłumionych głosów kobiet, kwilenia niemowlęcia, brzęku garnków i rondli, uporczywego kociego miauczenia dochodzącego z bocznej uliczki.

Wyszła i skierowała się w stronę morza. Były tam małe dziewczynki i mali chłopcy z Wadimy. Kiedy patrzyła, jak skaczą i turlają się, przewracają i biegają na brzegu, nagle trzepotanie skrzydeł i piski stada mew przelatujących nisko nad jej głową sprawiły, że powróciła do rzeczywistości. Odprowadziła je wzrokiem, lecące w stronę morza. Wtedy zauważyła słońce zwołujące resztki promieni do swojego kulistego ciała. Niebawem schowa się za horyzontem.

Nagle uświadomiła sobie, że zmarnowała mnóstwo czasu. Teraz cień włókł się za nią, kiedy szybko weszła do swojego pokoju i wyjęła spod materaca zawiniątko z perłami. Porwała z kuchni szmatę, jako dobrą wymówkę, że sprząta, na wypadek, gdyby ktoś ją tam zaskoczył, i weszła do pokoju męża.

Położyła perły na podłodze i podniosła wzrok. To proste – pomyślała. Klucze są na szafce, więc musi je tylko wziąć, otworzyć szafkę i sejf i odłożyć perły. Proste.

Rzuciła szmatę na podłogę i ułożyła trzy poduszki, jedną na drugiej, z boku szafki. Kiedy się na nie wspięła, dziecko się poruszyło i położyła lewą rękę na pępku. Drugą trzymała się szczytu szafki. Kiedy nie wyczuła metalu kluczy, wyciągnęła rękę, macając palcami na oślep. Wciąż nic.

Stanęła na palcach, żeby się rozejrzeć. Kluczy nie było ani w rogach, ani pod rzeźbionymi urnami po obu stronach szafki.

Otrząsnęła się z przerażenia, które zaczynało ją ogarniać, i zaczęła gorączkowe poszukiwania, przeklinając własną głupotę, która sprawiła, że odkładała zwrócenie pereł. Włożyła ręce pod materac, przetrząsnęła poduszki i zajrzała pod nie, odgięła rogi dywanu pokrytego wymyślnymi zawijasami. Wyczuwała jedynie tkaninę, splot i wypełnienie. Zatrzymała się i rozejrzała uważnie po pokoju, szukając innych potencjalnych kryjówek. Była pewna, że klucze zostały przeniesione gdzie indziej, by nie znaleźli ich włamywacze. Spostrzegła trzy wnęki wyżłobione głęboko w solidnej ścianie naprzeciwko drzwi. Stały na nich ozdobne flakony i talerze. Ostrożnie wzięła każdy do ręki, ale za żadnym nie leżały klucze. Przerzuciła poduszki w drugi koniec pokoju i znowu ułożyła jedną na drugiej, żeby sięgnąć do dekoracyjnych gipsowych parapetów nad drzwiami i oknami. Sprawdziła każdy po kolei, wkładając palce między wypukłe elementy przedstawiające doniczki z kwiatami oraz kwadraty i trójkąty tworzące geometryczne wzory przy krawędziach. Im bardziej rosła jej frustracja, tym gwałtowniej ruszało się dziecko w jej brzuchu. Kręciło się i wierciło jak piasek przesypujący się przez zaciśniętą pięść.

Wreszcie zeszła na podłogę. Zapada zmierzch i niedługo będzie musiała przynieść lampę. Musi się pośpieszyć, jeśli chce przeszukać także pokój Latify. Pośpiesznie uporządkowała pokój męża i kiedy pochyliła się, żeby podnieść perły, dziecko kopnęło ją tak mocno, że całym ciężarem oparła się o bok szafki. Usłyszała skrzypnięcie. A także inny dźwięk – brzdęknięcie zsuwającego się metalu.

Wytrzeszczyła oczy w oczekiwaniu i po chwili pchała już szafkę z całej siły. Ta lekko ustąpiła i zwisające z niej klucze spadły na podłogę.

Z głową wciśniętą z boku szafki pod niewygodnym kątem zaczęła grzebać w szparze. Czuła, jak dziecko pływa w jej wnętrzu. Nie zwracała na to uwagi – to nie pora, żeby zniechęcać je do gimnastyki. Wyciągnęła palce, aż strzeliły w stawach. Wreszcie sięgnęła do kluczy.

Wtedy usłyszała głuchy odgłos drewna uderzającego o drewno.

Wstrzymała oddech, nasłuchując. Czy ktoś otworzył drzwi? Z kluczami w ręku obrzuciła spojrzeniem dziedziniec. Z ulgą stwierdziła, że drzwi do domu się nie poruszyły, i wróciła do szafki. Jednak znów rozległ się ten dźwięk: skrzypienie drewna. Jeszcze raz się odwróciła, by i tym razem przekonać się, że drzwi do domu wciąż są zamknięte. Przez chwilę była zdezorientowana. Aż wreszcie to zobaczyła. Otwierały się inne drzwi. I jej serce zamieniło się w gwałtowny trzepot skrzydeł.

To Jassem otwiera drzwi do *majlis*. Wychodzi na dziedziniec. Zaraz ją złapią i okrzykną złodziejką. Myśli w jej głowie potykały się jedna o drugą. Jassem uniesie surowy palec i wskaże jej ulicę.

Jednak niczego takiego nie zrobił. Podniósł nogę i zsunął sandał. Wytrząsnął z niego piasek. To samo zrobił z drugim sandałem. Nie zauważył jej.

Czuła w zaciśniętej dłoni metalowe klucze, gorące jak dogasający węgiel. Musi odłożyć perły na miejsce. Natychmiast.

Kiedy otwierała szafkę, słyszała, jak mąż, ciężko stąpając, przemierza dziedziniec. Wołał ją, kiedy z kliknięciem otworzyła sejf i domyśliła się, że przechodzi obok jej pokoju. Kiedy zawołał jeszcze raz, ona rozsupływała zawiniątka z perłami. Nie odpowiedziała. Z dziwną dokładnością w samym środku paniki przesypała skradzione perły do zawiniątka, w którym były przechowywane, i zamknęła sejf oraz szafkę.

Nadchodził. Słyszała szelest jego diszdaszy, niczym szelest wiatru w koronie drzewa, kiedy przechodził przez dziedziniec. Jej serce waliło. Ale musiała jeszcze odłożyć klucze na szafkę.

Drzwi otworzyły się z chrobotem, a Noora, klęcząc z palcem owiniętym szmatką, wycierała rowki kwitnących winorośli zdobiących szafkę z takim zacięciem, że aż skrzywiła twarz. Była gotowa, uzbrojona w cały szereg wymówek wyjaśniających jej obecność w pokoju męża.

– Co ty robisz? – spytał Jassem. W jego głosie pobrzmiewało zdumienie i niepokój.

Piskliwy głos wykrzyczał odpowiedź w jej głowie: „Sprzątam!", ale gdy odwracała się do niego, żeby podnieść na niego wzrok, nie była w stanie nic powiedzieć. Słowa balansowały na końcu jej języka jak drobniutka mżawka i poczuła, że jej ręka staje się bezwładna, a szmata spada na podłogę.

Kucnęła, unieruchomiona poczuciem winy i słabością jak uschnięty pień drzewa. Tylko dziecko poruszało się w jej brzuchu.

– Nie słyszałaś, jak cię wołam? I dlaczego sprzątasz, będąc w ciąży? – Podszedł do niej i zmrużył oczy w mdłym świetle. – Spójrz na siebie, jesteś czerwona i spocona, jakbyś pobiegła do morza i z powrotem.

Musi działać. Chciał powiedzieć coś więcej, ale Noora podniosła się tak szybko, że urwał w pół słowa. Wtedy złapała go za rękę i położyła ją na swoim brzuchu.

Jassem spróbował ją cofnąć, ale Noora trzymała go mocno, aż dziecko kopnęło. Zmartwiał. Na jego spiętej twarzy odbił się szok i wahanie. Oczy wyszły mu z orbit, jakby miały się stopić z okularami.

– Możesz je pogłaskać – powiedziała Noora na tyle łagodnie, na ile pozwalał jej płytki oddech i ogłuszające bicie serca. – Nie bój się, nie zrobisz mu krzywdy. Jest silne. Przesuń rękę w lewo.

Palce Jassema drżały, kiedy pozwolił, żeby ręka zsunęła się na bok okrągłego brzucha Noory.

– Trochę niżej.

Kiedy dziecko znów zaczęło się wiercić, Jassem był wstrząśnięty i bezgranicznie zdumiony. Noora zauważyła coś jeszcze: zachwyt. Emanował z jego twarzy niczym blask księżyca na atramentowym niebie.

– Teraz często się rusza – dodała.

Nie odpowiedział, tylko nadal śledził ruch w jej wnętrzu. Był zauroczony.

Noora rysowała mapę ruchów w jej brzuchu, pouczając go, żeby zsunął rękę niżej albo podniósł ją, przeniósł na prawo albo na lewo.

– Nie dbam o to, co wszyscy mówią o tym, jak należy się zachowywać. Naprawdę uważam, że powinieneś to poczuć. – Tworzyła więź między nimi, pozwalając mu wkroczyć do jej sekretnego świata, którym dzieliły się ze sobą tylko kobiety. Patrząc na niego wiedziała, że ceni ten przywilej jak skarb. A ona poczuła się na tyle pewnie, że powiedziała:

– Przecież to twoje dziecko.

Jęknął, a Noora odetchnęła głęboko. Dzięki refleksowi zapobiegła katastrofie. Jassem niczego nie podejrzewa. Zerknęła na urny zwieńczające szafkę. Klucze leżały bezpiecznie u ich podstawy.

Dziecko kopnęło jeszcze raz. Jassem zamrugał, a Noora wiedziała, że zdobyła mały kawałeczek jego serca.

46

Noora położyła jeszcze jedną muszlę w rzędzie pod ścianą. Było ich osiem, każda symbolizowała jeden miesiąc jej ciąży. Muszle wydłubała ze ściany. Faliste i poobijane, pożółkłe ze starości, nie miały nic z piękna kamieni z gór. Postanowiła ułożyć je w swoisty wzór, żeby ładniej wyglądały. Zdjęła naszyjnik i ułożyła w falistą linię pomiędzy muszlami, po czym odchyliła się, żeby podziwiać rezultat, lecz widziała tylko blask szlachetnego kruszcu. Naszyjnik z solidnego złota, ozdobiony na końcu frędzlem, był prezentem od Jassema, tak jak złota filigranowa bransoleta z maleńkim koralem osadzonym na samym środku, płasko opasująca jej nadgarstek.

Jassem zachowywał się jak dziecko mające zabawkę, o której nikt nie wie. Zakradał się do jej pokoju przy każdej okazji, błagając wzrokiem, by pozwoliła mu dotknąć brzucha. Oczywiście nie musiał, jako że nieodmiennie się zgadzała.

Była to drobna przysługa w zamian za wdzięczność i wsparcie, jakie jej okazywał.

Noora słyszała, że zbliża się do jej pokoju. Znów przyszedł. Założyła naszyjnik. Drzwi się otworzyły, wkroczył Jassem i ukucnął przy niej. Przechylił głowę, pytając o pozwolenie.

Zmarszczył czoło, ostrożnie przysuwając rękę do jej brzucha. Ten grymas był zarezerwowany dla nich dwojga, kiedy byli sami. W obecności Latify zawsze zachowywał się powściągliwie.

– Teraz mniej się rusza – szepnęła Noora.

– *Masha' Allah* – westchnął Jassem i czekał, aż dziecko kopnie.

– Zobacz, jaka jestem duża. Dziecko też jest większe. Myślę, że nie ma już dużo miejsca. Ach, poczekaj, tutaj... połóż rękę niżej.

Jednak Jassem nie zdążył, bo jego skupienie zmącił krzyk Latify. Oderwał rękę od brzucha i spojrzał przez ramię. Latifa wślizgnęła się chyłkiem do pokoju i teraz groziła mu palcem.

– Co ty wyprawiasz? – skarciła go – Jak można dotykać ciężarną kobietę? Wstydź się! Nie wiesz, że nie wolno szturchać kobiet w brzuch?

Wstyd zakwitł na twarzy Jassema. Wstał szybko i zaczął przestępować z nogi na nogę. Rozglądał się gorączkowo po pokoju jak zwierzę w klatce szukające otwartych drzwi.

Noora poczuła przypływ paniki, patrząc na niego. Chciał wyjść z pokoju. Chciał uciec. Zerwała się na równe nogi i wysunęła się przed niego, stając twarzą w twarz z Latifą.

– To nic takiego – powiedziała. – Chciał tylko poczuć, jak dziecko się rusza.

– Poczuć, jak dziecko się rusza? – zadrwiła pierwsza żona. – Są obyczaje, których należy przestrzegać. Ciąża to kobieca sprawa. Mężczyźni nie powinni się do niej mieszać. Nasz mąż nie może być w to zaangażowany. Nagle postanowiłaś wprowadzić własne zasady?

– Mój ojciec codziennie dotykał brzucha mojej matki, kiedy była w ciąży z moimi braćmi – brzmiała odpowiedź Noory. Nie zawahała się, chociaż wszystko zmyśliła. – Widziałam na własne oczy, to nic wielkiego.

– Może w twoich stronach, w górach, gdzie kozy biegają samopas – prychnęła Latifa głosem przypominającym chrzęst żwiru na szkle. – Tutaj jednak mamy inne zasady. Nawet nasze kozy wiedzą, gdzie mogą biegać, a gdzie chodzić. Nawet nasze kozy rozumieją zasady.

– A co w tym złego? – nie ustępowała Noora.

– Złego? Cóż... – Cóż... nie o to przecież chodzi, prawda? – Starsza kobieta traciła rezon i Noora zamierzała wytoczyć kolejny argument, kiedy Jassem im przerwał:

– Przestańcie, kobiety, przestańcie, i jedna, i druga – powiedział. Do tej pory stał za plecami Noory, ale teraz wsunął się pomiędzy swoje dwie żony. – Nie pozwolę, żebyście się kłóciły i walczyły ze sobą jak koty.

– Ale to ona – powiedziała Noora, podczas gdy Latifa odwróciła się i ruszyła do drzwi. – Bez przerwy mnie obwinia, wmawia, że wszystko robię nie tak.

Latifa prychnęła i skrzyżowała ręce na piersiach. Wcisnęła się w kąt pokoju i kręcąc ze smutkiem głową, wbiła wzrok w podłogę. Przyjęła postawę „ja biedna", „weź moją stronę".

– Nic nie jest dla niej wystarczająco dobre – skarżyła się Noora.

Jassem odwrócił się do niej i wyszeptał:

– Wiem, wiem. – A potem dodał, bardziej stanowczo: – Nie tak należy się wyrażać o naszej Latifie. Jest od ciebie starsza i powinnaś wiedzieć, że winna jej jesteś szacunek.

– Tylko o to proszę, o odrobinę szacunku – powiedziała słabym głosem Latifa.

– Szacunek, to wszystko. Rozumiesz? – powtórzył Jassem, wciąż zwracając się do Noory, ale patrząc na starszą żonę. A potem ukradkiem przeniósł dłoń za plecy i wykonał gest, jakby coś ściskał. A Noora zrozumiała. Ujęła się za nim, a on chciał jej okazać wdzięczność. Więc wsunęła swoją dłoń w jego dłoń. Jednak było coś więcej – o wiele więcej – w jego mocnym uścisku. Był to ciepły opiekuńczy gest, na tyle mocny, żeby poczuła się wyjątkowa. – A zatem zgoda? – powiedział. – Koniec kłótni?

– Zgoda – powiedziała Latifa.

– Zgoda – powiedziała Noora.

47

Noora oczywiście zdawała sobie sprawę, że to nie koniec. Latifa będzie szukała okazji, żeby ją ukarać. Okazja pojawiła się trzy dni później, kiedy Latifa oznajmiła, że Szamsa poprosiła o rozwód, a Jassem się zgodził.

Noora gwałtownie wciągnęła powietrze. To ważne i zaskakujące nowiny. Właśnie zasiadły do obiadu na macie pod arkadą rozciągającą się nad kuchnią i pokojem dziennym, czekając, aż Jassem do nich dołączy.

– Dlaczego właściwie jesteś taka zdziwiona? – powiedziała Latifa, po czym wyciągnęła nogę, żeby zadeptać maleńkie pomarańczowe mrówki, które pojawiały się zawsze, zwabione zapachem posiłku. Te, których nie spotkała natychmiastowa śmierć, wiły się, próbując uciec. – Byłam pewna, że tak postąpi. Widzisz, jej duma ucierpiała.

Oczywiście Noora zdawała sobie sprawę, że kobiety nierzadko występują o rozwód. Zastanawiało ją natomiast, że Jassem się na to zgodził. Minęły prawie dwa lata, od kiedy postawiła nogę w Limie, a wspomnienie wciąż było tak klarowne jak umyte szkło. Gdy Szamsa pojechała do rodzinnego domu, Jassem wpadł w gniew. Niósł przez rynek swoją zranioną dumę, kotłującą się w nim jak wrząca woda. A po drodze wyładował go na niewinnym szaleńcu. Wystarczyło jedno mordercze spojrzenie, żeby Szamsa poskromiła swój niewyparzony język, który stracił siłę jak wąż zwinięty w zamarzniętym wężowisku. Jassem dał jasno do zrozumienia, że Szamsa należy do niego. A mimo to teraz zwraca jej wolność. To wszystko nie ma sensu.

Latifa wyczuła, o czym Noora myśli.

– Przyznaję, że to zaskakujące. Dlaczego nasz mąż się na to zgodził? – Zabrała nogę z miejsca kaźni mrówek i strząsnęła kilka ofiar, które przyczepiły się jej do palca. – Nie musimy się właściwie nią przejmować. Nie trzeba będzie gotować tyle jedzenia. – Sięgnęła po kawałek rzodkiewki i unosząc burkę, wrzuciła go do ust.

Jak może być taka bezwzględna! Noora czuła, że powinna stanąć w obronie Szamsy, chociaż były rywalkami. Mimo to coś je łączyło: brak wyboru. Czy nie trafiły pod ten sam dach i do tego samego życia, nie mając w tej kwestii nic do powiedzenia? Lecz czy nie taki los spotyka wszystkie młode kobiety? Kiedy Noora próbowała znaleźć jakieś miłe wspomnienie, w jej brzuchu, w którym pozostała jeszcze odrobina miejsca, pojawiła się pustka. Nic jej się nie przypomniało, więc powiedziała:

– Myślałam, że ją lubiłaś.

– Hmm... – Latifa pozwoliła, żeby chrupanie wypełniło ciszę, po czym odrzekła: – Myślę, że nasz mąż poczuł ulgę, że postanowiła odejść. Właściwie dlaczego miałaby zostać? Jaki to by miało sens? Widzisz, w przeciwieństwie do ciebie ma bogatą rodzinę, która ją kocha. W przeciwieństwie do ciebie naprawdę nie potrzebuje bezpieczeństwa, jakie daje ten dom.

W głębi gardła Latify czaił się chrapliwy pomruk.

– Tak, myślę, że nie było potrzeby jej tu trzymać.

Nie było potrzeby jej tu trzymać? Noora pomyślała o Hamadzie i jego ostrzeżeniu. Czy ona będzie następna?

– Pewnie ze mną będzie to samo. Gdy urodzę dziecko, nie będziecie mnie już potrzebowali.

Takie myśli chodziły Noorze po głowie. Uświadomiła sobie jednak, że te myśli wydobyły się z jej ust, kiedy Latifa krzyknęła i pogryziona przez nią rzodkiewka odbiła się od jej burki i spadła na brodę.

– Jaaassem! Chodź tu i posłuchaj, co ta niewdzięczna kobieta o nas mówi.

Noora zaczęła machać rękami, starając się uspokoić niespodziewany wybuch starej kobiety. A przez cały czas zwalczała chęć zdarcia burki z głowy Latify, żeby się przekonać, jak wygląda jej twarz, zobaczyć, co się pod nią kryje. Czy naprawdę jest zraniona czy to kolejna sztuczka, żeby wywołać współczucie?

– Wstydź się! – krzyczała Latifa, uderzając się w piersi. – Myślisz, że jesteśmy potworami? Jaaassem!

– O co chodzi? – Jassem wpadł do pokoju.

– Chodź, chodź, posłuchaj, co ona o nas myśli! – Latifa mówiła głosem zbolałym jak głos rozpaczającej matki.

– Co się stało? – zapytał Jassem niecierpliwie. – Przecież ustaliliśmy, że nie będziecie więcej się kłóciły?

– Nie słyszałeś, co ona powiedziała. To mnie bardzo zraniło. Nie słyszałeś, co ona o nas myśli. Powiedziała... powiedziała... – Latifa zrobiła pauzę, podczas której w kąciku prawego oka zebrała się pożądana łza. Zawisła tam, aż Latifa sprawiła, mocno zaciskając powiekę, że spłynęła po policzku.

Noora poczuła, jak panika wędruje po jej kręgosłupie piekącymi falami. Obserwowała mozolną podróż milczącej łzy, aż Latifa wreszcie ją otarła.

– Powiedziała, że jesteśmy okrutni, że wyrzucimy ją z domu, kiedy urodzi się dziecko – powiedziała Latifa.

– Czy to prawda, że tak o nas myślisz? – spytał Jassem.

W Noorze obudziła się wściekłość bezwzględna jak kamienna lawina. Latifa może wypaczać jej słowa, jak chce, ale ona nie da się zastraszyć.

– Oczywiście, że nie. Jesteście moją rodziną, moim życiem.

– Dlaczego powiedziałaś coś, czego nie miałaś na myśli? – dociekał Jassem.

– Chodzi o to... – Noora urwała i pomyślała o wszystkich swoich obawach, pozwoliła, żeby opanowały jej myśli. Niebawem i z jej oczu popłynęły łzy. To bardzo proste, kiedy ma się prawdziwy powód. – *Ommi* Latifa nie rozumie, jak kobiecie miesza się w głowie, kiedy jest w ciąży. Czujesz jednocześnie gniew i radość. Mówisz rzeczy, których nie chcesz mówić, mnóstwo głupstw. Cóż mogę powiedzieć?

– Nie musiała mrugać, bo pierwsza łza kapnęła ciężko jak kropla rosy na jej kolana. Potem kolejna i jeszcze jedna. – Nie miałam na myśli tego, co powiedziałam. Musisz mi uwierzyć. – Pomiędzy pociągnięciami nosem ukradkiem patrzyła na przechyloną głowę starszej żony. Czy pod burką kryje się zdumienie? Noora nie miała czasu, żeby się nad tym zastanowić, gdyż była zajęta uczeniem się gry słownej. Latifa udoskonaliła tę sztukę, a Noora w końcu postanowiła sama spróbować w niej swoich sił. – Nie winię *ommi* Latify, że tak zareagowała – mówiła. – Skąd może wiedzieć, co się dzieje w mojej duszy? Przecież nigdy nie była w ciąży.

– Dosyć, dosyć, dosyć! – powiedział Jassem. – Nie powinnaś się tak emocjonować.

– Tak, dosyć, dosyć – powtórzyła Latifa głosem ostrym ze zniecierpliwienia. – Może zareagowałam nieco przesadnie. Nie chcę, żebyś się denerwowała. Musisz oszczędzać siły. Dzień rozwiązania się zbliża. Dzięki tobie spełni się największe marzenie Jassema i za to zawsze będzie ci wdzięczny, podobnie jak ja.

Noora przestała pochlipywać, oddychała głęboko.

Jednak Latifa jeszcze nie skończyła.

– Oczywiście, kiedy dziecko się urodzi, wreszcie będziesz mogła odpocząć. Zostaw wszystko mnie. Ja się nim zajmę.

Znów przekręcała znaczenie słów, tym razem zaciskając je w ciasny węzeł.

– Nie!

– Widzisz, mężu? – prychnęła Latifa. – Na tym polega jej problem. Nie ufa mi.

Jassem chrząknął.

– To moje dziecko – powiedziała Noora. Czuła się pewnie, odgrywając rolę zrozpaczonej młodszej żony, a teraz rodziło się w niej dziwne uczucie. Po jej twarzy płynęły szczere łzy z mocą słonej morskiej fontanny.

– Posłuchaj, jeszcze czas, wszystko się ułoży – tłumaczył Jassem.

– Nie, nie, nie, widzisz, chodzi o coś innego. – Noora głośno wciągnęła powietrze. – Matka zawsze wie, co jest najlepsze dla jej dziecka. *Ommi* Latifa nigdy nie czuła, jak w jej brzuchu rośnie płód. Nie zna tego. To... to...

– Czasem jesteś taka niemądra! – przerwała jej Latifa.

Noora jednak nie przestała mówić:

– Trudno to wyjaśnić, ale to dziecko jest częścią mnie. – Zaczynała panować nad oddechem, kontrolować gorączkę swojego wybuchu.

– Jest też częścią nas – zauważyła Latifa, kiwając wyniośle głową.

– Tak, ale rośnie we mnie. – Noora czuła się gotowa do ataku jak kocia mama, gotowa syczeć i drapać. Powstrzymał ją Jassem:

– A ja jestem ojcem.

Noora podniosła na niego wzrok, zdziwiona i zirytowana, że przeszkadza w próbie charakterów jej i Latify. Pokręciła głową i zmarszczyła czoło. Co on powiedział? I wtedy to do niej dotarło. Latifa też podniosła na niego wzrok. Mogła w tej chwili zdradzić jej sekret. I ta myśl znów wzbudziła w Noorze lęk.

– O co chodzi? – spytał.

Spuściły wzrok i wymamrotały jednocześnie:

– O nic, o nic...

– W takim razie zjedzmy – powiedział i zawołał na Jaqootę, żeby przyniosła obiad.

Kiedy czekali, tylko łagodne gruchanie gołębi zakłócało ciszę, która zawisła nad domem. Noora próbowała zrozumieć, dlaczego dosłownie kilka chwil temu, gdy Latifa miała okazję wyjawić jej sekret, nie zrobiła tego. Dlaczego?

Jaqoota postawiła na środku maty tacę. Kiedy zanurzali dłonie w ryżu i oczyszczali rybę z ości, Noora uważnie obserwowała starszą kobietę. Próbowała znaleźć jakąś wskazówkę w jej oczach, ale Latifa nie odrywała ich od tacy. I wtedy Noora poczuła, jak jej największy lęk się rozpływa – uświadomiła sobie, że jej sekret nigdy nie zostanie ujawniony.

Latifa nie zamierzała go zdradzić, to były tylko groźby. Co by powiedziała? A co ważniejsze, czy Jassem by jej uwierzył? W taką opowieść! Na pewno uznałby ją za to, czym w istocie jest: za przejaw mściwości i zazdrości. Latifa przecież była ostatnio bardzo zazdrosna. Wszystko układa się w zrozumiały wzór, jak łuska na rybie, którą teraz obieram ze skóry – pomyślała uszczęśliwiona Noora.

Jadła z apetytem. Jedzenie smakowało jej jak nigdy. Oczywiście wciąż pozostawała kłótnia, którą prowadziła z Latifą. Nie została zakończona. Mimo to uśmiechnęła się. Kiedy przyjdzie czas na konfrontację, będzie gotowa.

Lecz konfrontacja przyszła od razu. I Noora nie była gotowa.

W połowie posiłku Latifa długo formowała kolejną kulkę ryżu, która miała wylądować w jej ustach. Westchnęła dwa razy, upewniając się, że w drugim westchnieniu jeszcze wyraźniej słychać troskę.

– Myślę, że nie ma sensu wciąż powtarzać tego samego. – Westchnęła po raz trzeci. – To twoje dziecko, wszyscy o tym wiemy, w aspekcie cielesnym, dlatego że je nosisz. – Pokiwała głową i zrobiła pauzę, gdyż jej kulka ryżu była gotowa do połknięcia. Uniosła burkę i wrzuciła ją do ust. Burka opadła na swoje miejsce. – Myślę, że powinniśmy przyjrzeć się istotnym kwestiom, zgodzisz się ze mną, mężu?

Jassem chrząknął.

– Najważniejsza sprawa to taka, że gdy dziecko się urodzi, będzie należało do nas wszystkich, żebyśmy mogli wspólnie je obdarowywać.

Noora otworzyła usta, żeby zaprotestować, ale Latifa jej nie pozwoliła.

– Cii.. cii... Posłuchaj mnie. Obdarzymy je miłością. Będziemy się nim dzielili. Nie uważasz, że to sprawiedliwe, żeby się nim dzielić, hmm? Gdy będzie coraz starsze, więcej nauczy się od ojca i ode mnie niż od ciebie. W końcu jesteś jeszcze dzieckiem, nie masz mądrości ani błogosławieństw, którymi my się cieszymy.

– Mogę dać mu inne rzeczy – powiedziała Noora. – Mogę dać mu miłość.

– Tak, tak, oczywiście, że tak. Myślę jednak, że najlepiej będzie, jeśli zawsze będę obecna, gdy to robisz, żeby się upewnić, że dziecko jest właściwie wychowywane. Moja stopa i twoja stopa razem odciskające ślad, czyż to nie piękne?

Jassem pokiwał głową i wymamrotał:

– Bardzo piękne.

Latifa odwróciła dłonie wnętrzami do nieba.

– Oby to dziecko urodziło się zdrowe, *insha' Allah*. Oby to dziecko zostało obdarzone mądrością, *insha' Allah*. Oby to dziecko podążało ścieżką moralności, *insha' Allah*. Niech Bóg będzie błogosławiony za to, czym nas obdarzył.

– Amen – powiedział Jassem.

48

A zatem tak to ma wyglądać: ona i Latifa odciskające ten sam ślad. Czy nie tak powiedziała starsza żona? Czy nie o tym śniła jakiś czas temu Noora?

Zmrużyła oczy w popołudniowym słońcu, męczącym blasku bieli, który wysysał całe powietrze. Tylko gdakanie kur zakłócało ciszę. Jassem sprowadził je, żeby szybko doszła do siebie po porodzie i całe ich mnóstwo biegało po zagrodzie wydzielonej metalową siatką.

– Zbiera się na deszcz. – Okazało się, że wypowiedziała tę myśl na głos.

– Deszcz? Oszalałaś? – Do kuchni weszła Jaqoota ze stosem brudnych tac przeznaczonych do umycia w studni. – O tej porze nie pada deszcz, jest upalnie i wilgotno. – Wciągnęła powietrze intensywnie pachnące morzem. – To będzie parne lato.

Noora jęknęła i zaczęła głęboko oddychać, czując, że zbliża się kolejny skurcz, o którym nie zamierzała nikomu mówić, bo Latifa posłałaby po akuszerkę. Zrobiła tak już trzykrotnie i za każdym razem Noora wysłuchiwała szczegółowego opisu tego, co będzie musiała zrobić i czego może się spodziewać. Rzecz jasna, będzie bolało, a poród najprawdopodobniej będzie długi i wyczerpujący. Kiedy akuszerka przyszła do domu ostatnim razem, wspomniała też o śmierci.

– Tak wiele z nich umiera – westchnęła, masując brzuch Noory, żeby sprawdzić ułożenie dziecka. – Wszystko zaczyna się dobrze, ale potem... – Pokręciła głową. – Potem... tracimy nieszczęsną matkę i nigdy nie wiemy dlaczego. Ostatecznie wszystko jest w rękach Boga. – Zrobiła długą pauzę, po czym uniosła nogi Noory, żeby nimi solidnie potrząsnąć. – Ale nie ty, *insha' Allah*, nie ty. Jesteś młoda i silna, wygląda na to, że wszystko jest w porządku. – Położyła nogi Noory i burknęła do Latify: – Wciąż za wcześnie, jeszcze nie pora.

– Ale niedługo? – spytała Latifa.

– Lada chwila.

– Gdy przyjdzie pora, musisz od razu się pojawić.

– Przecież przychodzę natychmiast za każdym razem, gdy mnie wzywasz, prawda? Oczywiście, że się pojawię od razu. I zostanę, tak jak się umówiłyśmy, przez całe czterdzieści dni po porodzie. Będzie jej potrzebna pomoc, zwłaszcza że nie ma w tym domu drugiej kobiety, która będzie wiedziała, co robić.

– No nie!

– Tak, tak, tak – powiedziała akuszerka. – Rozumiem, że może ci się wydawać, że wiesz, co należy robić, jednak masz to w głowie, nie w rękach. Kiedy jej podać mieszankę z surowego jaja i czosnku przyspieszającą poród, kiedy z nią spacerować, a kiedy posadzić na worku z rozgrzanym piaskiem, kiedy ją obejmować, trzymać, masować, podtrzymywać...

– Dobrze, już dobrze – mruknęła Latifa. – Ale i tak tutaj będę.

A więc tak to ma wyglądać. Latifa w pokoju razem z nimi, żeby mogła pierwsza dotknąć dziecka, żeby mogła od samego początku przejąć kontrolę.

Noora objęła brzuch i powlokła się do swojego pokoju, zatrzymując się przy drewnianej kołysce stojącej przy jej łóżku. Na środku materaca widniała kupka czystego piasku, który należało zmieniać za każdym razem, kiedy się zabrudził, a w nogach łóżeczka, obok długiej płóciennej chusty, leżał stosik złożony z ośmiu maleńkich białych śpioszków, które Noora uszyła dla dziecka. Tak, wszystko jest gotowe na jego przybycie.

Wdrapała się na łóżko i położyła na materacu, starając się zapomnieć o tym, co stoi na skrzyni w kącie pokoju. A jeśli coś zginęło? Usiadła gwałtownie, żeby sprawdzić.

Na podłodze, obok worka piasku, który miał podtrzymywać ją podczas porodu, leżał czarny kamień do spłaszczenia brzucha po porodzie. Były nożyczki i grubo pleciona nić do przecięcia i zaszycia pępowiny. Był też dezynfekujący proszek *yas* do posypania pępka i miska z wodą, a obok bawełniana szmatka, by umyć dziecko zaraz po porodzie.

Tak, wszystko jest gotowe, nawet sól. Skuliła się. Och, ta grudka soli – wielkości jajka – ma zagoić jej naruszone wnętrzności. Ten piekący ból! Nagle ogarnęło ją zmęczenie i znów się położyła.

49

Utknęła we śnie.

Jej stopy zapadały się głęboko, kiedy wspinała się na ogromne wzgórze wznoszące się na rozległej pustyni, pełnej falujących złotych wydm. Im szybciej się wspinała, tym wyżej piasek przesypywał się wokół jej kostek, aż wreszcie aksamitna pieszczota uwięziła jej łydki i Noora padła wyczerpana.

Wtedy zauważyła gekona scynkowego – dręczącego ją gekona scynkowego – na szczycie wzgórza, z łebkiem wzniesionym do nieba, wchłaniającego całym sobą promienie słońca. Nie zapadał się, stał nieruchomo. Przecież to jego miejsce.

Wtedy ziemia wokół niej się zatrzęsła. Obok ktoś przebiegł dudniącymi krokami – mężczyzna lub kobieta, nie potrafiła powiedzieć, gdyż postać biegnąca po gekona była zasłonięta wieloma warstwami ubrania.

Zebrała wszystkie siły i wyciągnęła stopę, potem drugą i ruszyła w góry, nagle żwawa, czujna, mknąca na palcach po stromym stoku. Przez cały czas patrzyła na stopy tej drugiej osoby, spuchnięte od mściwości, zbliżające się do gekona.

Ona płakała. Ono płakało...

Stopa uniosła się i opadła. Lecz gekon zniknął, zostawiając po sobie tylko kręty odcisk ciała na piasku. Pojawił się w pewnej odległości.

Ono płakało. Ona płakała...

Stopa znów się uniosła, cień nad jej głową. Znów się schyliła, wijąc się, czując, że w jej wnętrzu też się coś wije. Lecz ziemia nad jej głową znów się zatrzęsła, a stopa nadal brnęła do góry.

Ona płakała. Ona płakała...

Wymachiwała rękami i kopała nogami, płynęła coraz głębiej, aż utknęła. Wszystkie te łzy skleiły piasek, zmieniając go w grudki błota.

Rozmiękłe błoto, kleiste błoto, ciężkie błoto...

Płakała, zupełnie przemoczona. Wilgoć sączyła się jej z oczu, twarzy, ciała. Wilgoć była wszędzie.

Noora obudziła się roztrzęsiona i półprzytomna, pozbawiona tchu. Tak spokojnie, tak cicho, tak ciemno, nie licząc migoczącego płomienia lampy, wiszącej na gwoździu na ścianie. Ocucił ją wrzask szpaka. Poranny ptak nocą? Próbowała to zrozumieć, kiedy usłyszała, że odlatuje, trzepocząc skrzydłami, a pokój zalało białe światło błyskawicy. Wokół niej widniała kałuża.

Nadszedł czas. Za chwilę się zacznie.

Ta myśl wprawiła w drżenie całe jej ciało akurat w momencie, kiedy wnętrzności przeniknął rozdzierający skurcz. Jej krzyk zagłuszyło ryczące niebo.

Ból osłabł. Odetchnęła głęboko, przepełniona lękiem, że następny skurcz będzie jeszcze gorszy. Dlaczego jest sama? Gdzie jest Latifa? Co powinna zrobić? Gdzie jest akuszerka? Co powiedziała? „Spaceruj, spaceruj, spaceruj!".

Noora zwlokła się z łóżka i natychmiast zgięła w pół, gdy kolejna bolesna fala przetoczyła się przez jej ciało. Czy to sygnał początku życia, czy jego końca? Co powiedziała akuszerka? „Wszystko w rękach Boga, czy przeżyjesz, czy umrzesz". Czy ona umrze?

Nie było czasu, żeby się nad tym zastanawiać. Poród zaczął się błyskawicznie w mroku szybko nadciągającej burzy. Ukucnęła. Co powiedziała akuszerka? „Usiądź, usiądź, usiądź na worku i trzymaj się mnie!". Nie miała czasu złapać worka, więc uczepiła się kolumienki łóżka i stopiła w jedno z wypiętrzającymi się chmurami.

Wyła z burzą, zawodziła z wiatrem, krzyczała z uderzeniami pioruna. Jej łzy wyglądały jak ulewa, a kiedy nadszedł grad i zaczął uderzać o dach, dał sygnał do ostatniej fazy porodu.

Wtedy przestała myśleć o czymkolwiek.

50

Teraz jest tak cicho. Jak szybko nastał spokój.

Spojrzała przez ramię, przez drzwi, na to, co się dzieje na dziedzińcu. Lampy trzęsły się jak jaskrawożółte ryby na powierzchni czarnego morza. Słychać było chlupiące na mokrym piachu kroki. Wkoło i wkoło, w tę i z powrotem, chodzili, rozmawiając gorączkowo: troska w krokach Jassema, niepokój w krokach Latify, szaleństwo w krokach Jaqooty.

– Co powinniśmy zrobić? Co powinniśmy najpierw zrobić? – powtarzała Latifa.

Noora odwróciła się do swojego dziecka.

– Słyszysz ją? To ona wpadła tu zaraz po twoich narodzinach. – Przygładziła gęste czarne włoski i otarła mokrą bawełnianą szmatką buzię i oczka. – Widziałeś ją?

– Akuszerka, musimy natychmiast sprowadzić akuszerkę! – krzyczała Latifa.

– Pamiętasz ją? Widziałeś, jak wbiegła do pokoju i stanęła, nie wiedząc, co robić, po czym znów wybiegła?

Chciała cię dotknąć przede mną. Jednak się spóźniła. Dotknęłam cię pierwsza. Pamiętaj o tym.

– Musimy poczekać, aż deszcz przestanie padać – powiedział Jassem.

– Uuu! – zawyła Jaqoota. – Jeśli się nie pośpieszymy, ona umrze, dziecko umrze.

– Nie słuchaj ich – wyszeptała Noora do dziecka. – Nic ci się nie stanie. Jesteś błogosławiony, *masha' Allah*, jesteś błogosławiony. – Przetarła stopy dziecka – chłopca – ostatnim kawałkiem bawełnianej szmatki, a ręka wciąż jej drżała. Był taki kruchy: miękki punkt na szczycie głowy, oddech galopujący na jego brzuszku, wygięcie kręgosłupa, maleńkie kończyny, które pozostawały w ciągłym ruchu, te kurczące się paluszki, które już chwytały powietrze. Jak udało jej się go umyć, nie robiąc mu krzywdy? A z drugiej strony, jak w ogóle jej się to udało?

Może to była życiodajna burza? Wciąż widziała oślepiające błyski światła. Wciąż słyszała ryk atramentowego nieba, grzmoty, szum deszczu i wreszcie bębnienie ziaren gradu. Cały ten hałas przegonił z niej strach. Niebo rozdarło się, kiedy wszyscy przestali wierzyć w błogosławieństwo deszczu. Otworzyło się dla niej i wylało wiadra nadziei i pragnień. Burza poganiała ją natężającym się rytmem. Była taka gorączkowa, taka pośpieszna! W końcu nadeszła w jednym celu: żeby towarzyszyć jej przy porodzie. Dopiero teraz słabła, przechodząc w lekką mżawkę. Po co miałaby zostawać dłużej, kiedy już spełniła swoje zadanie?

Noora poczuła się wyczerpana, lecz zwalczyła to.

– Jesteś błogosławiony – wyszeptała i zaczęła owijać dziecko długim kawałkiem bawełny. – Nie będziesz musiał zmierzyć się z tym co ja. Nie popełnisz moich błędów. – Dziecko spróbowało unieść senne powieki, ale poddało się z ziewnięciem. – Jeszcze tylko chwila, a potem położę cię spać.

Na zewnątrz trwała kłótnia, lecz tym razem Noora nie podniosła wzroku.

– Idź natychmiast – poleciła Latifa.

– Nieee! – wrzasnęła Jaqoota, a Noora wyobraziła sobie, jak zaciska mięsiste wargi.

– Już jesteś opatulony. – Noora wzięła dziecko na ręce i podeszła do kołyski.

– Powiedziałam, żebyś po nią poszła. Potrzebujemy jej natychmiast!

– Słyszałeś ją? To znowu ona. Musisz na nią uważać. Powinieneś wiedzieć, że ona lubi bawić się słowami. Ja też się tego nauczyłam, a niedługo ty również będziesz musiał.

– Nie pójdę w tych ciemnościach, *ommi* Latifo – lamentowała Jaqoota. – Beduini mnie porwą... i nigdy więcej mnie nie zobaczycie!

– Ja pójdę. – To Jassem.

– Nie bądź niemądry. To zadanie dla kobiety, problem kobiety. Jaqoota pójdzie.

– Nie pójdę!

– Pójdziesz!

– Nie słuchaj ich. Jedno, czego powinieneś się jak najszybciej nauczyć, to tego, że oni są dobrzy tylko w słowach.

– Kołysała dziecko w ramionach, śpiewając mu cicho. – To wszystko. Tylko słowa, słowa, słowa...

Na dworze rozległy się odgłosy szurania i siłowania. Ktoś ciągnął, ktoś się opierał. Rozległ się dźwięk rozdzierania i uderzenia.

– Ooo! – wrzasnęła Jaqoota. – Złamałaś nogę?

Czy to możliwe, żeby kobieta, która tak ostrożnie stawia kroki, poślizgnęła się?

Przez chwilę panowała cisza, a potem Latifa zawyła z bólu:

– Nie mogę się ruszać! Potrzebuję nastawiacza kości!

– Nie mogę pójść, żeby się przekonać, czy nic jej się nie stało. Teraz mam ciebie i, *masha' Allah*, potrzebujesz mnie bardziej niż ktokolwiek inny. – Przytuliła dziecko. – Jutro porządnie cię wykąpię, obrysuję oczy kholem, a na twoim czole, policzkach i brodzie odbiję kciuk zanurzony w indygo, żeby chronić cię przed zawistnymi spojrzeniami. Co nie znaczy, że ci to potrzebne. Widzisz, *masha' Allah*, jesteś błogosławiony.

– Dziecko, dziecko, co się dzieje z dzieckiem?! – krzyczała Latifa. – Sprowadźcie akuszerkę! Sprowadźcie nastawiacza kości!

– Uspokój się – powiedział Jassem. – Pomogę ci wrócić do twojego pokoju, a potem pójdę z Jaqootą – żeby nikt jej nie porwał – i sprowadzę obydwoje.

– Posłuchaj mnie – wyszeptała Noora, kładąc małego do kołyski – Życie będzie dla ciebie lepsze.

Dziecko poruszyło się i zaczęło kwilić.

– Cicho, cichutko. Śpij.

Koniec

Oto Maha Gargash

Urodziłam się w Dubaju w szanowanej rodzinie biznesmenów, a moi rodzice od początku wierzyli, iż wiedza, doświadczenie i silne poczucie tożsamości stanowią kluczowe elementy samorealizacji. Wartości te nie były tematem rozmów, lecz ujawniały się z każdym rokiem mojego dorastania. I one też bardzo mi się przydały podczas studiów w Ameryce i wiele lat później w Londynie.

Ameryka otworzyła mi oczy. Kiedy po raz pierwszy tam pojechałam, uderzył mnie jej ogrom. Wydawało mi się, że autostrady nie mają końca, a podziemne parkingi wyglądają złowieszczo (na pewno z powodu wszystkich obejrzanych przeze mnie filmów, w których były najbardziej dogodnym miejscem do popełnienia morderstwa). Zastanawiało mnie, dlaczego dzieci zwracają się do rodziców jak do rówieśników, a nauczyciele namawiają, żebym zamiast używać oficjalnej formy „pani" i „pan", nazywała ich po imieniu – John, Mary – jakbyśmy byli najlepszymi przyjaciółmi. Uważałam, że najrozsądniej będzie oprzeć się temu nowemu swobodnemu podejściu, w związku z czym przez pierwszy rok przeżywałam szok kulturowy. Dopiero podczas drugiego roku uświadomiłam sobie własną głupotę i zaczęłam zmieniać nastawienie, zakładając, że przystosowanie się, nawet tymczasowe, to dobre wyjście. Od tamtego momentu doskonale sobie radziłam i nawet żałowałam, że opuszczam Amerykę, gdzie poznałam wspaniałych przyjaciół i miałam wyjątkowych nauczycieli, którzy nauczyli mnie myśleć samodzielnie.

Z dyplomem wydziału telewizji i radia wróciłam do Dubaju i od razu zaczęłam pracować w Radio and Television Dubai i rozwijać zainteresowanie filmem dokumentalnym. Była to dziedzina oferująca wiele możliwości podróży i otworzyła przede mną niejedne drzwi. Zrealizowałam szereg filmów dokumentalnych, które do dzisiejszego dnia pozostają cennym źródłem wiedzy na temat różnych aspektów kultury Emiratów. Realizując te programy, dotarłam do wszystkich zakątków w Emiratach, a doświadczenie, jakie tam zdobyłam, można najskromniej określić jako cenne. Utrwaliłam na filmie starsze kobiety zaplatające zręcznymi palcami włosy małej dziewczynki na kształt skrzydeł, zgodnie z tradycją shoongi, wytropiłam samotnego wędrowca i jego wielbłąda pośrodku pustyni podczas recytacji *tarij* – wiersza, który oddaje wielbłądzi krok i pomaga zabić długie, samotne godziny wśród wydm – a także sfilmowałam grupę muzyków robiących tradycyjny bęben i przy akompaniamencie śpiewnej recytacji naciągających skórę na szkielet instrumentu.

Praca przy filmach dokumentalnych bardzo przypominała pisanie tej książki, jako że wymagała pełnego zaangażowania w długi i skomplikowany proces, którego zakończenie dawało ogromną satysfakcję.

Mój kolejny projekt różnił się nieco od filmów dokumentalnych. Był to program telewizyjny poświęcony kulturze, emitujący materiały na temat sztuki, kultury, przyrody i wyjątkowych ludzi oraz społeczności z całego świata. Nasz zespół był mały i skończyło się na tym, że nie tylko reżyserowałam, ale szukałam materiałów, pisałam scenariusze i byłam prezenterką. Program pokazywano w telewizji przez pięć sezonów i można w nim było obejrzeć, między innymi, materiał o starożytnej indyjskiej sztuce ajurwedy, człowieku, który kupił rajską wyspę na Seszelach w 1962 roku za marne dziesięć tysięcy funtów oraz roślinie o nazwie khat, odgrywającej kluczową rolę w życiu towarzyskim w Jemenie, jako że ma działanie euforyczne i stymulujące, kiedy się ją żuje.

Na potrzeby tego programu zwiedziłam ponad czterdzieści krajów. Podróże te pozostawiły niezatarte wspomnienia. Wciąż pamiętam piękno gór Semien w Etiopii, krystalicznie czysty zapach poranka na dnie świata w Nowej Zelandii, nadal czuję potężną moc Nilu przewalającego się przez sześciometrowy przełom w parku narodowym w Ugandzie, gdzie znajduje się wodospad Murchinsona, wspominam z zachwytem widok siedemdziesięciu pięciu sokołów śmigających nad ogromnymi górami Hindukuszu w Pakistanie, gdzie prowadzony jest rządowy program zwiększenia ich populacji żyjącej w naturalnych warunkach. Dzięki podróżom wyostrzyły się moje zmysły i wzrósł apetyt na wiedzę i poznawanie.

Moje najcenniejsze wspomnienia

Tę książkę miałam w głowie na długo przed tym, nim ją napisałam. Widziałam niebo, słone wody zatoki, palące słońce i łódź do poławiania pereł i moja wyobraźnia skłoniła mnie, żeby umieścić w niej bohaterów powieści. Przyszedł mi do głowy młody mężczyzna płynący tą łodzią, trudy, jakie będzie musiał znosić, zwycięstwa, jakie staną się jego udziałem, i nadzieja żyjąca w jego sercu.

Poławiacze pereł mieli ciężkie życie. Podczas nurkowania mieszkali przez wiele miesięcy pod palącym słońcem na przepełnionej łodzi. Racje żywnościowe były niewielkie, a ciągłe nurkowanie i brak witamin osłabiał ich oczy, uszy i płuca. Większość pobierała zaliczki od właściciela łodzi, żeby zapewnić byt rodzinie podczas swojego wielomiesięcznego pobytu na morzu. Jeśli nie złowili w sezonie dość pereł, żeby pokryć wartość zaliczki, mieli dług u właściciela na początku kolejnego sezonu, kiedy potrzebna im była następna zaliczka. Im więcej się o nich dowiadywałam, tym głębiej byłam przekonana, że połów pereł musi stanowić tło mojej powieści.

Rozpoczęłam od gromadzenia informacji, notując najdrobniejsze szczegóły, które według mnie powinny znaleźć się w książce. Kiedy rozmawiałam z poławiaczami, ze zdziwieniem odkryłam, że wcale nie mają ochoty dzielić się wspomnieniami z tamtych ciężkich czasów. Pewien starszy człowiek z oczami pokrytymi bielmem powiedział mi: „Tamte dni były tak pełne cierpienia, że wolę o nich zapomnieć".

Trudno. Uważałam, że mam wystarczająco dużo materiału, by stworzyć wspaniałą książkę, i zaczęłam pisać z takim zapamiętaniem, że dopiero po sześciu miesiącach zorientowałam się, że fabuła utknęła w martwym punkcie. Nie było zwrotów akcji, a postaciom brakowało cech, dzięki którym zostałyby zapamiętane. Mój projekt zamieniał się w szczegółowy podręcznik – dodam, że bardzo przydatny – dla osób zainteresowanych poławianiem pereł. Te pierwsze dwadzieścia rozdziałów napisanych z takim entuzjazmem powędrowało do kosza, kiedy uświadomiłam sobie, że brakuje w nich podstawowego składnika: szczegółów o charakterze osobistym.

Po namyśle uznałam, że ciekawiej będzie opowiedzieć tę historię z punktu widzenia młodej kobiety. Nie byle jakiej kobiety. Noora, główna bohaterka, dorasta w odizolowanym środowisku, jest nieokrzesana i dzika. Kiedy już ustaliłam, że tak będzie wyglądać tło powieści, zadałam sobie pytanie: „Co by się stało, gdyby tę beztroską i samodzielną młodą kobietę zmuszono do życia pełnego ograniczeń?". Odpowiedź na to pytanie miała wiele aspektów, które stały się podstawą tej powieści.

Zjednoczone Emiraty Arabskie przeszły błyskawiczną i imponującą transformację. Zmiana pojawiła się tak szybko, że my, ich mieszkańcy, mieliśmy niewiele czasu, żeby się nad nią zastanowić. Dlatego postanowiłam umiejscowić akcję powieści w przeszłości i wybrałam lata pięćdziesiąte, ponieważ wtedy stało się jasne, że dawny styl życia niebawem odejdzie w przeszłość.

To w latach trzydziestych globalny kryzys gospodarczy i japońskie odkrycie pereł hodowlanych sprawiły, że połów i handel perłami, stanowiący podstawę egzystencji społeczności zamieszkujących Zatokę Arabską, zaczął się kurczyć. W latach pięćdziesiątych, pomijając kilku ryzykanckich handlarzy, którzy upierali się przy „jeszcze jednym połowie", dla reszty stało się jasne, że przemysł perłowy nie odbije się od dna. Mieszkańcy regionu czekali i zastanawiali się, dokąd zaprowadzi ich ta czarna ropa, o której tyle słyszeli. Jakie zmiany przyniesie?

Ropa przyniosła szanse, bogactwo, wykształcenie i opiekę zdrowotną w procesie, który można określić jedynie jako wielką transformację, skok w nowoczesność. Ludzie szybko zapominali o przeszłości i zwrócili się ku przyszłości. Dzisiaj Zjednoczone Emiraty Arabskie należą do najbardziej atrakcyjnych miejsc do mieszkania. Są rajem podatkowym i szczycą się imponującą infrastrukturą. Życie jest tutaj wygodne, a społeczność kosmopolityczna. Prawo jest tolerancyjne wobec wszystkich ras i religii. To sprawiło, że ludzie ponad stu dziewięćdziesięciu narodowości nazywają Zjednoczone Emiraty Arabskie swoim domem.

Wszystkie te osiągnięcia nadały życiu niezwykłe przyspieszenie, zwłaszcza w moim mieście, Dubaju. Młode pokolenie młodych mężczyzn i kobiet żyje teraz w innym tempie, wiodąc egzystencję pełną szans i nadziei. Wydaje się, że nie ma czasu, żeby zastanowić się nad przeszłością – życiem, jakie wiedli ich dziadkowie. Jednak lekceważenie go byłoby ogromną stratą. Nikt nie wyraził tej nostalgii lepiej niż nasz nieżyjący prezydent, wizjoner szejk Zaid bin Sultan an-Nahajan: „Naród, który nie rozumie swojej przeszłości i z niej nie czerpie, nie będzie potrafił poradzić sobie z wyzwaniami chwili obecnej i przyszłości".

Z historycznego punktu widzenia kultura Emiratów jest tradycją ustną. Nasze zwyczaje, uczucia i kodeks moralny były przekazywane z pokolenia na pokolenie przez opowiadanie historii i recytowanie poezji. W związku z tym istnieje realne niebezpieczeństwo, iż szczegóły stylu życia z przeszłości odejdą wraz z ludźmi, którzy znali je z własnego doświadczenia. Obecnie zachowuje się te informacje w niewystarczającym stopniu, zaś to, co jest pokazywane i dokumentowane w muzeach w całym kraju, przedstawia fakty, lecz nie osobiste historie.

Na szczęście moja praca jako reżyserki filmowej specjalizującej się w programach dokumentalnych zapewniła mi dostęp do społeczności przedstawionych w książce. By uchwycić atmosferę tamtych lat ubóstwa, poprzedzających bogactwo, jakie przyszło wraz z ropą, przeprowadziłam wywiady z wieloma starszymi osobami, których wspomnienia posłużyły za kanwę świata opisywanego przeze mnie w tej książce.

Najbardziej przejmujące historie opowiadały kobiety. Jako że jestem kobietą z Emiratów, otworzyły przede mną serca i wyjawiły nie tylko zawiłe szczegóły ich życia codziennego, ale też nadzieje i pragnienia, obawy i dążenia. Niektóre z tych osób należały do mojej rodziny, jak rodzice i ciotka. Podczas zbierania informacji zdałam sobie jednak sprawę, że to nie wystarczy, żeby odtworzyć ich życie. Musiałam zobaczyć, powąchać, usłyszeć, posmakować i dotknąć tego świata.

By napisać tę powieść, poświęciłam wiele czasu na zgłębienie takich dziedzin, jak architektura i infrastruktura miast, poławianie pereł, arabskie łodzie, szlaki handlowe, stroje kobiet, tkaniny, biżuteria, makijaż oraz sposoby szycia. Chcąc opisać te miejsca, studiowałam topografię regionu i odwiedzałam opuszczone domy stojące wysoko w górach oraz pozostałości po gospodarstwach nad morzem. Zależało mi na tym, żeby czytelnik miał wrażenie, iż te miejsca są autentyczne. Decydując się na prosty i lakoniczny styl, starałam się oddać jałowość krainy, której mieszkańcy znoszą upał, niedostatek i świętują opady deszczu.

Według mnie *Arabska perła* jest wciągającą lekturą, jako że opisuje określone czasy i styl życia, wplatając w nie uniwersalne uczucia i podejście do miłości, zazdrość, przyjaźń i sztukę przetrwania. Nie interesował mnie obraz widziany z szerszej perspektywy, ale maleńki wycinek życia i to, do jak olbrzymich rozmiarów rozrasta się ono w głowie głównej bohaterki. Moim celem było stworzenie emocjonalnego tła powieści na podstawie wydarzeń przefiltrowanych przez uczucia Noory. Jest trzecią żoną, uwięzioną w domu pełnym intryg. Chciałam, żeby czytelnik zaangażował się w jej podróż, żeby zajrzał do głowy Noory i zobaczył świat jej oczami.

Powieść jest podróżą Noory do odkrycia samej siebie. Jej mały świat w domu nad morzem jest zależny od zawiłej sztuki konwersacji: tego, co mówić, a co przemilczeć, od słodkich słówek, które kryją drugie dno, psychologicznych gier. Jej kroki w stronę bliskości z Hamadem początkowo są beztroskie, a jednocześnie bardzo niebezpieczne, gdyż nad każdym działaniem wisi cień nadciągającej katastrofy.

Chociaż Noora jest piękna, inteligentna i porywcza, jest nietypową bohaterką. Ma niewielki wybór i żadnych szans, więc wyposażenie jej w wielkie ambicje byłoby nierealistyczne. Biorąc pod uwagę, że wychowuje się w ubóstwie, wystarczy, iż potrafi sobie radzić – co według kryteriów Zachodu nie jest bohaterską postawą. Jednak radząc sobie, zyskuje przewagę, wygrywa drobne potyczki w domu, którego staje się częścią, zmienia dynamikę rządzącą relacjami pomiędzy domownikami.

Pod oślepiającym słońcem

Kiedyś już podczas krótkiej podróży można było dostrzec zmieniającą się barwę i strukturę piasku. To jednak się zmieniło. Dubaj rozrósł się i przekształcił w ekscytujące miasto, które przyciąga turystów z całego świata. Przyjeżdżają dla luksusowych kurortów, modnych restauracji i ogromnych centrów handlowych. Często jest tyle do obejrzenia, że można nie dostrzec kultury Dubaju i jego okolic.

Dubaj
Zatoka Dubajska

Zatoka Dubajska była najważniejszym czynnikiem, który zadecydował o gospodarczej pozycji Dubaju. Dubajski przemysł perłowy i handel z Indiami oraz Afryką opierały się głównie na rejsach po zatoce. Dzieli ona miasto na dwie części: Bur Deira i Bur Dubai. W przeszłości ludzie używali abry, małej łodzi wiosłowej, żeby przeprawiać się z jednego brzegu na drugi, i robią tak do dziś. Chociaż obecnie łodzie mają silniki, abra pozostaje najlepszym środkiem transportu, który pozwala docenić tętniące życiem miasto.

BASTAKIJA

Bastakija jest jedną z najbardziej uroczych, zabytkowych dzielnic Dubaju. Najstarsze w mieście domy, zbudowane przez bogatych mieszkańców miasta, powstały w latach dziewięćdziesiątych XIX wieku. Mają dwa poziomy i zaprojektowano je tak, żeby łagodziły skutki upalnego i wilgotnego klimatu. Każdy z nich wyposażony jest w charakterystyczną wieżę wiatrową – pomysłową metodę wentylacji. Chwytając wiatr wiejący z dowolnej strony, kieruje go do wnętrza domu i zależnie od wysokości, zwiększa jego prędkość nawet pięciokrotnie.

DOM SZEJKA SAIDA AL-MAKTUMA

W roku 1896 dom szejka Saida al-Maktuma był nie tylko rezydencją byłego władcy Dubaju, ale także siedzibą rządu i miejscem rozmów polityków na tematy polityczne i społeczne. Ten historyczny budynek charakteryzuje się wysoko sklepionymi sufitami wspartymi na belkach, łukowatymi wejściami i rzeźbionymi okapami okien. Obecnie mieści się w nim imponująca kolekcja fotografii starego Dubaju.

SZKOŁA AL-AHMADIJA

Zbudowana w 1912 roku, Al-Ahmadija jest pierwszą półformalną szkołą w Dubaju. Kryje sale osłonięte arkadą tworzącą wewnętrzny dziedziniec wysypany piaskiem.

Odbywały się tam poranne zgromadzenia, tam uczniowie się bawili. Al-Ahmadija znajduje się w Deirze i pozostaje w sercach tych, którzy się w niej uczyli.

TARG ZŁOTA (GOLD SOUK)

W każdym sklepie pełno jest naszyjników, kolczyków i bransoletek, na które nie szczędzono złota. Targ Złota, znajdujący się w sercu Deiry, składa się z ponad trzystu stoisk. Handel rozkwitał na tych wąskich uliczkach w latach czterdziestych XX wieku dzięki dubajskiej polityce wolnego handlu, która zachęcała przedsiębiorców z Indii i Iranu do otwierania tam sklepów. Obecnie na targu każdego dnia znajduje się ponad dwadzieścia pięć ton złota.

MUZEUM PEREŁ NARODOWEGO BANKU DUBAJU

Tę kolekcję trzeba obejrzeć. W siedzibie Banku Narodowego znajduje się największa na świecie kolekcja naturalnych pereł. Należały one do nieżyjącego sułtana al-Owaisa, biznesmena, poety i filantropa, który przekazał je narodowi Emiratów, oddając pod opiekę zwierzchnikom banku. Jego życzeniem było, by wyeksponować perły, by przypomnieć ludziom, jak wyglądało życie przed odkryciem złóż ropy. W muzeum można obejrzeć perły o najdoskonalszym okrągłym kształcie i pięknym połysku.

Okolice Dubaju
Abu Zabi: Meczet szejka Zaida

Meczet szejka Zaida w Abu Zabi jest trzecim co do wielkości meczetem na świecie. Nazwano go tak na cześć ojca narodu, nieżyjącego prezydenta szejka Zaida bin Sultana an-Nahajana, który jest pochowany w jego pobliżu. Meczet może pomieścić 40 000 wiernych i pobił kilka światowych rekordów. Znajduje się w nim największy na świecie dywan o ponad dwóch milionach supełków i wadze czterdziestu pięciu ton. Tysiąc dwustu tkaczy z Iranu tkało go przez dwa lata. Meczet jest oszałamiającym osiągnięciem architektonicznym, złożonym ze strzelistych minaretów i imponujących kopuł z olśniewająco białego marmuru.

Szardża: Bait Al-Naboodah

Bait Al-Naboodah w Szardży nie jest zwyczajnym domem. Wielkość i mnogość detali wskazuje, iż należał do zamożnej rodziny. Są w nim kolumny o podstawach z granitu sprowadzone z Indii i drewno z Zanzibaru. Pokoje utrzymane są w stylu typowym dla domów znad Zatoki Arabskiej. Mają kształt podłużnych prostokątów i wysokie sklepienia, ich szerokość zaś odpowiada długości belek sufitowych. Okna są małe i wpuszczają minimum światła, chroniąc przed upałem. Jest to piękny dom, stylowy w swojej prostocie, który warto odwiedzić.

LIWA

Liwa znajduje się dość daleko od Dubaju, ale warto się tam wybrać, żeby poczuć niezwykły spokój jednego z najpiękniejszych krajobrazów pustynnych świata. Jej ogrom jest wręcz przytłaczający. Liwa nazywana jest pustynią pustyni, a znajdujące się na niej wydmy dorównują wielkością górom. Ich zbocza są niemal pionowe i zjeżdżanie z nich dżipem do zagłębienia poniżej jest zarówno stresującym, jak i ekscytującym przeżyciem.

WIOSKA SHEES

Góry w Emiratach najlepiej zwiedzać po ulewie. Woda zmywa wtedy pył i ziemia nabiera barwy głębokiej czerwieni, brązu i fioletu. Niezwykle malownicza trasa wiodąca przez głębokie wąwozy i kępy palm przecina góry Fudżajra, doprowadzając do uroczej wioski o nazwie Shees. Zamieszkuje ją mała społeczność żyjąca w odosobnieniu na niewielkich kamiennych tarasach, które wychwytują owiewający je wiatr. To miejsce wyjątkowe, ponieważ wykorzystuje naturalne ukształtowanie terenu i wodę z miejscowych źródeł.

Podziękowania

Mam w życiu dużo szczęścia, gdyż moi trzej bracia: Samir, Anwar i Szebab okazują mi nieustającą życzliwość. Jestem równie szczęśliwa, iż ich żony, Suad, Cyma i Lamis, stały się dla mnie siostrami, których nigdy nie miałam.

Pragnę też wyrazić wdzięczność wyjątkowemu przyjacielowi, Ali Khalifie, który towarzyszy mi od czasów, kiedy ta powieść była zaledwie pomysłem. Korzystając z przebłysków natchnienia i intuicji, gotów był służyć mi pomocą przy kolejnych szkicach powieści, dzięki czemu z surowego materiału powstała ostateczna wersja.

Jestem też niezwykle wdzięczna wszystkim ludziom, którzy otworzyli przede mną serca, żeby podzielić się prawdziwymi historiami z życia w tym regionie. Pragnę podziękować szczególnie córce i wnuczce handlarza pereł, May i Fatmie Bilgaizi, za ich serdeczność i autentyczność wspomnień. Kolejne podziękowanie kieruję do mojej ciotki, Amny, za jej dobrą pamięć i inspirujące przemyślenia, oraz do Maryam al-Haszemi za to, że podzieliła się ze mną bolesnymi wspomnieniami. Chcę też ciepło wspomnieć o mojej babce, pieszczotliwie nazywanej Mama-Hintain, mojej drugiej matce, która w dzieciństwie opowiadała mi historie drogocenne jak kamienie szlachetne. Chociaż już nie żyje, jej opowieści do poduszki o dżinach, wiedźmach, miłości i małżeństwie wciąż żyją w mojej wyobraźni.

Mam dług wdzięczności wobec moich przyjaciółek, Mimi Raad i Liny Matty, które od razu pokochały bohaterkę mojej książki. Dziękuję im za cenne uwagi, zaangażowanie i czas, jaki spędziły, dopracowując szczegóły.

Dziękuję też mojemu agentowi, Emile'owi Khoury'emu, za to, że uwierzył w moją powieść i wprowadził mnie do rodziny HarperCollins, która udzieliła mi wielu cennych wskazówek i wsparcia. Szczere podziękowania należą się także mojej redaktorce, Stephanie Fraser, za jej fachowe przewodnictwo i celne spostrzeżenia.

Dziękuję Ali Jaberowi za zaraźliwy entuzjazm. Następujące osoby zaskarbiły sobie moją wdzięczność za to, iż poświęciły czas, żeby przeczytać moje pierwsze szkice i podzielić się uwagami: Samer Hamza, Aliyya al-Khalidi, Susan Ehtiszam, Aileen Mehra, Mike Morolla, Monica Daniels i Kawkab Bin Hafez.

I wreszcie wyrażam wdzięczność wszystkim moim bratankom i bratanicom: Ali, Mohammadowi, Omarowi, Ahmadowi, Maryam, Noorze, Sorai, Faye, Maha, Jude i Mansourowi. Dziękuję, że przerywaliście mi pracę, zapewniając tak potrzebne chwile wytchnienia.

Wydawca poleca

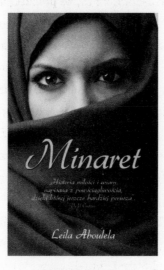

Minaret

Leila Aboulela

W swoim muzułmańskim hidżabie, ze spuszczonym wzrokiem, Najwa jest niewidzialna dla większości, szczególnie dla bogaczy, których domy sprząta. Dwadzieścia lat wcześniej Najwa, studiująca na uniwersytecie w Chartumie, nie przypuszcza nawet, że pewnego dnia będzie zmuszona pracować jako służąca. Marzeniem młodej, wychowanej w wyższych sferach Sudanki, było zamążpójście i założenie rodziny. Koniec beztroskich chwil Najwy przyszedł wraz z zamachem stanu, w którego wyniku została skazana wraz z rodziną na polityczne zesłanie do Londynu. Nie spełniły się jej marzenia o miłości, ale przebudzenie w nowej religii, islamie, przyniosło jej inny rodzaj ukojenia. W tym momencie w jej życiu pojawia się Tamer, pełen życia, samotny brat jej pracodawczyni. Obydwoje znajdują wspólną więź w religii i powoli, niezauważalnie, zakochują się w sobie...

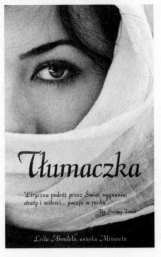

Tłumaczka

Leila Aboulela

Sammar, wdowa z Sudanu, zatrudniona jako tłumaczka arabskiego na Scottish University zaczyna tłumaczyć dla Rae, świeckiego islamisty. Bliska przyjaźń, która ich połączy, obudzi u Sammar tłumioną tęsknotę za pełnym życiem. Kiedy się zakochują, Sammar uświadamia sobie, że będą musieli poruszyć temat jego braku wiary we wszystko, co dla niej święte. Tłumaczka, mistrzowska refleksja na temat miłości, tak ludzkiej jak i boskiej, to w gruncie rzeczy, historia kobiety na tyle odważnej, by pozostać wierną swoim przekonaniom, samej sobie i nowo odnalezionej miłości.

„Tłumaczka to sugestywna opowieść o tym, co teoretycznie może się wydarzyć między mężczyzną i kobietą albo między dwoma rodzajami wiary, dwojgiem ludzi, być może nawet narodów, pomiędzy państwami. Jest to celne, donośne ostrzeżenie, pełne miłości i dogłębnego rozumienia świata. Jest dokładnie tym, czym literatura piękna być powinna."

Todd McEwan

Wydawca poleca

Klub niewiernych żon

Carrie Karasyov

Cztery bogate i znudzone mężatki z Los Angeles zawierają umowę: każda w ciągu roku ma zaangażować się w co najmniej jeden romans. O ich sprawkach nie może dowiedzieć się nikt – mają się zwierzać tylko sobie i wzajemnie wspierać. Tak więc wkraczają – dwie ochoczo, jedna ostrożnie i jedna bardzo niechętnie – na niebezpieczne ścieżki zdrady. Nim minie rok, odkryte zostaną tajemnice, spiętrzą się zdrady, wyjdą na jaw ukryte pragnienia, wypowiedzianych zostanie wiele kłamstw. Każda z kobiet stanie twarzą w twarz z prawdą o sobie, o tym, kim jest, i co jest w życiu najważniejsze.

Za rogiem czai się niebezpieczny plotkarz, a w sercach niebezpieczne namiętności. Bohaterki napotkają na swej drodze mężczyzn interesujących i nudnych, czarujących i podejrzanych, zetkną się z zawiścią, plotkami, nieczystymi intencjami, popełnione zostanie morderstwo, aż wreszcie wszystkie (no, prawie) znajdą... prawdziwą miłość.

Wydawca poleca

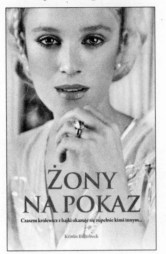

Żony na pokaz

Kristin Billerbeck

Haley bezpowrotnie utraciła pozycję księżniczki Los Angeles, kiedy jej mąż, producent filmowy, znalazł do tej roli młodszą kobietę.

Haley Cutler jest żoną na pokaz. A właściwie była. Wyszła za mąż za królewicza z bajki w wieku zaledwie dwudziestu lat w czasach, gdy pasemka uzyskiwało się, spędzając popołudnie na plaży.

Niestety, po siedmiu latach przeżytych u boku Jaya Cutlera, podczas których cieszyła się wysoką pozycją oraz, jak sądziła, miłością męża, zostaje porzucona.

Haley uświadamia sobie, że ma niewiele umiejętności przydatnych w prawdziwym życiu. Na dodatek nie może sobie przypomnieć, kim była kiedyś.

Trafia do Klubu Żon na Pokaz, gdzie kobiety po przejściach studiują Biblię. Haley nigdy nie była zbyt religijna, ale bardzo potrzebuje wsparcia. Te dziewczyny dobrze wiedzą, jak zemścić się na mężach, którzy je porzucili.

Wydawca poleca

10-10-10

Suzy Welch

Wszyscy pragniemy wpływać na kształt naszego życia, jednak w dzisiejszym szalonym świecie, pełnym konkurujących ze sobą priorytetów, nadmiaru informacji i możliwości, które zbijają nas z tropu, łatwo możemy zdać się na impulsy lub podejmować decyzje, będąc w stresie. Czy podejmujemy właściwe decyzje? Czy po raz kolejny pozwalamy, by rządziły nami, wbrew naszym najlepszym intencjom, wymogi chwili?

Metoda 10-10-10 jest nowym, przełomowym podejściem do procesu podejmowania decyzji, to narzędzie pozwalające odzyskać kontrolę nad własnym życiem w domu, w miłości i w pracy. Jest ona klarowna, prosta i przejrzysta. Stając przed jakimś dylematem, na początku musimy zadać sobie tylko trzy pytania: Jakie będą konsekwencje moich decyzji za 10 minut? Za 10 miesięcy? Za 10 lat?

Wydawca poleca

Zwiększ efekty odchudzania o 50%

Jak osiągnąć sukces z alli?

alli. Plan diety

alli. *Plan diety* to książka stanowiąca nieodzowne uzupełnienie programu **alli**, prezentująca wskazówki dotyczące żywienia, opracowane przez dietetyka i oparte na rzetelnej wiedzy medycznej. Znajdują się w niej ponadto szczegółowe plany posiłków i przepisy na pyszne dania, dostosowane do potrzeb diety z **alli**.

alli. *Plan diety* to recepta na sukces dzięki:

- ponad 200 przepisom na pyszne, wspomagające działanie **alli** dania
- funkcjonalnym planom posiłków oraz pozwalającym oszczędzić czas rozwiązaniom niewymagającym gotowania
- rozdziałowi poświęconemu kupowaniu gotowych dań
- przystępnym wskazówkom dotyczącym spożywania posiłków poza domem
- programowi aktywności fizycznej, optymalizującemu efekty odchudzania